LE JOUR
NE SE LÈVE PAS
POUR NOUS

DU MÊME AUTEUR

ROMANS

Week-end à Zuydcoote, NRF, Prix Goncourt, 1949.
La Mort est mon métier, NRF, 1952.
L'Ile, NRF, 1962.
Un animal doué de raison, NRF, 1967.
Derrière la vitre, 1970.
Malevil, NRF, 1972.
Les Hommes protégés, NRF, 1974.
Madrapour, Le Seuil, 1976.

FORTUNE DE FRANCE

Fortune de France, Plon, 1977.
En nos vertes années, Plon, 1979.
Paris ma bonne ville, Plon, 1980.
Le Prince que voilà, Plon, 1982.
La Violente Amour, Plon, 1983.
La Pique du jour, Plon, 1985.

HISTOIRE CONTEMPORAINE

Moncada, premier combat de Fidel Castro, Laffont, 1965.
Ahmed Ben Bella, NRF, 1965.

THÉÂTRE

Tome I. *Sisyphe et la mort, Flamineo, Les Sonderling*, NRF, 1950.
Tome II. *Nouveau Sisyphe, Justice à Miramar, L'Assemblée des femmes*, NRF, 1957.

BIOGRAPHIE

Vittoria, princesse Orsini, Éditions mondiales, 1959.

ESSAIS

Oscar Wilde ou la « destinée » de l'homosexuel, NRF, 1955.
Oscar Wilde, Perrin, 1984.

TRADUCTIONS

JOHN WEBSTER, *Le Démon blanc*, Aubier, 1945.
ERSKINE CALDWELL, *Les Voies du Seigneur*, NRF, 1950.
JONATHAN SWIFT, *Voyages de Gulliver (Lilliput, Brobdingnag, Houyhnhnms)*, EFR, 1956-1960.

EN COLLABORATION AVEC MAGALI MERLE

ERNESTO « CHE » GUEVARA, *Souvenirs de la Guerre révolutionnaire*, Maspero, 1967.
RALPH ELLISON, *Homme invisible*, Grasset, 1969.
P. COLLIER et D. HOROWITZ, *Les Rockefeller*, Le Seuil, 1976.

ROBERT MERLE

LE JOUR NE SE LÈVE PAS POUR NOUS

roman

PLON
8, rue Garancière
PARIS

IL A ÉTÉ TIRÉ DE CET OUVRAGE QUINZE EXEMPLAIRES SUR VERGÉ DE HOLLANDE DES PAPETERIES VAN GELDER DONT DOUZE EXEMPLAIRES NUMÉROTÉS DE H. 1 À H. 12 ET TROIS EXEMPLAIRES HORS COMMERCE NUMÉROTÉS DE H.C.H. 1 À H.C.H. 3, ET TRENTE-CINQ EXEMPLAIRES SUR VÉLIN PUR FIL DES PAPETERIES VAN GELDER DONT VINGT-CINQ EXEMPLAIRES NUMÉROTÉS DE 1 À 25 ET DIX EXEMPLAIRES HORS COMMERCE NUMÉROTÉS DE H.C. 1 À H.C. 10, LE TOUT CONSTITUANT L'ÉDITION ORIGINALE

ISBN 2-259-01527-1

Aux Forces sous-marines françaises, et en particulier aux équipages du Foudroyant *et de l'*Inflexible, *ce livre est amicalement dédié.*

Avant-Propos

Il y a quelques années, un journaliste français m'attribua des dons prophétiques. Voici pourquoi : dans mon roman Un animal doué de raison, *paru en 1967, j'avais « prédit » que Ronald Reagan — dont je faisais sous un autre nom un portrait transparent — accéderait à la présidence des USA. J'avais montré aussi comment des dauphins, spécialement entraînés, seraient un jour utilisés à des fins militaires : ce qui se fit, sept ans plus tard, dans le golfe du Tonkin, où ils furent employés contre les hommes-grenouilles nord-vietnamiens.*

Je ne tire pas vanité de ces anticipations. Je ne me reconnais, il va sans dire, aucun don prophétique, et j'en suis d'ailleurs très heureux : mon absolue cécité à l'égard de l'avenir, y compris de mon avenir personnel, me permet d'affirmer que je me suis programmé pour vivre jusqu'à cent vingt ans, sans craindre d'être démenti par un éclair involontaire d'extralucidité. Je dirais, en revanche, que je suis attentif à ce qui se passe autour de moi dans le monde, et que j'ai développé, grâce à cette attention, une certaine sensibilité à l'Histoire telle qu'elle est sous nos yeux en train de se faire. Comment expliquer sans cela qu'ayant écrit Malevil *il y a quatorze ans, j'aie recommencé à m'intéresser au nucléaire un an avant la catastrophe de Tchernobyl ?*

Malevil *a eu le mérite de décrire, d'une façon imaginative et concrète, les conditions effroyablement précaires de la survie en Europe, après une guerre nucléaire, de quelques groupes isolés. Mais on le sait aujourd'hui : cette description péchait par excès d'optimisme. Multipliez Tchernobyl un million de fois, ajoutez-y un demi-milliard de morts, la contamination irrémédiable de l'eau et du sol, les ténèbres et un froid glacial pendant un an au moins, et vous aboutissez à la disparition plus que probable de toute vie animale et humaine dans l'hémisphère Nord.*

A part les fous, les furieux et les fanatiques, il n'est aucun humain en possession de son bon sens qui ne fasse des vœux ardents pour un désarmement important et simultané à l'échelle mondiale. Il faut y travailler, mais les yeux ouverts : ce n'est pas pour demain.

« Il y a sûrement un endroit où l'on serait mieux », dit un proverbe allemand, « mais en attendant, c'est ici que nous sommes ». J'entends, sur cette planète, « si fragile maintenant », dit le second du sous-marin que je décris. Il nous faut non seulement vivre avec la menace de sa destruction suspendue sur nos têtes, mais faire partie, en tant qu'agents actifs, de cette menace même. Homéopathie quasi désespérée : nous essayons par l'horreur de faire reculer l'horreur.

J'ai voulu montrer dans ce livre la vie obscure et périlleuse des équipages qui, dans nos SNLE, accomplissent cette tâche. Plus j'ai écouté ces marins, plus je les ai trouvés humains, ouverts et sympathiques. Il en est d'eux comme, sans doute, de leurs homologues anglais, américains ou soviétiques : ils ne sont en aucune façon des guerriers impatients d'en découdre. Ils sont, bien au rebours, infiniment plus conscients que la plupart de nos concitoyens de ce qui se passerait dans la patrie des autres et dans leur propre patrie, si l'ordre de tirer leurs missiles balistiques leur était transmis.

Je ne prédis en aucune façon — je tiens à le dire avec toute la clarté désirable — que cet ordre leur sera un jour donné. Mais que cette possibilité existe montre à quel point sont détraqués les temps que nous vivons. Hamlet s'en plaignait déjà. Mais quand ce qui est en jeu, c'est la survie de l'espèce humaine, il serait peut-être temps d'y penser jour et nuit.

CHAPITRE I

J'ai fait le projet de relater ici, à l'usage de Sophie, la patrouille à laquelle je suis sur le point de prendre part. Mais comme je nourris présentement quelque doute sur l'intérêt qu'elle me porte, et que j'ignore si à mon retour — dans soixante-dix jours environ — mes rapports avec elle seront encore ce qu'à mon départ ils paraissaient être, force m'est d'envisager que d'autres qu'elles liront ce texte.

J'aimerais que parmi ces autres il y ait des filles et qu'elles soient belles. Ce n'est pas parce que j'aime Sophie que je vais renoncer, du moins en pensée, à la moitié du genre humain. Autant entrer en religion.

D'ailleurs, il n'est même pas sûr que je l'aime. Je remarque que lorsque je me parle d'elle, l'ironie n'est jamais absente de mon discours intérieur. Je n'apprécie ni son milieu, ni ses parents, ni son éducation.

Son père, grâce au talent de ses ingénieurs et de ses directeurs, commercialisa un produit qui, dans son temps, révolutionna l'automobile. Il fit donc fortune et il mourut. A mon sentiment, ce genre de vie où ce qui compte, c'est l'argent, et non l'amour d'un métier, est un échec total.

Sa veuve est une femme chez qui les principes tiennent lieu de vie intérieure et qui ne peut ouvrir la bouche sans juger les gens, la plupart du temps en les condamnant. Comme je mettais en doute devant elle l'existence de l'Enfer, elle s'écria : « Mais il faut que l'Enfer existe ! Ce serait trop injuste s'il n'existait pas ! » J'en conclus que nous n'avions pas la même idée de la justice.

Quinze jours plus tard, elle revint sur mes propos concernant l'Enfer, et me dit en me regardant dans les yeux (les siens sont bleu acier) : « Une des ruses du Démon, c'est de nous convaincre que l'Enfer n'existe pas. » Nous étions dans son salon et, à la dérobée, je jetai un coup d'œil à mes pieds, pour m'assurer qu'ils n'étaient pas en train de devenir fourchus.

La bonne éducation de Sophie se voit à sa vêture dès le premier coup d'œil. Elle porte des talons plats, des jupes plissées ou des tailleurs Burberry. Comme je lui demandai un jour pourquoi je ne l'avais jamais vue en jean, « parce que c'est immodeste », dit-elle en abaissant sur ses beaux yeux noirs des paupières pudiques.

On a déjà compris que Sophie est le spécimen d'une espèce en voie de disparition. En un sens, elle est fascinante. On a l'impression en la regardant de remonter dans le temps jusqu'au début du siècle. Dans ses manières, dans le ton de sa voix, dans sa démarche, dans sa façon de s'asseoir, elle est, si j'ose ainsi parler, implacablement bien élevée. Elle a vingt-deux ans et n'a jamais embrassé un garçon sur la bouche.

C'est du moins ce qu'elle me dit pour refuser mes baisers, lesquels, cantonnés à la joue, s'égarent par inadvertance, soit sur ses commissures de lèvres, soit même dans son cou. Sophie souffre ces errements sans toutefois les encourager. Elle fait ces petites concessions à la grossièreté naturelle de l'homme.

Pour que la Marine puisse accepter de Sophie une fois par semaine, un « familigramme » (j'expliquerai ce terme plus loin), je l'ai décorée du nom de « fiancée » — illégitimement, n'étant pas encore admis par sa mère à ce statut flatteur. Sophie a accepté, non sans réticence, ce mensonge joyeux.

Un familigramme comporte vingt mots. Mais la première semaine, avec sa réserve coutumière, Sophie n'en a utilisé que cinq : « Je pense à vous. Sophie. » Si un jour nous sommes mariés, je suppose qu'elle ira jusqu'à dix.

Pour dire toute la vérité, je ne sais pas plus où j'en suis avec elle qu'elle ne sait, en toute vraisemblance, où elle en est avec moi. Il est possible que, lorsque je lui ai dit que je l'aimais, j'aie quelque peu anticipé sur le sentiment que je nourrirais pour elle, si elle y répondait. Lectrice, vous voudrez peut-être m'accorder qu'il faut bien que l'un des deux prononce le mot clé : sans cela, on n'en finirait pas.

D'un autre côté, pas plus que moi vous ne pouvez ignorer que si on sait à peu près toujours ce qu'on pense, il est beaucoup plus difficile de savoir ce qu'on sent. Il se peut que j'aie dit à Sophie que je l'aimais en raison surtout du malaise où me jetait l'incertitude de nos rapports. Quant à Sophie, elle m'a écouté, les bras croisés sur sa poitrine d'une façon plutôt défensive, alors même qu'elle n'avait à craindre aucune incursion de ce côté-là. Et mon discours fini, elle n'a rien dit du tout, se contentant de baisser ses paupières sur ses yeux comme on baisse un rideau. C'est bien commode, parfois, d'être une fille.

On m'a dit que la formidable Madame Mère — à l'ombre de laquelle vit ma « fiancée » archaïque — s'était ruinée par des spéculations malheureuses. Je n'ai été ni déçu ni même contrarié. Je gagne bien ma vie, bien assez pour deux — étant officier de *la* Marine. Notez bien ce « la ». J'y reviendrai : il fait toute la différence. En effet, si sur ma manche d'uniforme trois galons d'or s'enroulent, le troisième est doublé d'un liséré de velours rouge qui indique que je ne fais pas la guerre : je me contente de soigner ceux qui la font.

Toutefois, c'est en pensant aux frais supplémentaires que mon éventuel mariage avec Sophie pourrait entraîner, que j'ai demandé à servir dans les sous-marins, en raison, justement, des suppléments de solde que ce service comporte.

J'ai calculé que je toucherais alors environ 20 000 francs par mois. Pour moi, c'est beaucoup. Pour Madame Mère, c'est peu. J'ai compris, à observer le train de sa maison, que les débris d'une grande fortune suffiraient encore à faire vivre plusieurs familles pauvres.

Ma famille à moi est honorablement modeste : mon père est inspecteur des Impôts dans le Bordelais. Etant le benjamin de la famille, et remarquant la difficulté de mes parents à financer les études de mes deux frères aînés, je décidai de leur épargner le fardeau des miennes en préparant le concours de l'Ecole de Santé de Bordeaux. C'est pourquoi vous me voyez en cet uniforme seyant avec ces galons sur mes manches. N'ayant pas l'esprit militaire, je redoutais un peu de cohabiter avec des guerriers. Mais vus de près, je les ai trouvés courtois, cordiaux, faciles à vivre.

J'ai trente et un ans et mon excuse pour aimer Sophie, c'est qu'elle est excessivement jolie. Toutefois, dans mes moments de lucidité, je me rends bien compte qu'à me comparer aux fils des anciennes relations de son défunt mari, la Gorgone qui monte la garde aux portes de Sophie ne doit pas apprécier beaucoup la tiédeur de mes sentiments religieux et la relative faiblesse de mes ressources. Quant à Sophie, ce qu'elle pense et sent à ce sujet reste un mystère. Entre elle et moi s'interpose toujours le rideau de ses paupières.

Je me fais donc peu d'illusions sur mes chances d'épouser Sophie. Toutefois, si cet hymen a lieu, il va sans dire que je supprimerai les pages qui précèdent, mes rapports plutôt flous avec Sophie s'étant heureusement précisés, et la formidable Madame Mère étant devenue mon affectionnée belle-maman. Si vous lisez ces pages, c'est que Sophie, entre le début et la fin de ce récit, se sera retirée de ma vie.

***

Pour en revenir aux sous-marins de notre Marine, auxquels désormais je voue mes bons services, sachez qu'il y en a de deux sortes : les grands et les moins grands. Les grands, ce sont les célèbres sous-marins nucléaires lanceurs d'engins sur lesquels repose notre dissuasion. On les désigne par les initiales de leur dénomination : les SNLE (1).

Les autres sont les sous-marins d'attaque, qu'on appelle encore les sous-marins classiques, lorsqu'ils utilisent des diesels pour leur propulsion. D'aucuns, toutefois, déjà nucléaires, sont appelés sous-marins nucléaires d'attaque ou SNA.

(1) Prononcez Esse Enne Elle Eu. Il y a deux façons d'écrire le sigle : SNLE ou S.N.L.E.

Les sous-marins d'attaque dont les missions peuvent être brèves et comporter des escales n'ont en principe à bord qu'un infirmier. Les SNLE, dont les patrouilles sont longues, et qui, partis de Brest pour soixante ou soixante-dix jours, reviennent à Brest sans avoir nulle part émergé des eaux, ni à plus forte raison débarqué, emmènent pour cette raison un médecin et deux infirmiers.

Voué aux SNLE par mon état, c'est toutefois sur un petit sous-marin d'attaque que j'ai la première fois embarqué, le pacha d'un de ces bâtiments ayant exceptionnellement demandé un médecin, sa patrouille devant durer trois semaines.

Elle ne dura, en fait, que quinze jours, au bout desquels je revins à l'Ile Longue, à Brest — base de nos SNLE — exercer mon art à l'infirmerie en attendant une affectation.

Celle-ci vint d'une façon abrupte, le médecin attitré d'un SNLE se trouvant défaillir à la dernière minute pour raison de santé. Désigné pour le remplacer, j'embarquai donc quasiment « sur la patte de l'ancre », comme disent les marins — expression savoureuse qui peint au vif une ancre qu'on relève et un malheureux retardataire qui s'accroche à une de ses pattes pour monter à bord.

Certes, ce SNLE ne m'était pas tout à fait inconnu. Je l'avais visité. Mais je ne savais rien du pacha, des officiers et de l'équipage. Qui pis est, j'ignorais tout de mes deux infirmiers, puisqu'ils n'avaient pas été formés avec moi, mais avec mon prédécesseur.

La métaphore de la patte de l'ancre n'est pas à prendre littéralement : une heure avant l'appareillage, je franchis comme tout le monde la passerelle, accueilli avec soulagement, mais non sans quelque réserve, par le pacha, qui se demande en son for si ce nouveau toubib, envoyé au pied levé, vaudra l'ancien.

Devant moi, sur le pont uniformément noir, percé çà et là de petits trous circulaires, le sas d'accès, son couvercle d'acier rabattu, est grand ouvert. Je jette un dernier coup d'œil vers le ciel. Comme pour me le faire regretter davantage, le vent de la veille l'a nettoyé du crachin brestois et le soleil brille sur l'Ile Longue. A vrai dire, je ne le vois qu'à travers l'immense verrière qui protège de la pluie le bassin de béton où Jonas m'attend pour m'avaler.

— Après vous, docteur, dit le pacha.

Débarrassé par un matelot de mon bagage, j'empoigne les deux mains courantes d'acier froid. Dans un sous-marin on ne monte pas à bord : on descend dedans. Et j'espère que je n'ai pas l'air trop emprunté, les biceps en crispation et le pied posé en dessous de moi à l'aveuglette. Bien que mes quinze jours dans un petit sous-marin d'attaque m'aient quelque peu amariné à cet exercice, je me demande toujours quelle est la meilleure manière de le mener à bien. Avec circonspection : le pied gauche venant rejoindre sur le même barreau le pied droit, avant que celui-ci se hasarde à descendre d'un degré. Avec audace : le pied gauche sautant allégrement un barreau pour venir se poser au-dessous du pied droit. Toutefois, cette dernière méthode vous impose un déhanchement qui risque de vous amener à raboter vos fesses sur le bord du trou circulaire. Après un essai, je reviens à la prudence.

Le pacha d'un pas vif m'entraîne dans un dédale de coursives. Evidemment, un SNLE, comparé à un petit sous-marin d'attaque, c'est immense. Mais cette immensité est toute relative, car tant d'espace est occupé par les machines, les tuyaux, les raccordements, les vannes, les instruments de mesure, les pupitres d'ordinateur et les tableaux de bord, qu'il reste peu de place pour circuler et que vous devez vous mettre de profil chaque fois que vous croisez quelqu'un. Et Dieu sait si vous croisez des gens ici, les entrailles métalliques du monstre grouillant de fourmis affairées : de 130 à 137 hommes, si j'en crois les souvenirs de ma précédente visite.

— Je vais vous montrer votre chambre, dit le pacha.

Il y a des nuances dans la politesse, et la sienne — mais ça ne me surprend pas — témoigne qu'à ses yeux je ne suis pas vraiment un marin, bien que j'en porte l'uniforme. Il a raison. Je ne sers pas le bateau. Je sers les hommes qui sont dessus. Et comme ils sont jeunes et luisants de santé, j'aurai sans doute peu à faire. Je suis là en cas de besoin. Comme une bouée de sauvetage. Sauf que dans le bord, justement, il n'y a pas de bouée de sauvetage, aucun homme ne courant le risque de tomber à la mer.

— J'espère que vous serez bien dans votre chambre, dit le pacha.

— Je serai très bien, merci, commandant.

Si Sophie était là, elle trouverait dans ce dialogue un involontaire humour. Car la chambre d'un officier — je les ai vues toutes en passant et elles sont toutes pareilles — mesure deux mètres de long sur un mètre cinquante de large. On dit « la chambre ». On ne dit pas « la cabine ». La cabine, c'est pour un paquebot, où elle est près de deux fois plus spacieuse.

Je jette un regard circulaire, lequel a très peu à circuler. Où est le *Nautilus* du capitaine Némo avec son salon fastueux, son orgue et sa vaste baie vitrée donnant sur les profondeurs illuminées de l'Océan ?

— Je vous laisse, dit le pacha.

Mais il ne me laisse pas et me considère en silence, ce qui fait que je le regarde à mon tour. Il est de taille moyenne, robuste, le dos droit, pas l'ombre de ventre, le cheveu et la barbe noirs coupés court, et dans tout ce noir, des yeux bleus. Il ajoute :

— La mer est grosse. Ça va chahuter pas mal au début. Vous savez cela, puisque vous avez déjà navigué sur un sous-marin d'attaque. Mais nous, une fois en plongée, nous y demeurons et cela devient alors tout à fait confortable.

Ce « tout à fait confortable » qu'il prononce avec un sourire, me réconforte tout à fait. Tous les marins ont eu, ont et auront le mal de mer. Moi aussi. Mais je ne me vois pas opérer une appendicite alors que le bateau roule.

Le pacha enchaîne.

— Je vais vous envoyer vos deux infirmiers : Le Guillou et Morvan. Le Dr Meuriot les trouvait très bien. Il formait avec eux une équipe très soudée.

Comme je crois discerner un soupçon de regret dans cette phrase — à moins qu'elle ne contienne une mise en garde déguisée — je dis :

— J'espère que je m'accommoderai à eux, et eux à moi.

— Je n'en doute pas, dit-il promptement.

Il reprend :

— Comme vous le savez sans doute, à bord on ne porte que le T-shirt et le blue-jean, sans insigne de grade, sauf le samedi soir et le dimanche, où on se fait beau pour marquer le coup.

Là-dessus, il me sourit et me quitte.

En prévision du chahut annoncé, j'avale une pilule, défais mon paquetage et prends possession de ma « chambre ». Elle est entièrement revêtue de contre-plaqué de chêne, ce qui lui donne un aspect clair, chaleureux, intime. Un Anglais dirait *cosy*. Elle est aussi très bien éclairée et ses dimensions miniaturisées ajoutent à sa *cosiness*.

En entrant, vous voyez, occupant quasiment toute la longueur, un lit à une place. Notez, je vous prie, qu'on ne dit plus « couchette », mais « banette ». Au pied de ladite banette, des petits placards très bien conçus et même une petite penderie. Sur la cloison qui me sépare de la coursive un petit lavabo en duralumin (vous concéderez que dans ce cadre, la faïence eût été déplacée).

Le bureau, à droite de ma banette, est attendrissant par sa petitesse. En chêne aussi, ainsi que les placards et rayonnages qui le surmontent. Je devrais dire « le » rayonnage, car il n'y en a qu'un, traversé à mi-hauteur d'une petite barre en bois qui empêche les livres d'être éjectés en cas de roulis. A peine assez de place pour loger mes livres de médecine. En revanche, parmi ces placards, je découvre un petit coffre.

Sur le côté gauche de la banette — je dis gauche par rapport à moi quand je m'allonge dessus, ce que je fais pour l'essayer —, le contre-plaqué de chêne se relève abruptement en soupente, ce qui me donne à penser : *primo*, que je devrai ne pas m'asseoir trop brusquement sur mon séant, si je veux ménager mon crâne. *Secundo :* que cette soupente épouse *grosso modo* la forme de la coque contre laquelle elle s'appuie. Ainsi, sur ma gauche, séparée de moi par la mince pellicule de bois, et la forte coque d'acier, il y a la mer immense, noire, mystérieuse. J'ai beau me dire que la coque est épaisse, d'une étanchéité en principe absolue, et conçue pour résister aux plus énormes pressions, cette proximité n'est pas sans effet sur mon imagination. Vaine crainte, l'Océan et moi étant appelés à voisiner, mais non pas, j'espère, à nous connaître. Si Jonas est un monstre, l'élément dans lequel il baigne en est un autre, et combien plus puissant ! Si par suite d'une défaillance de ses merveilleuses machines, Jonas devait plonger au-delà de la profondeur que sa construction autorise, la pression de l'eau l'écraserait comme une coque de noix.

J'ai remarqué dans la coursive où s'ouvrent les chambres des officiers qu'aucune porte n'était fermée quand leurs occupants s'y trouvaient. Je me demande si elle reste ouverte pour que l'aération soit meilleure, pour éviter chez l'occupant un sentiment claustrophobique, ou en vertu d'une loi non écrite du bord qui veut que chacun soit visible à tous, du moins le jour. Dans le doute, je laisse la mienne ouverte et viens m'asseoir à mon petit bureau devant un agenda que Sophie m'a offert le jour de mes trente ans afin qu'il me serve, m'a-t-elle dit, de « journal ».

Un visiteur s'encadre dans ma porte.

— Monsieur, je me présente : Le Guillou, infirmier anesthésiste.

Ce « Monsieur » vous étonne et j'entends bien pourquoi. On s'attendrait à ce qu'un infirmier, parlant à un médecin, l'appelle « docteur » ou à la rigueur, par son appellation protocolaire dans la Marine : Monsieur le Médecin. En fait, l'équipage, composé en grande partie de professionnels, s'adresse à moi dans ces termes, à l'exception toutefois des jeunes appelés qui, ignorant le protocole, m'appellent « docteur » — comme d'ailleurs, les officiers, qui, eux, ne l'ignorent pas et changeront même mon nom en « toubib », dès qu'ils me connaîtront davantage. Alors, pourquoi le « Monsieur » des infirmiers ? Je n'en sais rien, et je crois que personne n'en sait là-dessus davantage que moi. Mais comme la Marine est aussi conservatrice dans ses habitudes qu'elle est moderne dans ses techniques, j'ai l'impression que cet usage va se perpétuer.

Revenons à Le Guillou. Je me lève, je lui souris et je lui serre la main. Un Breton, bien sûr. Taille moyenne, trapu, yeux verts, cheveux tirant sur le roux, et pommettes saillantes, quasi mongoles.

— Le Guillou, vous êtes finistérien, je crois ?

Je ne le crois pas. Je le sais. Dès que j'ai su mon affectation, je me suis enquis de lui et de l'autre infirmier, Morvan.

— Oui, Monsieur, dit Le Guillou.

A son air satisfait et fiérot, il me paraît facile d'échographier son schéma de pensée : ce qu'il y a de mieux en France, c'est la Bretagne. Et ce qu'il y a de mieux en Bretagne, c'est le Finistère.

— Et Morvan ?

— Il est dans le bord, mais il s'excuse, il est souffrant.

— Il est souffrant ? Le jour de l'embarquement ?

— Justement, dit Le Guillou.

Et il esquisse un sourire mi-gêné, mi-complice.

— Dites-lui que je veux le voir demain à l'infirmerie.

— Il sera là, dit Le Guillou.

Pronostic qui confirme un diagnostic que je ne formule qu'en mon for.

— Monsieur, voulez-vous voir votre infirmerie ?

J'ai visité le *Foudroyant*, et je sais donc ce que c'est qu'une infirmerie de SNLE. Mais comment refuser à Le Guillou le plaisir de m'en faire les honneurs ? Et de me détailler son équipement ?

— Vous voyez, Monsieur, tout y est : bloc opératoire, réanimation, tube de radiographie. Ça doit vous changer des sous-marins d'attaque ! Et vous avez vu cette table d'opération ? Une merveille ! Elle se transforme en fauteuil dentaire ! Et voilà la fraise !

Je fais la moue.

— Evidemment, dit Le Guillou, la dentisterie, ce n'est pas très grisant.

— Combien de dents le Dr Meuriot a-t-il eu à soigner ?

— Au cours de la dernière patrouille ? Une demi-douzaine...

— C'est beaucoup.

— Oh vous savez, Monsieur ! On a beau dire aux gars de se faire soigner à terre. Ils remettent, ils remettent... Et ça retombe sur nous.

Je trouve ce « nous » assez savoureux, vu que c'est moi qui manierai la fraise.

— Et voici, poursuit Le Guillou, les instruments de chirurgie. Vous remarquez, Monsieur, rien que des aiguilles à fil serti dans le talon. Moi, j'ai connu le temps des aiguilles à enfiler et qui se défilaient en cours d'opération.

Vrai problème, en effet. Mais pour le chirurgien, pas pour l'infirmier anesthésiste. Je vois que le « nous » continue. Est-ce que par hasard l'Ego de Le Guillou ne serait pas un peu inflationniste ?

— Et regardez, Monsieur, poursuit-il, nous venons de toucher un bistouri électrique ! Les médecins le réclamaient depuis longtemps.

Je hoche la tête sans piper mot. L'avantage du bistouri électrique, c'est de cautériser en coupant : le gain de temps est considérable. Mais il y a aussi des risques d'incendie, provoqués, entre autres, par les vapeurs d'éther. On a vu à terre un opéré prendre feu sur la table d'opération. J'espère seulement pour le malheureux qu'il était bien anesthésié. Si j'opère, je me souviendrai d'avoir à débrancher le bistouri, quand, après l'opération, je procéderai au nettoyage.

— Monsieur, voulez-vous que je vous montre la pharmacie ? Il y a là tous les médicaments que le Dr Meuriot avait commandés à la Base. Voulez-vous voir s'ils vous conviennent ?

Bien sûr, ils me conviennent. Et d'ailleurs, même s'ils ne me convenaient pas, par considération pour mon prédécesseur, je n'irais pas le dire. Je jette toutefois un coup d'œil.

— Qu'est-ce que c'est que ça ?

— Eh bien, vous le voyez, Monsieur : une boîte de Tampax.

— Il y a une femme à bord ?

— Oh ! Monsieur, vous n'y pensez pas ! A mon avis, c'est une petite farce des pharmaciens de la Base.

Je jette un coup d'œil circulaire. Toute miniaturisée qu'elle soit, l'infirmerie me paraît grande. Quelle différence avec mon petit sous-marin d'attaque où elle se réduisait à quatre boîtes de médicaments ! Pour panser un genou, je devais étendre un patient sur une table de la cafétéria.

Je passe dans la petite chambre attenante, et sur une des deux banettes j'aperçois quelqu'un qui me tourne le dos et qui ronfle comme un sonneur.

— Comment, dis-je, vous avez déjà un malade ?

— Non, Monsieur, c'est Morvan.

— Et il couche ici ?

— C'est sa banette, dit Le Guillou défensivement. Et la mienne, c'est celle du dessus.

Je m'avance avec prudence sur ce terrain miné.

— Mais, dis-je, je croyais que cette chambre était la chambre d'isolement.

— Oui, Monsieur, dit Le Guillou. C'est bien sa fonction. Quand un gars de l'équipage est malade et doit être isolé, l'un de nous lui cède ici sa banette, et occupe la sienne dans sa chambrée.

— Ah bon, je saisis !

En fait, je ne saisis rien du tout : s'agit-il là d'un usage ou d'un abus ? Mais comme la marge entre les deux est mince, et que je ne vois que des avantages à ce que l'infirmerie ne reste pas la nuit sans surveillance, je me tais. Quant à celui qui cédera, le cas échéant, sa banette à un malade, il y a des chances, à mon avis, pour que ce soit Morvan...

— Tiens, dis-je, vous avez la télé ?

Ce « vous avez » qui reconnaît implicitement à Le Guillou un droit de propriété, ou à tout le moins d'occupation, achève de le rasséréner.

— Oui, dit-il, mais quand je veux voir un film, je vais à la « caffe », parce que Morvan, à neuf heures, il dort.

Je repasse dans l'infirmerie où je vois surgir un matelot d'une vingtaine d'années.

— Docteur, dit-il, je me présente : Jacquier. Je suis un des deux maîtres d'hôtel du « carré ». Le commandant vous fait dire que, si vous voulez, vous pouvez monter dans le « massif » pour jeter un dernier coup d'œil sur la terre.

Je remarque que Jacquier, qui est un petit brun à l'œil vif, ne m'a dit ni « Monsieur », ni « Monsieur le Médecin », mais « docteur », comme les officiers qu'il sert. C'est que dans son esprit, comme d'ailleurs dans celui des officiers, il fait partie du carré, comme le « butler » fait partie du club. *He belongs,* dirait un Britannique.

— Je vais vous conduire, docteur, dit Jacquier qui doit bien se douter que les entrailles d'un SNLE ne me sont pas encore bien connues.

— Je vous suis, dis-je.

— Excusez-moi, docteur, dit Jacquier, après un temps d'hésitation, il vaudrait peut-être mieux que vous mettiez un bonnet de mer et que vous capeliez votre parka. Il fait plutôt frais là-haut.

Le bateau roule déjà beaucoup et ce n'est pas sans difficulté que, dans ma chambre, j'enfile mon « parka », entendez mon ciré, qu'on appelait autrefois à la Baille (1)... mais je ne citerai ce mot que dans mon glossaire pour ne pas braver l'honnêteté et effrayer ma lectrice (2).

Jacquier, pendant ce temps, la main sur le chambranle de ma porte pour garder son équilibre, me considère avec un petit sourire qui trouve le moyen d'être à la fois malicieux et déférent. J'entends bien : la déférence s'adresse au médecin et la malice, à l'éléphant — un éléphant étant, dans la Marine, tous ceux qui ne sont pas des marins. Il n'a pas tort, mais un maître d'hôtel est-il davantage un marin qu'un médecin ?

Le massif est sur le sous-marin cette petite tour munie sur les côtés de deux ailerons (en fait, des barres de plongée) qui lui donnent sa silhouette bien particulière. Elle porte à son sommet je ne sais combien de petits mâts, antennes et périscopes et, d'ailleurs, elle n'est ronde que sur son devant, car elle s'effile sur l'arrière pour faciliter, je suppose, l'écoulement de l'eau en plongée. Ce massif s'appelle aussi le « kiosque », mais les sous-mariniers ne l'ont jamais appelé que « la baignoire » pour

(1) L'Ecole navale.

(2) Dans le premier jet de ce récit je m'adressais à Sophie, mais après que celle-ci, au cours de la patrouille, eut tacitement rompu avec moi, je barrai partout son nom et le remplaçai par « lectrice », mais sans rien changer au texte. C'est ce qui explique que j'ai prêté à ma lectrice une bégueulerie qui paraît quelque peu dépassée.

la raison, qui me deviendra rapidement évidente, qu'on s'y fait copieusement doucher quand on navigue en surface.

Jacquier ouvre le panneau qui me donne accès à la passerelle et le referme vivement derrière moi, pour éviter d'embarquer de l'eau. Pour moi, dès que je suis debout, je reçois une bonne gifle, et de mer, et de vent.

En plus du pacha qui m'adresse un cordial sourire, mais sans parler, il y a là quatre hommes. L'un scrute les alentours avec de grosses jumelles. Un deuxième porte deux écouteurs fixés à ses oreilles. Le troisième crie des choses dans son interphone. Ce que fait le quatrième, je n'arrive pas à le deviner. Comme je me doute que la manœuvre est délicate, je ne pipe mot et j'essaie de me mettre dans un coin où je ne gêne personne.

La houle est grosse et nous sommes précédés d'un bon mille environ par notre escorteur d'accompagnement, le *Maillé-Brézé*, dont j'avais remarqué l'élégance à quai quand j'ai visité l'Arsenal. Le *Maillé-Brézé* joue le rôle d'un motard devant une voiture ministérielle. Tant que nous serons en surface, il nous ouvrira le chemin en écartant de notre route les autres bateaux. Après quoi, sa mission terminée, il retournera au port.

Le soleil est radieux, mais le suroît me cingle la face et les paquets de mer m'aveuglent au point que pour garder l'œil ouvert, je dois leur tourner le dos.

« Jeter un dernier coup d'œil sur la terre » a un sens très précis et même quelque peu dramatique pour qui va naviguer à cent ou cent cinquante mètres sous la surface des Océans pendant deux mois sans émerger jamais. Car dans ce cas, on devrait ajouter que « le dernier coup d'œil » inclut aussi le soleil et les nuages — les nuages surtout qui, à des gens qui se préparent au huis clos du sous-marin, paraissent si heureux de voguer, libres, dans l'azur. Terre et ciel, parents et bien-aimées, ça fait beaucoup de choses et d'êtres, en fin de compte, à laisser derrière soi.

Sauf quand il est pollué, le ciel n'a pas d'odeur, mais la terre en a une. Quand, après quatre heures de navigation sur mon voilier dans la baie de Carnac, je revenais vers la plage, le parfum de la terre me sautait aux narines, fait de fumée de bois, de feuilles, de plantes et d'humus, aussi réconfortant et sensuel à humer que pour une mère la peau de son bébé.

Plus nous approchons du goulet dont nous allons déboucher pour gagner la haute mer, plus celle-ci se creuse et se gonfle, et plus les paquets de vagues et de vent nous fouettent. Je suis trempé comme une soupe et pas très à l'aise de me sentir ballotté de droite et de gauche comme un ours en peluche brandi par un gamin. A cette minute je préférerais être sur le *Maillé-Brézé* où je pourrais voir de plus haut, et bien au sec, le goulet, et les collines entre lesquelles nous défilons. Depuis que nous avons quitté l'Ile Longue, nous n'avons jamais été si proches de la terre que nous allons quitter, et nous pouvons voir, silhouettés entre les arbres, des civils qui nous regardent partir et agitent les bras. C'est dommage que je ne puisse pas emprunter ses jumelles au personnage qui les colle à ses yeux, car j'aurais aimé apercevoir, pour la dernière fois, avant notre retraite conventuelle, un doux visage féminin.

Ruisselant, je vais rejoindre, quelques degrés plus bas, deux officiers qui, à l'abri de la tôle d'acier du massif (contre laquelle on entend battre les lames), inhalent leur ultime fumée de tabac.

— Docteur, dit l'un d'eux (car, bien sûr, ils ont tous compris qui je suis), à vous voir, vous avez pris quelques bonnes baleines en plein nez (une « baleine », c'est un paquet de mer). C'est votre premier baptême de sous-marinier. En attendant le second qui aura lieu à mi-patrouille.

— Pardon, dis-je, j'ai déjà navigué sur un sous-marin classique.

— Rien n'en vaut, docteur, dit l'un d'eux. Nous sommes sur un SNLE.

Ils rient et m'envisagent d'un air amical, supérieur et bon enfant. Et comme j'ouvre le panneau pour descendre dans le bord, l'un d'eux me crie :

— N'omettez pas de le refermer après vous, docteur ! Une voie d'eau serait prématurée !

Je ne suis pas au bout de mes peines, car au bas de l'échelle je trouve trois jeunes officiers (que Jacquier a dû rameuter) et qui m'entourent joyeusement, chacun faisant le geste de me tendre un micro, comme des interviewers de télé. J'entre dans le jeu avec bonne grâce.

— Docteur, vos impressions ?

— Ça mouille beaucoup, et c'est salé.

— Docteur, savez-vous pourquoi ça mouille beaucoup ?

— Oui, monsieur. Un sous-marin est fait pour traverser l'eau, et non pour se soulever à la lame. Donc, il enfourne.

Liesse.

— Le docteur est trans !

— Il est cartahu !

— Il étale à bloc !

— Docteur, une dernière question : vous avez déjà navigué en surface, pourquoi avez-vous choisi les sous-marins ?

Je réfléchis vite. Si je leur donnais la vraie raison (que le lecteur connaît), ma décote serait phénoménale. Je prends un air grave et je dis :

— Messieurs, je vais vous faire une confidence : je ne sais pas nager. Et le sous-marin est le seul bateau où l'on ne puisse pas passer par-dessus bord.

La liesse atteint son comble, et j'en profite pour m'esquiver, gagner ma chambre, décapeler mon ciré, et retirer mon bonnet de mer trempé. Tant pis pour la loi non écrite (si elle existe), je ferme ma porte et m'étends sur la banette.

⁂

J'ai dû dormir assez longtemps et, au réveil, le bateau roule énormément. Je ne me sens ni tout à fait à l'aise ni tout à fait nauséeux. A intervalles réguliers, je me mets à bâiller afin de remettre de l'ordre dans mes canaux semi-circulaires. Je soigne également mon moral en faisant un acte de foi dans les effets durables de la Nautamine. Pour finir, et mon état n'empirant pas, je recherche dans mon arsenal thérapeutique un fantasme sécurisant.

Comme diraient les philosophes, il y faut « une complicité de soi à soi ». C'est pourquoi je commence hypocritement à me demander la raison pour laquelle une île m'a toujours fasciné. Comme je me suis déjà posé la question, je n'ai aucun mal à me répondre : c'est qu'une île est bien close, bien défendue de tous côtés par des douves naturelles qui la protègent des envahisseurs. A la limite même, elle est déserte, quoique paradoxalement bien pourvue en eau et en ressources : ce qui me permet de vivre une idylle sans rivaux, étant le seul homme pour une femme unique.

Nous y voilà ! Au risque de décevoir, je dirais que cette femme ne peut pas être Sophie. Outre que mes rapports avec Sophie ne supposent pas ce degré d'intimité, un fantasme, s'il la prenait pour objet, disparaîtrait, laissant place à une réalité assez angoissante : ma relation très incertaine avec elle.

Pour être sécurisante, pour remplir à plein son rôle de bonbon psychique, une rêverie provoquée doit se situer hors réel. C'est pourquoi la femme qui surgit devant mes yeux est une inconnue qui me laisse modeler ses traits et son corps à ma guise, et qui, une fois que je l'ai créée, est parfaitement docile à son créateur. Ne croyez pas toutefois que je vais brûler les étapes. Un fantasme exige de vous une gestion lente et réfléchie. Et quand, après vous avoir charmé, il se dissipe, il ne faut pas tâcher de le ressusciter. A tout le moins, pas le jour même.

Ce qui, cette fois, le fait s'évanouir, avant même qu'il soit arrivé à terme — ma sirène se dissolvant, hélas, dans les eaux mauves du lagon où je me baignais avec elle —, c'est que le bâtiment cesse de rouler.

Cette absence de mouvement, si j'ose dire, me secoue. Je me retrouve sur ma banette étroite, toutes lumières allumées. Je me lève pour me jeter un peu d'eau au visage et me débarbouiller de mon malaise et à peine ai-je mis le pied à terre que je manque tomber tant le parquet est en pente. Sur un SNLE, chose bizarre, on dit « le parquet » et non le sol, alors que ce parquet est en acier. Je me rattrape à mon bureau, et je me rends compte en jetant un coup d'œil à ma banette que ce qui m'a réveillé, ce n'est pas seulement l'immobilité du bateau, c'est que ma tête se trouvait, quand j'étais couché, plus basse que mes pieds.

Lectrice, vous avez, bien sûr, déjà saisi que si mon univers est devenu tout d'un coup oblique, c'est que le SNLE est en train de plonger ; et que s'il n'est plus du tout affecté par le roulis, c'est qu'il a déjà atteint une profondeur telle que la grosse houle que nous avons connue au départ ne se propage plus jusqu'à lui. C'est évidemment l'affaire du pacha de savoir à quelle distance de la surface il entend naviguer, mais quand il aura atteint cette profondeur, il remettra le sous-marin à l'horizontale et, comme il me l'a promis, cela deviendra « tout à fait confortable ». En fait, si vous étiez avec nous, vous ne pourriez pas rêver croisière plus paisible — sauf, toutefois, que le soleil vous manquerait pour bronzer.

Sur un petit sous-marin diesel, les choses ne sont pas si calmes, car il revient souvent à la surface, ou près de la surface, tant parce qu'il a besoin d'air pour le diesel et les hommes que pour épier des « proies » possibles. Le SNLE n'obéit pas à ces servitudes. Il fabrique lui-même son air. Il élimine ses pollutions. Et il se coule le plus discrètement possible dans les eaux les plus profondes sans jamais montrer le bout d'un périscope : je dirai plus loin pourquoi.

La première fois que j'ai vu sur le petit sous-marin d'attaque, où j'ai fait mes premières armes (si tant est qu'un médecin puisse parler de ses armes), le parquet prendre en plongée cette inclinaison inquiétante, je me suis senti assez ému. La folle du logis s'est mise à divaguer : les cotes des profondeurs sont-elles, sur les cartes des mers, tout à fait fiables ? Et qu'arriverait-il si nos sonars se déréglaient et qu'on aille buter sur un haut-fond ? Chose étrange, ce n'est pas la raison qui a dissipé mes alarmes, mais l'habitude.

C'est quand votre chambre est totalement en oblique qu'on se rend compte combien l'horizontalité de votre habitat est agréable et vous simplifie la vie. Par exemple, j'ai essayé de m'asseoir devant ma table et je me suis retrouvé la poitrine si pressée contre le plateau que j'ai pris appui sur mes mains pour la soulager. Le crayon que j'ai lâché pour prendre cet appui a alors roulé jusqu'au petit tiroir qui me fait face, et le livre que je comptais lire et annoter a glissé pour le rejoindre.

Par bonheur, le bâtiment bouge maintenant aussi peu que ma chambre dans l'appartement bordelais de mes parents. En fait, il paraît figé dans sa position oblique. Il donne l'impression de ne plus avancer du tout. A vrai dire, dans un

Airbus, l'impression, à dix mille mètres d'altitude, est la même, sauf que le bruit des réacteurs est omniprésent. Ici, les turbines sont trop loin pour que leur bruit parvienne jusqu'à moi. Tout est silence.

Non, pourtant. On entend quelque chose. Et la première fois, c'est plutôt alarmant : à intervalles irréguliers, la coque du sous-marin (dont un côté de ma banette est tout proche) fait entendre des craquements que je devrais qualifier de sinistres s'ils s'amplifiaient. J'entends bien qu'ils sont produits par la pression grandissante de l'eau au fur et à mesure que nous plongeons. On a l'impression de se trouver dans une grosse noix qu'un énorme casse-noisettes essaierait de disloquer. C'est très impressionnant jusqu'à ce qu'on ait décidé de faire confiance à nos ingénieurs et de se dire qu'au-delà même de la profondeur-limite ils ont dû prévoir une marge de sécurité assez grande pour que le bâtiment ne soit pas écrasé par les masses d'eau au-dessus de lui.

Tout en prenant appui de la main gauche contre le rebord de la table pour décomprimer ma poitrine, je maintiens de ma main droite tout à la fois mon livre et mon crayon. Je lis plutôt mal, tant mon attitude est crispée. Et d'autant plus mal que, malgré moi, je prête l'oreille aux « cracs-cracs » qui proviennent de la coque, tout en affectant à leur égard l'indifférence d'un vieux sous-marinier.

Soudain, tout rentre dans l'ordre. Ma main peut libérer le livre et le crayon sans qu'ils s'échappent : ma chambre est redevenue horizontale. Avec un petit temps de retard, les bruits de la coque cessent. Nous avons atteint notre profondeur de croisière et mon univers devient tout à fait rassurant. Il ne roule plus, il ne pique plus du nez, il ne craque plus, il ne produit aucun bruit, pas même une vibration, il ne donne même pas l'impression de bouger. Nous serions posés gracieusement sur un haut-fond sableux pour faire une petite sieste, la sensation de totale immobilité ne serait pas différente.

Un coup à ma porte et sur mon « entrez », un visiteur se présente.

— Aspirant Verdelet !

Je me lève et lui serre la main.

— Bonjour ! C'est votre service militaire ? Qu'est-ce que vous faites dans le civil ?

— A laquelle de ces deux questions dois-je répondre en premier ? dit Verdelet.

Je ris.

— La seconde.

— Sciences-Po. ENA.

— « Bonne Mère ! comme dit ma concierge, il y en a qui en ont dans le crâne ! » Vous serez donc un jour parmi les princes qui nous gouvernent ?

— Ne vous alarmez pas : je ferai mieux qu'eux. Docteur, ordre du commandant en second : je dois vous conduire au carré pour le dîner.

— Le temps de me recoiffer, je vous suis.

Tout en me recoiffant, je considère avec sympathie ce poussin frais éclos : 1,85 m, bien bâti, beau garçon. La rondeur de sa joue (la « boule de Bichat » comme disent les anatomistes) garde encore je ne sais quoi d'enfantin. L'œil bleu est vif. Une sage raie sur le côté n'arrive pas tout à fait à discipliner ses cheveux blonds. L'aspirant Verdelet respire la bonne santé, la bonne famille, les bonnes études. Sciences Po, ENA : deux concours difficiles. Il a dû ramorder comme un pou. Gentille lectrice, il est temps que je vous initie à l'argot baille, que j'ai moi-même appris sur la *Jeanne d'Arc* en me frottant pendant sept mois aux bordaches. La Baille, c'est l'Ecole navale ; les bordaches, ce sont les élèves de ladite école, et « ramorder » veut dire travailler. Voilà, vous savez tout, du moins tout l'essentiel. Le reste viendra au fil des pages.

Comme je suis moi-même de famille modeste, le côté « bonne famille » de Verdelet m'agace un peu, mais dans le cas d'espèce, il est corrigé par les bonnes études, et par la gentillesse qui émane de lui.

Comme j'achève de me coiffer, un autre personnage apparaît à ma porte.

— Aspirant Verdoux. Ordre du pacha ; je dois vous conduire au carré.

— Vous aussi ! Je ne risque pas de me perdre ! dis-je en riant.

— Qui peut dire encore si la perte serait grande ? dit Verdoux.

— Ne vous inquiétez pas, docteur, dit Verdelet. Verdoux a trouvé un créneau à bord : l'impertinence soigneusement dosée.

— Dans quelles balances ?

— Fines, dit Verdoux. Les miennes. Celles de la nuance, fût-elle byzantine. Je suis Enarque.

— Dieu du ciel ! Deux Enarques ! Verdoux et Verdelet !

— La ressemblance des noms est purement fortuite, dit Verdoux. Comme a dit un illustre Ancien : « Lui c'est lui, et moi c'est moi. » Et moi, Dieu merci, je n'ai pas le cheveu blond filasse et l'œil bleu délavé.

C'est vrai que le coloris est différent. Verdoux est un brun à l'œil noir velouté. Toutefois, nos deux midships se ressemblent et je pourrais dire de l'acide Verdoux ce que j'ai dit du gentil Verdelet : 1,85 m, bien bâti, beau garçon. Je ne poursuis pas. On a compris que ce sont là deux poussins de la même couvée.

Tandis que je mets mes chaussures, Verdoux reprend :

— Docteur, quel genre de médecin êtes-vous ?

— Première classe. Trois galons.

— Je n'en ai qu'un. Savez-vous que dans l'ancien argot baille, on vous eût appelé le tricouille ?

— Je sais. J'ai fait la *Jeanne*. Surnom flatteur.

— Il n'est pas dit, remarque Verdelet, qu'on fasse beaucoup mieux avec trois qu'avec une.

— Voilà, dis-je, qui serait à peser dans les fines balances de Verdoux.

On rit.

— Je ne sais pourquoi je ris, dit Verdoux. Je n'aime pas les médecins. Ils m'ont laissé sur le côté droit du ventre une cicatrice atroce.

— Atroce comment ?

— Longue ! Longue ! Huit à dix centimètres !

— Certains appendices sont difficiles à repérer. Ils ont dû élargir pour le trouver.

— Quel métier immonde ! dit Verdoux, pouah ! Tremper la main dans les tripes de ses contemporains !

— Moi, dit Verdelet, le mot tripes me donne faim. Si nous allions manger ? Le pacha va attendre. Docteur, est-il bien utile de vous recoiffer ? Vous vous êtes assez peaufiné comme cela.

Vu l'étroitesse de la coursive, nous partons l'un derrière l'autre, mais ensemble par la pensée. Je suis enchanté de ces joyeux drilles. La complicité des trois non-marins du bord s'est faite instantanément.

Le carré des officiers n'est pas un carré : bien au contraire, la courbe y prédomine. C'est un petit salon rond qui débouche sur une petite salle à manger ovale.

Entendons-nous sur ce qualificatif « petit ». A l'échelle d'un appartement, il est justifié. A l'échelle d'un SNLE — et par exemple, d'une chambre d'officier — le carré est grand. Dans le salon, quatre fauteuils club entourent une petite table basse en verre. On n'y logerait pas une chaise de plus.

Le charme de ce salon, c'est qu'il est entièrement tapissé par les ouvrages d'une bibliothèque qui épouse sa forme circulaire — comme devait être la bibliothèque de Montaigne dans sa tour avant que son ingrate fille, à sa mort, vendît ses livres.

Dans la salle à manger ovale, les murs sont couleur saumon, et la table peut recevoir dix personnes. Un second service est prévu pour les officiers qui sont « de quart » ou qui tout simplement préfèrent le second service au premier.

Moi inclus, le SNLE comprend seize officiers. Comme le salon n'a que quatre fauteuils club, on pourrait croire que la compétition est grande. Je découvrirai qu'elle ne l'est pas, tant la courtoisie est attentive, et sans même que soient pris en compte le galon et l'ancienneté — le galon que personne ne porte.

Nous devons être en avance sur l'horaire, car les fauteuils sont vides, nous les occupons sans vergogne. Toutefois la table, dans la salle à manger, est mise, et à peine nos fesses ont-elles eu le temps de se poser qu'un maître d'hôtel — ce n'est pas Jacquier — surgit de son office et nous demande ce que nous voulons boire. Jus de fruits partout. L'apéritif n'est pas banni de ces lieux, mais il faut penser à sa ligne.

— Docteur, dit Verdelet, je vous présente notre maître d'hôtel Wilhelm.

— Bonjour, docteur.

— Bonjour, Wilhelm. J'ai déjà rencontré Jacquier.

— C'est mon second, dit Wilhelm.

— Wilhelm, dit Verdelet, a un sens aigu de la hiérarchie.

— En outre, dit Verdoux, c'est un fana-film. On prétend qu'il n'en rate pas un.

— Wilhelm, dit Verdelet, a des goûts démodés : il passe pour adorer Marilyn Monroe.

Wilhelm, qui m'a l'air enchanté de ces petites taquineries, fait mine de se rebiffer.

— Monsieur l'aspirant, dit-il respectueusement familier, la beauté n'a rien à voir avec la mode.

— *Hear! Hear!* dit Verdoux.

— Pourquoi « *Hear! Hear!* » dit Verdelet, et non « bravo, bravo » ?

— Ma mère est anglaise.

— Tiens, dis-je, le carré possède un aquarium ? Et un unique poisson ?

— Si ce poisson pouvait penser, dit Verdelet, il se demanderait pourquoi il est ici plutôt que de l'autre côté de la coque.

Verdoux souffle dans son nez avec un air de dérision.

— Il ne se le demanderait pas : c'est un poisson d'eau douce.

Verdelet contre-attaque :

— Comment saurait-il qu'il est un poisson d'eau douce ? Il n'a pas connu d'autre eau.

— De toute façon, dit Verdoux, un poisson ne pense pas : il n'y a qu'à observer son œil rond et stupide. Aucun poisson n'a l'œil intelligent, sauf le dauphin.

Verdelet monte au filet.

— Le dauphin n'est pas un poisson. C'est un cétacé.

Sur ce smash, Verdelet gagne le set, et jugeant la partie finie, ou à tout le moins suspendue, j'interviens.

— Verdelet, vous avez une spécialité à bord ?

— Je prends le quart comme officier, étant chef du service de détection. C'est-à-dire que je suis censé commander à des gens qui connaissent leur métier mieux que moi.

— Et vous, Verdoux ?

— Service lutte anti-sous-marine. Même remarque que le sieur Verdelet. Imaginez une usine où les ingénieurs sont transcendants et les techniciens, remarquables : vous aurez une bonne idée d'un SNLE. Quant à moi, n'étant pas ingénieur, je me mets à l'écoute des techniciens que je commande.

— Docteur, oyez bien Verdoux ! dit Verdelet. Ce n'est pas souvent que vous le trouverez aussi humble.

— A mon sens, dis-je, la qualité particulière de la discipline à bord d'un sous-marin tient à ce que les ingénieurs savent bien que les techniciens, dans leur spécialité, sont indispensables, et vice versa. A mon avis, il ne peut y avoir de conflit entre un officier et un officier marinier (1) que si l'un des deux est caractériel. Et en principe, le filtre, à l'entrée, élimine les caractériels.

— Mais il arrive, dit Verdelet, que le filtre se dérègle. La preuve : il a laissé passer Verdoux.

— Mais c'est incroyable ! dit Verdoux avec indignation. Toubib, je vous prends à témoin ! Verdelet devient presque aussi agressif que moi ! Il me vole mon créneau !

Nous rions comme des bossus, et au milieu de nos éclats, le pacha entre. Nous nous levons aussitôt.

— Docteur, dit le pacha en souriant, je suis ravi que vous vous entendiez si bien avec nos deux « mimis ». Vous n'ignorez pas que vous et eux, vous êtes censés être les *boute-en-train* dans le carré.

— Ah commandant ! dit Verdoux, si vous saviez vraiment ce qu'est un *boute-en-train* dans un haras, vous ne diriez pas cela !

A ce moment, six ou sept officiers apparaissent dans un brouhaha de paroles vives qui cassent le fil du dialogue. Nous sommes bien maintenant une dizaine dans cet espace restreint. La confusion est grande et j'en profite, lectrice, pour

(1) Les officiers mariniers sont ce qu'on appelle dans l'armée des sous-officiers.

vous souffler à l'oreille qu'un aspirant dans la Marine, c'est un midship dont mimi est le diminutif évident, prononcé avec une connotation à la fois nostalgique et affectueuse par les officiers plus âgés, parce qu'ils ont été eux-mêmes midships vingt ou vingt-cinq ans plus tôt et que les présents mimis pourraient être leurs fils.

Le pacha m'appelle auprès de lui et me présente à ses officiers ou présente ses officiers à moi, selon le cas : rite qui prend un certain temps et qui est, comme chacun sait, aussi nécessaire qu'inutile, puisque neuf fois sur dix on ne retient pas le nom de la personne présentée. Raison pour laquelle j'emmène Verdelet à part — et à part, c'est dans la coursive, car le carré paraît maintenant quelque peu surpeuplé.

— Fils, dis-je, ôtez-moi d'un doute, comme dit Corneille : le pacha m'a présenté trois commandants. Je ne suis pas sûr de me rappeler qui est qui, et quelles sont leurs fonctions à bord.

— D'abord, dit Verdelet, qui se plaît à jouer sur les mots, il y a le commandant en second Picard. Il est capitaine de frégate comme le pacha. C'est ce petit brun que vous voyez parler au pacha.

— Il n'est pas si petit.

— Vu de ma hauteur, dit Verdelet, vous-même, vous n'êtes pas très grand. Notez-le, le mot « vivacité » a l'air d'avoir été inventé pour Picard : il a le geste vif, l'œil vif, l'esprit vif, la repartie rapide, et l'éclat de rire abrupt. Le mot « compétent », appliqué à Picard, paraît presque péjoratif. Il est superefficient, dynamique, infatigable. Les officiers mariniers disent qu'en patrouille on le voit nuit et jour dans tous les coins du sous-marin. D'aucuns prétendent même qu'il ne dort jamais.

— Brillant portrait. Je vous donne neuf sur dix.

— En toute modestie, la note n'est pas surcotée. Je poursuis. Le plus grand de tous, avec cette belle barbe noire, qui écoute d'un air grave Verdoux lui débiter des sottises, c'est le commandant Alquier. Origine : Alsace-Lorraine. Corvettard (1). Il a l'air froid et distant. C'est une apparence.

(1) Capitaine de corvette (quatre galons).

Il voulait être pilote de chasse dans l'aéro, mais il n'a pas pu. Trop grand. Il lui aurait été impossible de faire fonctionner son siège éjectable. Ses jambes auraient cassé.

— Et le troisième commandant ?

— Forget. Corvettard aussi. Mais on ne l'appelle pas commandant. On l'appelle « chef ».

— C'est le chef-mécanicien ?

— Dans le nucléaire, dit Verdelet avec hauteur, nous disons le chef du groupement énergie. Il a trois « loufiats » sous ses ordres (1).

— Lequel est-ce ?

— Il parle à Picard. Pour ne pas vous offenser de nouveau, je ne dirai pas qu'il est petit.

— Merci.

— Je dirai qu'il n'est pas plus grand que Picard. Mais Picard est mince et Forget est corpulent. En outre, les cheveux de Forget se retirent en déroute de son front dégarni.

— Belle image.

— Merci. Je continue. Forget est breton, officier sorti du rang. Grand travailleur. Le pacha dixit : « Avec un ingénieur comme Forget, un commandant peut dormir sur ses deux oreilles. »

— Pas de portrait cette fois ?

— S'exprime d'une voix douce et posée. Modeste, réservé. Mais grande réserve aussi de force. Grande réticence à parler de soi.

— Bref, un Breton.

— Un certain type de Breton. Le Breton nordique. Votre Le Guillou est un Breton méridional. Je poursuis, toubib ? Je passe aux loufiats ?

— Monsieur l'aspirant, dis-je avec une sévérité affectée, je ne crois pas que vous devriez parler avec cette désinvolture d'officiers à trois galons. Après tout, moi aussi, j'ai trois galons.

— Mais ils sont frappés d'indignité civile par un liséré de velours rouge. En outre, il n'y a pas de mal à être loufiat.

(1) Argot baille pour lieutenant de vaisseau (trois galons).

Laurent Fabius est loufiat de réserve. Dans la Marine, le loufiat est l'officier taillable et corvéable à merci. C'est la cheville ouvrière. Sans lui rien ne se ferait.

— Après ces fortes paroles, je vous soupçonne de vouloir mettre vos pas dans ceux de Fabius.

— Certes ! Le futur jeune Premier ministre de la France, c'est moi.

— Fils, excusez-moi, je crois que le pacha me fait signe de passer à table. Merci pour tout.

En tant que nouveau venu, je suppose, le pacha me place à sa droite. Face à lui le commandant en second Picard, flanqué des deux autres commandants : le grand Alquier et le chef Forget. Les autres s'assoient, me semble-t-il, sans ordre hiérarchique défini. Les deux mimis en bout de table, mais c'est un choix. Je ne vois pas les jeunes officiers qui m'ont posé des colles quand je suis redescendu, ruisselant d'eau, du massif. Ils doivent être de quart.

— Vous ne vous sentez pas trop serré ? me dit affablement le pacha.

« Trop serré » est un euphémisme. Dix personnes autour de cette table, c'est la limite. Et Wilhelm a tout juste assez de place pour voleter autour de nous, portant avec adresse je ne sais combien de petits plats de hors-d'œuvre sur un plateau.

— Pas du tout, commandant, dis-je avec entrain. Et si je vous gêne pour couper votre viande, n'hésitez pas à me donner un coup de coude.

Petits sourires à la ronde et tous les regards convergent sur moi. L'équipe que je vois là s'est déjà soudée par deux patrouilles de 60 à 70 jours. On comprend qu'elle envisage avec circonspection le nouveau venu. Je me fais l'effet du petit Mowgli que les loups des monts de Seeonee viennent renifler au centre de leur assemblée avant de l'admettre à courir avec la meute. Autre ressemblance avec Mowgli : c'est bien moi qui retirerai les épines de leurs pattes s'ils se blessent.

La conversation, si enjouée qu'elle soit, demeure à peu près incompréhensible pour moi, car cette équipe, au cours de ses deux missions en mer, a amassé tout un trésor de petits faits vécus qui me sont inconnus et dont ils parlent par allusion, en s'en amusant beaucoup.

Le pacha a dû sentir que j'étais un peu déconcerté par le folklore familial car il imprime au dialogue un tour plus général :

— Alors, Alquier, vous avez fumé votre dernière cigarette ?

— Oui, commandant, dit Alquier.

— C'est dur ?

— Assez. A chaque fois, je me dis qu'en revenant de patrouille je ne vais pas reprendre. Et à chaque fois, je m'y remets. Pourtant, c'est aussi pénible de recommencer en fin de patrouille que de cesser quand on part.

— C'est vrai, dit le pacha.

Son œil bleu pétille et il reprend.

— Quand j'étais commandant en second, la première chose que faisait mon pacha en remontant à l'air libre, c'était de prendre une cigarette dans son paquet et de la balancer à la mer. Et un jour, comme je m'en étonnais, il me dit : « Voyez-vous, Rousselet, j'ai remarqué qu'après m'être abstenu deux mois de tabac, la première cigarette avait très mauvais goût. Alors je la jette et je fume la seconde. »

On rit. On est content. Plus subtilement on est content de soi. Il n'y a pas que les marins anglo-saxons qui aient de l'humour.

Comme je ne veux pas jouer les muets du sérail, je profite d'un temps mort pour prendre la parole.

— Je me suis laissé dire que la raison pour laquelle on avait interdit la cigarette à bord des SNLE, c'est qu'on a analysé la fumée du tabac et qu'on y a trouvé plus de cent composants, tous nocifs.

— Ce n'est pas la vraie raison, dit le pacha promptement. Mais là-dessus, il faut laisser la parole au chef Forget : c'est lui le spécialiste de la régénération de l'air à bord.

Forget passe la main sur son crâne chauve : il a l'air passablement embarrassé de prendre la parole en public.

— Je ne voudrais quand même pas faire un cours, dit-il de sa voix douce et posée, surtout à table — et surtout en sachant de quel nom peu flatteur les bordaches désignent une conférence et un conférencier.

Les rires explosent. Le vocable en question — dont je ne

veux pas, lectrice, blesser vos mignonnes oreilles — étant un grossier synonyme d'ennuyeux et commençant par la même syllabe. Non, non, ce n'est pas le mot auquel vous pensez. C'est pire.

— Allez, chef, allez, dit le pacha.

Cet encouragement sportif est repris par plus d'un et Verdoux ajoute :

— Allez, chef, le toubib a besoin de s'instruire !

— Galopin, dit le pacha en se tournant vers lui, qui vous permet d'appeler le docteur « toubib » ?

— Mais moi, dis-je, et je serais ravi que vous en fassiez tous autant.

Forget tousse et passe de nouveau la main sur son crâne. Je le sens à cet instant, mais tout me le confirmera plus tard : ce petit homme chauve et replet jouit d'une grosse cote à bord. Il est compétent, modeste, généreux. Il coiffe trois chefs de service — trois loufiats — et une des premières choses que j'apprendrai de lui, c'est que trois fois par semaine, il prend à tour de rôle le quart de l'un d'eux pour lui permettre de souffler.

— Docteur, dit-il de sa voix douce (mais derrière laquelle on sent une certaine force de caractère) dans un SNLE, on ne peut pas se permettre, à cause de la *discrétion*, de sortir un tube hors de l'eau comme dans les sous-marins diesel et de puiser de l'air. Bien entendu, il y a de l'air au départ dans un SNLE, et le problème consiste à maintenir le taux d'oxygène entre 20 et 22 % et le taux de gaz carbonique entre 0,5 et 0,7 %. On élimine le gaz carbonique en le faisant passer sur des tamis moléculaires, et on produit l'oxygène par l'électrolyse de l'eau. C'est plutôt délicat.

Forget fait une pause et comme il me fait face à table et qu'il a la gentillesse de s'adresser à moi, je le relance en disant :

— Pourquoi est-ce délicat ?

— L'hydrogène se dégage à la cathode et l'oxygène à l'anode. Si les deux gaz se rejoignaient, il y aurait explosion. Pour éviter ce petit inconvénient (rires) on emploie l'amiante. L'amiante ne laisse passer que l'hydrogène. Ce sont les Britanniques qui ont découvert le procédé.

— *Hear! Hear!* dit Verdoux.

— Voilà le principe, dit Forget. Mais nous avons aussi des procédés de filtrage pour nous défaire des vapeurs d'huile, de sueur, des odeurs — notamment de l'odeur des « poulaines » (1) et du fréon qui fuit toujours un peu des grands frigos. Bref, pour répondre à votre question, docteur (il pousse un petit soupir : il est plutôt content d'en avoir fini avec son topo), il ne nous serait probablement pas beaucoup plus difficile d'éliminer la fumée du tabac. La seule chose, en fait, qui nous préoccupe, c'est l'alcool des eaux de toilette que l'équipage emploie. Les émanations pourraient être dangereuses à la longue pour la santé.

— C'est décourageant, dit Verdelet, on n'aura bientôt plus le droit de sentir bon.

— Merci, chef, pour votre exposé, dis-je en regardant Forget. Merci et pardon : à cause de moi, vous avez laissé refroidir votre rôti de veau.

— De toute façon, dit Forget avec gentillesse, je n'aime pas manger chaud.

— Quant au tabac, dit le pacha, je prends le relais, docteur. C'est le premier commandant du premier SNLE, Louzeau, alors capitaine de frégate, aujourd'hui vice-amiral d'escadre — qui a pris l'initiative d'interdire la cigarette à bord. En quoi il a eu du mérite, car il était lui-même fumeur, et en quoi il a eu mille fois raison, les fumeurs multipliant les risques d'incendie. Comme vous savez, docteur, nous avons deux grands soucis à bord : le feu et la voie d'eau.

Un petit silence. Une ombre passe. Wilhelm présente de nouveau à la ronde le gâteau au chocolat, mais je refuse un second service.

— A ce régime, dis-je, nous allons tous beaucoup grossir.

Echanges de regards et rires.

— Ce rire ne s'adresse pas à vous, docteur, dit le pacha, mais à votre prédécesseur qui se préoccupait beaucoup de l'embonpoint de l'équipage.

— Il craignait, dit quelqu'un, que même en vidant l'eau

(1) Les W.-C.

des ballasts, la surcharge de poids, au bout de deux mois, nous empêche de refaire surface...

— Docteur, dit un jeune officier assis à côté de Verdelet et dont je saurai plus tard qu'il s'appelle Angel, qu'il est enseigne de vaisseau et frais émoulu de la Baille, puis-je vous poser une question ?

— Mais certainement.

— Avez-vous été opéré de l'appendicite ?

— Non.

Ce « non » déclenche des rires en tempête. Je les accueille avec bonne grâce, quoiqu'ils me donnent *in petto* l'impression déconcertante d'être bizuthé par un bizuth. Un bordache dirait un « fistot ».

— Docteur, dit le pacha, ces rires n'ont rien de personnel. Si votre infirmerie comporte un bloc opératoire, c'est parce qu'on redoute l'apparition à bord d'une appendicite. Or, qu'arrive-t-il quand c'est le médecin lui-même qui a l'appendicite ?

— Le cas s'est produit ?

— Oui, il y a quelques années sur un SNLE, créant une situation délicate, vu la consigne de discrétion qui commande les transmissions. Nous recevons. Nous n'émettons jamais.

— Et dans le cas d'espèce ?

— Le médecin souffrant beaucoup et son pronostic étant pessimiste, on a dû émettre. En moins de trois jours, un hélicoptère a opéré sa jonction avec le sous-marin. Celui-ci a fait surface et le médecin a pu être hissé à bord.

— Mais alors, la discrétion ? dit Angel.

Il prononce ce mot d'une façon spéciale, feutrée, révérencielle.

— Rassurez-vous, dit le pacha, le sous-marin a émergé dans des conditions telles qu'elle a été respectée.

J'ai oublié de préciser que ce repas était en fait un dîner, et non un déjeuner. Mais à vrai dire, enfermés que nous sommes dans notre grand poisson tout d'acier, nous ne ressentons le passage du jour à la nuit que par les nuances artificielles qu'on impose à la lumière électrique pour que nous gardions nos repères. Blanche le jour, elle prend la nuit une coloration rougeâtre. Pratiquement, je n'ai le sentiment que la nuit est tombée que lorsque j'éprouve une certaine lassitude et que le besoin de dormir apparaît. C'est là toutefois une sensation que ne doivent pas avoir ceux qui, assurant un quart de « nuit », ont dû faire une sieste pendant le « jour ».

Retiré dans ma chambre, couché sur ma banette, la porte close et la lumière éteinte, je repasse en mon for le film de cette journée pour moi si importante : la première que je vis à bord d'un SNLE — la première des soixante-cinq ou soixante-dix que je passerai ici sans revoir terre et ciel.

Je ne suis pas mécontent de ce contact, lui aussi le premier, avec mes pairs. Ils me sont à vue de nez très sympathiques, et je crois que de son côté la meute n'aura pas de mal à intégrer Mowgli.

Une chose me frappe dans mon demi-sommeil. A goûter ce dîner savoureux servi par un maître d'hôtel parfait, et pris en si bonne et joyeuse compagnie, j'aurais presque oublié que Jonas porte dans ses flancs, outre un réacteur atomique qui sert à sa propulsion et à son éclairage, pas moins de seize missiles à tête nucléaire.

Ces missiles sont notre finalité. C'est parce qu'ils en sont porteurs que sur nos six SNLE, trois en permanence patrouillent les mers deux mois durant, selon un itinéraire secret, et dans la plus absolue discrétion, prêts à obéir dans l'instant à l'ordre donné sur ondes ultra-longues par le président de la République et à lancer leurs fusées sur les cibles qui leur auront été désignées. Nous sommes, pour ainsi parler, les chiens de garde de la France, défendant ses intérêts vitaux et montrant constamment les dents pour éviter d'avoir à mordre.

Littéralement, ma métaphore n'est d'ailleurs pas exacte. Car en fait de montrer les dents, nous ne montrons rien du tout. Ce mot « discrétion » que j'ai entendu ce soir, et que je vais entendre plus de cent fois au cours de la patrouille, est à bord d'un SNLE le « maître-mot », le « Shibboleth », l'impératif absolu, la règle d'or. Ne jamais trahir sa présence. Ne pas souffler mot. Ne jamais montrer fût-ce un bout d'oreille, un bout d'antenne ou un bout de périscope. Pendant huit ou dix semaines, notre sous-marin va rôder dans les Océans. Il reçoit des messages. Mais pour éviter d'être repéré, il n'en émet jamais. Il ne fait jamais surface. Il demeure invisible et muet.

Il n'a pas de fenêtre sur la mer et d'ailleurs, à la profondeur où il se meut, la visibilité est nulle : elles ne lui serviraient à rien, et pas davantage d'ailleurs les puissants projecteurs du mythique *Nautilus*. Il n'a pas d'yeux, mais il écoute et repère sa route par ses sonars et ses hydrophones. Il voit avec ses oreilles.

Je regarde les aiguilles lumineuses de ma montre. Il est dix heures dix. Il fait nuit à la surface de l'Océan, mais demain le jour se lèvera sur lui. Pas sur nous. Là où nous sommes, dans la coque et hors de la coque, ce ne sont que ténèbres. J'essaie d'imaginer ce que des yeux humains ne verront jamais : ce gigantesque poisson de cent trente mètres de long glisser dans les eaux noires — magnifique et invisible —, sans yeux, mais l'oreille aux aguets.

Il écoute, bardé d'hydrophones. Il suspecte tout ce qui s'approche de lui. Dès qu'il craint d'être repéré, il fuit ou se tapit.

Détecté, il pourrait être préventivement détruit et alors, n'importe quel pays, ivre de sa puissance, pourrait, par surprise, lancer une attaque nucléaire contre la France, et en quelques minutes la réduire en cendres. La survie des SNLE, c'est la nôtre.

CHAPITRE II

Le lendemain après le petit déjeuner (dangereusement calorique) je suis à l'infirmerie à neuf heures. J'y trouve Le Guillou les mains encombrées d'une cassette métallique et de papiers, lesquels, avec un petit salut de la tête, il va déposer dans un placard qu'il ferme à clé.

— Le Guillou, est-ce que le Dr Meuriot avait un horaire fixe pour ses consultations ?

— Non, Monsieur. Ce n'était guère possible à cause du « quart ». Les malades viennent à l'infirmerie quand ils peuvent. Nous ne sommes jamais bien loin. Comme dit le pacha : « Dans un sous-marin, on n'égare jamais personne : c'est très étanche. »

Je souris à cette formule — très typique de l'humour sous-marinier — et je dis :

— Je ferai donc comme le Dr Meuriot.

Peut-être dois-je vous expliquer ici, lectrice (puisque vous voulez bien me tenir compagnie dans ma présente solitude), que dans la Marine, « on prend le quart par tiers ». Cette savoureuse anomalie de la langue maritime demande une explication. Le quart est le service de veille à bord. Il est assuré nuit et jour. L'équipage est divisé en trois groupes et chaque groupe — ou « tiers » — « prend le quart » en principe pendant quatre heures (1). En vingt-quatre heures,

(1) En fait, le système est plus complexe : Il y a des quarts de quatre heures, de trois heures et de deux heures.

le service d'un tiers est donc en moyenne de huit heures et il est assuré en deux quarts, chacun de quatre heures, comme j'ai dit, et chacun suivi d'un repos de quatre heures. Si le médecin imposait un horaire rigide de consultations, il s'ensuivrait que les malades légers dont le « quart » coïncide avec cet horaire ne pourraient pas le voir.

Le Guillou a attendu que je revienne sur terre après cet aparté pour attirer mon attention.

— Justement, Monsieur, je voulais vous dire...

Quand je connaîtrai mieux Le Guillou, je saurai que « justement » n'a aucun lien avec ce qui précède. S'il en a un, c'est accidentel.

— Justement, je voudrais vous dire. Morvan est vraiment malade. Il a la fièvre.

— J'avais cru comprendre qu'il cuvait une cuite.

— C'est aussi ce que je croyais.

Je le regarde. Avec ses pommettes mongoles, on attendrait des yeux noirs et des cheveux de jais. Pas du tout. Il a le cheveu blond et l'iris vert. Je suis sur le point de dire : « Vous avez donc fait une erreur de diagnostic. » Je me retiens. J'ai ouï dire que les Bretons étaient prompts à se vexer. Au lieu de renvoyer la balle, ils l'avalent.

— Voyons le malade, dis-je, et je passe dans la chambre d'isolement.

Morvan est un grand gaillard bronzé, pâle sous son hâle, et qui ne doit pas être malade souvent. Il a l'air assez paniqué. D'ailleurs, ce sont toujours les grands costauds qui s'évanouissent quand on leur fait une prise de sang.

— Bonjour, Morvan, ça commence bien ! Où avez-vous mal ?

— A la gorge, docteur.

Je l'examine.

— C'est bien simple : vous avez une bonne angine.

Le mot « bonne », appliqué à angine ne rassure aucunement Morvan. Cependant, il se tait. Comme dit si bien Verdoux (à moins que ce ne soit Verdelet), c'est le Breton taciturne, au contraire de Le Guillou, le Breton causant.

— Repos couché, aspirine, trois oracillines par jour.

— On va te cocoter, veinard ! dit Le Guillou.

Morvan se tait. Je repasse dans l'infirmerie.

— Qu'est-ce que c'était, Le Guillou, cette cassette et ces papiers que vous avez enfermés ?

— La « coop ». La coopérative si vous voulez. On vend de tout : bonbons, chewing-gums, lames de rasoir.

— Et vous la gérez ?

— Non, Monsieur, dit Le Guillou avec un petit sourire. C'est vous qui la gérez. Moi, je vends.

— Et ma gestion consiste en quoi ?

— A faire les comptes en fin de patrouille.

Je tourne et vire dans l'infirmerie, l'air indifférent, le regard vagabond. Et à la fin, je dis :

— Curieux qu'on ait rattaché la coop au service médical.

— Justement, ce n'est pas aussi éloigné qu'on pourrait le croire. Vous verrez.

Comme il est mon ancien, et dans le bateau, et dans les SNLE, je ne veux pas fortifier encore sa position en lui posant trop de questions. Comme il dit, je verrai bien.

Je reprends :

— Elle fait des bénéfices, la coop ?

— Je pense bien !

— Et qu'en fait-on ?

— On achète les objets qui servent de prix pour les jeux et les rallyes qu'on organise à bord. On participe aussi au financement de la carte de vœux qu'on fait faire au nom du bateau et que l'équipage envoie aux proches et aux amis à Noël. On en fait tirer deux mille. Avec gravure spéciale à nos armes.

— Ça doit être coûteux ?

— Faut ce qui faut ! Vous comprenez, on est plutôt fiers de notre sous-marin.

Un homme s'encadre dans la porte. Grand. Corpulent. Salopette quelque peu crasseuse.

— Salut, Le Guillou. On pourrait voir le toubib ?

— C'est moi, dis-je.

— Ah pardon ! Monsieur le médecin, je me présente : Premier maître Bichon.

— Bonjour, Bichon. Qu'est-ce qui vous amène ?

— Ben. J'ai mal à la gorge et je tousse.

— Classique, dit Le Guillou. C'est la ventilation du bord.

— Déshabillez-vous, Bichon.

Je l'ausculte. Je regarde sa gorge.

— Rien de grave. Le Guillou va vous donner des pastilles et un sirop pour la toux. Vous avez de la fièvre ?

— Je ne crois pas.

— Le Guillou, vous lui faites prendre sa température.

Pendant ce temps, je consigne son cas, puisque tout cas, même archi-bénin, doit laisser une trace écrite. Ce sont là les joyeusetés de la « Strasse » (1). Pour un quart d'heure de consultation, un quart d'heure de paperasse.

— 36°8, dit Le Guillou. Ce n'est pas encore cette fois qu'on mettra ton corps aux frigos sous cellophane.

Cette détestable plaisanterie fait rire Bichon. C'est un bon vivant, l'œil vif et pétillant, la lèvre gourmande, la taille quelque peu épaissie.

— Vous surveillez votre poids, Bichon ?

— J'essaie. La vérité, c'est qu'on mange trop bien à bord.

— Et dire qu'il y a encore des gars qui se plaignent ! dit Le Guillou vertueusement. Des enfants gâtés, voilà !

— Quelle est votre spécialité, Bichon ?

— Je suis bouchon gras à la « prop ».

Je décode pour vous : « Je suis mécanicien à la propulsion. » La propulsion, c'est le compartiment machines.

— Il doit faire chaud à la prop ?

— Plutôt ! De 30 à 35 degrés. Et s'il n'y avait pas les frigos, il y aurait 50°.

— Les frigos ? dis-je étonné. Les frigos des cuisines ?

— Non, non, dit Bichon. Pas ceux-là ! Les nôtres ! Ils fabriquent de l'eau froide qui passe dans des radiateurs. Des ventilateurs brassent l'air à travers ces radiateurs et l'air refroidi est pulsé dans le bord.

(1) L'Administration.

— Et voilà comment on attrape de bonnes trachéites ! dit Le Guillou.

— Ce n'est pas seulement l'air conditionné, dit Bichon. A la prop, nous avons 35°. Et à la « caffe », il fait quoi ? Tout juste 22°. C'est quand on va manger qu'on attrape la crève.

— Ne mange pas, dit Le Guillou. Ça te fera du bien de maigrir.

— Pas possible, dit Bichon. Quand on est privé à un bout, il faut bien se rattraper à l'autre !

Et il rit.

— En attendant, dis-je, quand vous sortez du compartiment propulsion pour gagner la cafétéria, pourquoi ne jetez-vous pas un petit pull sur vos épaules ?

— Oui, oui, Monsieur le médecin, dit-il sans conviction.

Et comme je retourne à ma paperasse, il dit à mi-voix à Le Guillou :

— De quoi j'aurais l'air ?

Les mécaniciens, bien sûr, ne sont pas des mauviettes, mais des gars costauds et virils qui se battent avec les vannes, les pompes et les purgeurs. Les « bouchons gras », qu'on se le dise, n'ont peur de rien, ni des turbines, ni du froid, ni des plaisanteries, fussent-elles grasses, elles aussi.

Toute la journée, je vais avoir un défilé de cinq ou six malades souffrant de la gorge, des oreilles ou des sinus.

— Classique, répète Le Guillou avec satisfaction. C'est la ventilation. Dans une semaine, ça va se tasser.

Ayant dit, il me quitte pour aller voir Morvan dans la chambre d'isolement, et je l'entends qui, à sa manière plutôt autoritaire, tâche de le réconforter.

— Trois jours ! dit-il. Trois jours ! Et tu es debout !

Je regagne ma chambre et dans la coursive, je rencontre le petit Jacquier que je n'avais pas revu depuis qu'il m'avait montré la veille le chemin de la « baignoire ». Je suis frappé par son air de jeunesse.

— Je vous cherchais, docteur, dit-il avec un sourire enfantin. Le commandant vous prie de bien vouloir l'attendre au carré à partir de seize heures trente.

Coup d'œil à ma montre. Il est seize heures trente.

— J'y vais. Comment se fait-il, Jacquier, que je ne vous aie vu au carré ni hier soir ni ce matin ?

— Wilhelm et moi, nous sommes de service une semaine chacun. Cette semaine, c'est lui.

— Et qu'est-ce que vous faites, quand vous n'êtes pas de service ?

— Principalement, les chambres des officiers : je dépoussière, je nettoie le lavabo, je refais la banette. A ce propos, docteur, j'ai remarqué que vous aviez retapé vous-même votre banette.

— Oui, dis-je, c'est une habitude.

— Eh bien, dit-il, si ça doit pas vous contrarier, docteur, j'aimerais autant pas.

— Tiens, pourquoi ?

— Parce que c'est assez dangereux, vu que le sommier, c'est des petites lames d'acier très coupantes, et il y a pas mal de gars qui se blessent à la main en rentrant les couvertures sous le matelas.

Je le regarde : il est blond, les yeux pervenche, le nez court, couvert de taches de rousseur, deux fossettes, le sourire gai.

— Eh bien, merci de m'avertir, Jacquier.

Je le quitte et gagne le carré. Les quatre fauteuils sont vides et à peine ai-je pris place dans l'un d'eux que Wilhelm surgit.

— Docteur, voulez-vous du thé ?

— Volontiers.

Son eau devait être déjà bouillante, car moins d'une minute plus tard, il est là, disposant non seulement le thé et la théière, mais aussi des petits gâteaux secs — d'ailleurs délicieux. Et comme en les grignotant (non sans remords) j'observe qu'au lieu de retourner à son office, il reste là, je lui dis :

— Wilhelm, vous êtes alsacien ?

Question qui me paraît aller de soi : à bord, d'après ce qu'on m'a dit, l'élément dominant, c'est les Bretons. Tout de suite après viennent les Alsaciens-Lorrains et les gars du Nord. Suivent les Parisiens et un saupoudrage de provinciaux d'origines diverses.

— Non, docteur, dit-il d'un air quelque peu piqué, je suis lorrain.

Bien. Je me le tiendrai pour dit : ne pas confondre un Alsacien avec un Lorrain, et ne pas confondre un Alsacien *et* un Lorrain avec un Vosgien.

Je l'observe du coin de l'œil en buvant mon thé. Il est grand, mince, d'une tournure plutôt élégante, les traits réguliers, le cheveu court, l'œil vif. Et il a une façon tout à fait professionnelle d'être là en ayant l'air de s'cffacer avec discrétion. Comme je sens qu'il a quelque chose à me dire, je poursuis la conversation.

— Vous êtes content de Jacquier, Wilhelm ?

— Oui, docteur, très content. Comme petit matelot en service prolongé, on ne fait pas mieux. A mon avis, il a l'étoffe qu'il faut. Je le pousse à faire un B.A.T. (1) de « motel » à l'école de Rochefort.

Motel, c'est l'argot pour maître d'hôtel, et c'est à l'école de Rochefort qu'on les forme, ainsi que les cuisiniers — pour le plus grand bonheur de la Marine, mais aussi de l'Elysée, de Matignon et du ministère de la Défense.

Comme après cet échange, Wilhelm retombe dans le silence et sa discrète immobilité, je reprends :

— Vous allez bien, Wilhelm ?

— Très bien, je vous remercie, docteur, sauf, ajoute-t-il d'un air penaud, que je souffre d'une dent.

— Tiens, tiens ! dis-je, mi-figue mi-raisin, on ne vous a pas examiné les dents à terre ? Et on ne vous a pas dit de faire soigner celle-là ?

— Si, docteur.

— Et vous ne l'avez pas fait ?

— Je n'en souffrais pas, dit Wilhelm. Et le dentiste avait dit que c'était une petite carie.

Moralité : ne jamais dire à un homme qu'il a une « petite » carie.

— Venez demain à l'infirmerie après votre service. Je verrai ça.

(1) Brevet d'aptitude technique.

— C'est que, dit Wilhelm, c'est une dent de devant. Je ne voudrais pas qu'on me l'arrache.

— Je n'arrache pas les dents comme ça. Si elle est soignable, je la soignerai.

— Merci, docteur.

— Un thé pour moi aussi, Wilhelm, dit le pacha en pénétrant d'un pas vif dans le carré et en s'asseyant dans un fauteuil à côté de moi.

— Oui, commandant, dit Wilhelm en tournant les talons.

— Wilhelm se fait du souci, dis-je. Il a peur que je lui arrache une dent qu'il a omis de se faire soigner à terre.

— Et allez-vous le faire ? dit le pacha en me considérant de ses yeux bleus, à la fois aigus et chaleureux.

— Absolument pas.

— Et vous avez raison, dit-il. J'ai connu un médecin qui extrayait cinq ou six dents par patrouille. C'était l'extraction-punition. Il punissait les gars qui avaient omis de se faire soigner à terre. Le résultat...

Il fait la moue, soulève les épaules et concurremment les deux mains. Mais il ne va pas plus loin que ce commentaire gestuel. Il reprend :

— Docteur, si vous soignez la dent de Wilhelm sans l'extraire et sans lui faire mal, l'équipage vous tiendra pour un bon toubib, et vous serez mieux à même de jouer votre rôle qui est, comme vous verrez, divers et multiple.

« Vous verrez », comme Le Guillou. C'est le jour ! Le pacha aussi ! Et à lui non plus je ne pose pas de question.

Un silence. Il porte la tasse de thé à sa lèvre, et boit à petits coups, religieusement. Je suis en train de m'habituer au contraste entre sa courte barbe noire, son teint brun et ses yeux bleus. Ses manières sont simples et naturelles, mais sous cette simplicité et ce naturel on sent un certain raffinement moral et une mise en place définitive des problèmes de la vie. Cependant, il a l'air aussi très ouvert : ce qui peut paraître paradoxal chez quelqu'un qui passe la moitié de sa vie enfermé dans une boîte en acier.

Il repose sa tasse et me dit d'un ton vif :

— Comment avez-vous trouvé ce premier contact avec les officiers ?

— Cordial.

— Vous ne trouvez pas qu'on vous a trop chahuté ?

— Pas du tout. C'était très sympathique.

— Vous aussi, ils vous ont trouvé très sympathique. Docteur, ne vous sentez pas obligé, par discrétion, de vous cantonner dans votre chambre, ou à l'infirmerie. Ce n'est pas parce que vous aurez affaire aux gens que vous devez vous désintéresser des choses... Un SNLE est une merveille de la technologie. Parcourez-le, posez des questions. On vous répondra.

Il se corrige avec un sourire :

— Enfin, pas sur tout.

Il se relève aussi vivement qu'il s'était assis, m'adresse un sourire bref et chaleureux et me dit :

— A ce soir, toubib !

*
**

Huit jours à peine se sont écoulés depuis cette conversation quand je fais, en me pesant le matin à l'infirmerie, une consternante constatation : j'ai gagné un kilo. Et quand je dis « gagné », c'est une antiphrase, car un calcul rapide me convainc que si mon « gain » se poursuit à ce rythme, j'aurai pris, en fin de patrouille, huit kilos et perdu ma ligne juvénile.

J'envisage aussitôt un régime austère : pas de sucre dans le thé. Pas de dessert à midi. Pas de hors-d'œuvre aux deux repas. Ah ! j'oubliais (L'oubli, dirait Freud, est un acte manqué) : pas de pain au chocolat au petit déjeuner.

Mais cela ne me suffit pas : à ce régime spartiate, je vais, sans désemparer, ajouter la sueur.

— Le Guillou, savez-vous où se trouve la bicyclette d'entraînement ?

— A la « tranche missiles ». Vous avez grossi, Monsieur ?

Je fais oui de la tête, et je pense avec agacement qu'il va dire : « Classique ! » Mais il se contente de sourire et j'enchaîne :

— Vous saurez où je suis, si on a besoin de moi.

Lectrice, l'expression « tranche missiles » vous a peut-être étonnée. Imaginez un SNLE comme un cake familial qui se découpe en tranches. En sept tranches, sept étant un chiffre magique, comme bien l'on sait. Les voici, d'arrière en avant :

1/ La tranche A, c'est la tranche machines. Comme c'est un gâteau à lui tout seul et qui comporte beaucoup de choses, j'en parlerai plus loin.

2/ La tranche B qui comporte l'usine de distribution électrique du bord et différents auxiliaires nécessaires notamment au fonctionnement de la chaufferie nucléaire.

3/ La tranche C, à savoir le réacteur atomique. Ne tremblez pas. C'est un monstre, certes. Mais il est bien enchaîné. Et en mer, on ne descend jamais le voir.

4/ La tranche D, c'est la régénération de l'air, dont le chef Forget m'a parlé lors de notre premier repas au carré, et les groupes électrogènes de secours.

5/ La tranche E : la tranche missiles où je suis en train de pédaler.

6/ La tranche F. Elle comprend le PCNO (le Poste Central de Navigation Opérations, dont l'appellation explique la fonction), le logement de l'équipage et le royaume de votre serviteur : l'infirmerie.

7/ La tranche G ou tranche torpilles laquelle, sur l'*Inflexible*, comporte aussi deux Exocets, missiles tactiques antibâtiments de surface lançables en immersion.

La tranche de SNLE n'est pas, comme une tranche de cake, à section carrée, mais bien sûr, à section ronde — un rond d'une dizaine de mètres de diamètre qui, sauf dans sa partie la plus mince — à la queue — comporte verticalement trois ponts, ou pour employer un langage de terrien, trois étages. On accède de l'un à l'autre par des échelles verticales ou inclinées. Quand elles sont inclinées, elles imitent ce que dans le civil nous appelons des escaliers. Ce sont les plus traîtres. Car elles sont inclinées si peu et les marches sont si étroites qu'il vaut mieux pour donner une bonne assise aux pieds, descendre de côté comme un crabe.

Au cours de la patrouille, je soignerai deux foulures et je constaterai — accident fréquent chez les footballeurs — un décollement du ménisque. Le matelot a dû descendre trop vite une des échelles obliques et son genou s'est trouvé en porte à faux par rapport à son pied. Pas question de l'opérer, bien sûr. Il devra attendre notre retour à Brest, et en attendant, apprendre à vivre avec une articulation douloureuse.

Si j'étais speaker à la télévision, je trouverais dans ce genou une transition heureuse pour parler de mon pédalage. Mais non, je préfère parler de la tranche missiles qui, de toutes les tranches du SNLE est la plus vaste : verticalement, puisqu'elle occupe les trois étages, soit toute la hauteur du sous-marin, et horizontalement, car elle mesure bien vingt mètres sur dix. En outre, la coursive qui la circonscrit sur les quatre côtés est la plus large des coursives du bord. Enfin, de toutes les tranches, c'est la plus brillamment éclairée.

Puisqu'un SNLE, dans sa définition même, est un sous-marin lanceur d'engins, et que ces engins sont surtout les missiles balistiques — je dis surtout, car il ne faudrait pas oublier les torpilles à l'avant et les Exocets sous-marins — je conçois très bien que ces missiles qui comportent tous les seize des têtes nucléaires aient pour vous (comme pour moi) une connotation effrayante. Or, chose étrange, de toutes les tranches du sous-marin, elle est non seulement la plus grande, mais aussi la plus belle. Elle présente, dans sa propreté immaculée, l'éclat de ses aciers et le brillant de ses cuivres, je ne sais quoi de gai et de pimpant.

J'ai cru qu'en pédalant à vide (ce que je fais pour la première fois) j'allais pouvoir m'abandonner à mes rêveries habituelles. C'est une erreur. Si stupide que soit le travail de Sisyphe auquel je me livre en conscience, il commence par mobiliser mes jambes, mes reins, mes bras, mon souffle et finit par occuper mon cerveau. Au bout d'une minute à peine, je ne peux penser à rien d'autre qu'à la pesée de mes pieds sur les pédales. S'il me vient une pensée, elle n'a rien de spéculatif : je regrette de n'avoir pas mis un pull-over : la sueur viendrait plus vite — cette sueur que je dois maintenant rejeter à profusion pour me punir d'avoir absorbé trop de sucre.

Quand elle perle enfin à mon front, dégouline le long de mon nez et tombe sur le guidon, je ralentis le pédalage et je souffle. Le second maître Roquelaure apparaît au fond de la coursive, et du plus loin qu'il me voit, m'adresse un grand sourire de ses grandes dents. Je l'ai soigné pour un commencement d'otite et je le prenais toujours en fin de consultation, sachant bien qu'avec lui, deux minutes de soins amenaient vingt minutes de conversation.

C'est un Marseillais qui, grâce à une épouse brestoise, a perdu son accent. Mais il a gardé son caractère ensoleillé. Au physique, il est brun, nerveux, mince comme un fil. Il parle comme une mitraillette — une mitraillette jamais à court de chargeurs. Il a vingt-six ans et il a un fils de onze ans, battant ainsi un record de précocité procréatrice qui m'a laissé béant, et dont je l'ai félicité. Il a été sensible à cet hommage.

— Docteur, dit-il en me voyant ruisseler, vous êtes un vaillant, hein, quoi ?

— Je suis surtout quelqu'un qui a grossi d'un kilo.

— Moi aussi, dit-il en riant.

— Oui, mais vous, il y a de la marge. Je suppose que vous voulez prendre la suite ?

— Il n'y a pas presse.

— Je vais en avoir fini, dis-je toujours pédalant, mais en souplesse. Si je me rappelle bien, Roquelaure, vous êtes à la sécurité plongée ?

— C'est bien ça, docteur. Je suis à la « sec-plonge ».

S'il veut employer son vocabulaire plutôt que le mien, je n'y vois pas d'inconvénient. L'argot de métier n'est pas seulement abréviatif et distinctif. Il est aussi affectueux. C'est ainsi que la propulsion, chère à Bichon, devient la prop. La sécurité plongée, la sec-plonge. Et l'énergie (le réacteur) l' « énergue ».

Bien. Selon le principe qu'il faut parler à chaque homme selon son langage, j'enchaîne.

— Combien, m'aviez-vous dit qu'il y a de mécaniciens à la sec-plonge, Roquelaure ?

— Une trentaine.

— Tant que ça ! Et comment se fait-il que je ne connaisse que vous ?

Roquelaure aurait pu me répondre, « parce que j'ai eu une otite ». Mais cette réponse n'aurait guère été en harmonie avec son style flamboyant.

— Parce que je suis très connu à bord, docteur, vu ma grande gueule. Je parle, je parle ! Je peux tenir le crachoir trois heures d'affilée !

— Et vous êtes content d'être mécanicien à la sécurité plutôt que bouchon gras à la prop ?

— Y a pas de comparaison, docteur ! dit-il d'un ton quelque peu supérieur. La plongée, c'est peut-être ce qu'il y a de plus important à bord, vu qu'un sous-marin, c'est quand même fait pour plonger.

— Et comment fait-on pour plonger ?

— Ben, dit-il d'un air assez étonné, on ouvre les purges : les ballasts se remplissent d'eau. La comptabilité du sous-marin devient négative et il plonge.

Là, il m'épate. Je dirais même qu'il me snobe. « La comptabilité du sous-marin devient négative » : quel langage bizarre pour dire que le sous-marin, alourdi par l'eau, s'enfonce ! Je me demande s'il n'y a pas confusion et si le mot « comptabilité » est bien celui qui convient.

— Ça me paraît être une opération plutôt délicate.

— Vous parlez, docteur, si c'est délicat ! En ouvrant les purges, on provoque un alourdissement du bâtiment, quoi, hein ! Faut le contrôler ! S'agit pas qu'il dégénère ! Faudrait pas que la pression de l'eau desserre quelque chose. L'étanchéité, c'est la hantise !

— Bon, dis-je, mais quand l'immersion est prise, et que vous avez atteint votre profondeur de croisière, qu'est-ce que vous faites ?

— Ah, docteur ! dit Roquelaure avec reproche, vous me posez la même question que ma femme ! Faut pas croire que je regarde voler les mouches ! A bord, y a la maintenance, l'étanchéité, et tout. Et puis il y a les réglages au niveau pesée.

— La pesée ? dis-je. Vous voulez dire le poids du sous-marin par rapport à l'eau ? Mais le poids du sous-marin reste constant.

— Mais pas l'eau ! dit Roquelaure victorieusement. L'Océan n'est pas toujours pareil, docteur. La température varie ! Et avec la température, la densité ! Et du coup, l'immersion du sous-marin peut changer de quelques mètres. Regardez la mer Morte, docteur, la densité est énorme !

— Vous êtes allé en mer Morte, Roquelaure ?

— Non, docteur, mais c'est pour dire ! Un désespéré en mer Morte, il peut même pas se noyer !

Cette idée l'amuse. Il rit à grandes dents. Et à vrai dire, je ne le vois pas en désespéré. Il a un beau métier, une bonne solde, la sécurité de l'emploi, une pension après quinze ans de service. Son grade de second maître l'a fait passer du béret du matelot à la casquette d'officier marinier. Il a vingt-six ans, une épouse, trois enfants et déjà une maison à lui dans les environs de Brest. Je l'en félicite.

— L'important, dit-il avec une fierté modeste, c'est d'avoir quelque chose à soi. Là-bas, j'ai ma maison et ici, j'ai mon bateau.

— Quand même, le bateau n'est pas tout à fait à vous !

— Pardon ! Pardon ! dit-il en riant, c'est ma résidence secondaire. C'est seulement que je la partage avec quelques copains.

Il en est là de ces propos badins quand « un petit matelot » — c'est ainsi qu'on appelle les appelés, qu'ils soient grands ou petits — vient me dire :

— Docteur, vous êtes demandé à la cuisse.

— Dis donc, mousse, dit le second maître Roquelaure, quand tu t'adresses à un officier, tu ne peux pas dire « cuisine » ? Et tu ne sais pas qu'on doit dire : « Monsieur le Médecin » et non pas « docteur » ?

Le sans-grade rougit et se tait. En quoi, il est prudent. Et Roquelaure, qui lui-même m'appelle docteur, savoure le respect qu'il m'a montré par subordonné interposé.

Je lui laisse la bicyclette et suis le « mousse » — terme il va sans dire dépréciatif appliqué à un appelé qui n'a quand même pas seize ans.

Dans son acception étroite, la cuisse — abréviation pseudo-érotique de cuisine — désigne le cuisinier Tetatui et l'aide-cuisinier Jegou. Dans son acception large, la cuisse admet le boulanger (dit le « boula ») et le commis aux vivres Marsillac. Soit quatre personnages très importants à bord.

J'ai des liens organiques avec la cuisse : l'hygiène étant de mon domaine, je dois garder un œil sur la bonne qualité des vivres et la propreté de ceux qui les manipulent. Mais pour eux j'ai aussi beaucoup de sympathie : ce sont peut-être ceux qui travaillent le plus à bord. Les deux cuisiniers, de sept heures du matin à neuf heures du soir, préparent presque sans souffler deux cent soixante repas. Et le boula, de neuf heures du soir à sept heures du matin, cuit sans souffler du tout, 1°, cent quatre-vingts baguettes de pain, 2° de la pâtisserie, 3° les brioches, croissants et pains au chocolat du petit déjeuner, 4° et souvent des quiches et des pizzas que lui réclame la cuisse.

Si vous demandez aux cent trente hommes de l'équipage comment ils trouvent la nourriture à bord, ils vous répondront tous d'une seule voix : « Elle est excellente. » Toutefois, s'ils l'admirent en bloc, ils ne cessent, en bons Français, de la critiquer en détail.

Ces critiques blessent au plus vif la cuisse qui révèle ici une vulnérabilité de sentiments qui l'apparente aux artistes.

J'ai vu Tetatui (que tout le monde à bord appelle le « Tahitien », bien qu'il soit né aux Gambiers) blêmir de colère, autrement dit passer du brun foncé au brun clair, parce qu'un « petit matelot » en toute innocence l'avait appelé « cuistot ».

— Cuistot ! gronda-t-il les dents serrées, voilà ! C'est ça ! Hein ! Ecoutez-moi ce mousse ! C'est une gargote ici ? C'est de la tambouille que je te sers ?

En revanche, le terme la cuisse ne l'indispose en aucune façon. Lui et Jegou ont été ravis quand on leur a rapporté ce mot du pacha au carré : « La cuisse fait une cuisine légère. »

C'est un fait d'observation que les cuisiniers et le boulanger partagent avec les bonnes maîtresses de maison une aimable faiblesse : ils aiment qu'on les aime, qu'on apprécie leurs plats, qu'on leur en fasse compliment.

Je n'y manque jamais. Au lieu d'un bonjour banal, je dis : « Délicieux, Tetatui, votre plat de poisson ce matin ! » ou bien : « Boula, si je prends huit kilos en fin de marée, ce sera la faute de vos pains au chocolat. »

L'équipage n'a pas de ces délicatesses. Il récrimine continuellement, mais comme Tetatui et le boula sont des

« vieux » — l'un trente-trois ans, l'autre trente-six ans — et qu'ils sont, en outre, premiers maîtres (1) ils s'en prennent au commis Marsillac qui, lui, est un jeunot, vingt-trois ans, et n'est d'ailleurs que quartier-maître :

« Commis, tu diras au boula que ses baguettes sont le contraire de l'*Inflexible,* elles se plient en deux » ou encore « Commis, tu diras à Tetatui que le poisson y en a marre, on n'est pas sur le lagon ici » ou encore « Commis, tu diras au boula que le boula de l'équipage bleu (2), il fait de la pâtisserie tous les jours. »

Le commis aux vivres Marsillac — qui est originaire de Narbonne et a gardé de ses origines une pointe d'accent coloré — est le maître quasi souverain de tout ce qui se consomme ici ou, pour être plus précis, des cartons de vivres qu'il a fait ranger à bord avant l'appareillage dans un ordre très minutieux pour la raison qu'au bout de quatorze jours, c'est le même cycle de menus qui recommence. En fait, les choses ne sont pas si rigides. Et le commis dispose d'une certaine quantité d'aliments qu'il bloque ou débloque à sa guise, mais toujours avec prudence, afin de ne pas être démuni en fin de patrouille.

On a déjà compris que ce pouvoir de décision va, à l'occasion, le faire traiter d'*affameur*, y compris par ceux qui, de retour à Brest, essuieront quelques reproches féminins pour avoir grossi de dix kilos.

— C'est moi le bouc émissaire, me dit Marsillac. Parce que le règlement prévoit une boîte de cassoulet pour quatre personnes, mais si je la sers pour quatre, je vais affronter des clameurs ! C'est tout juste si on ne va pas me jeter les plats à la tête. Manger, manger, manger, ils ne pensent qu'à ça ! Il est vrai, ajoute-t-il, que c'est leur seul plaisir.

— Alors, pour les boîtes de cassoulet, qu'est-ce que vous faites ?

— Tant pis, je la sers pour trois ! J'en ai assez de me faire traiter d'affameur !

(1) Adjudants.

(2) Chacun de nos six SNLE comporte deux équipages — le bleu et le rouge — qui prennent possession du bateau tour à tour et partent avec lui en patrouille.

A la cuisine, quand je surviens, je trouve toute la cuisse rassemblée — le « Tahitien » Tetatui, le Breton Jegou (taciturne comme Morvan) et le Languedocien Marsillac. Même le boula est là. Normalement il devrait être en train de dormir, puisqu'il travaille la nuit. Ils regardent, l'air grave, quatre saumons.

— Nous avons un problème, dit Marsillac. J'ai sorti du congélateur ces quatre saumons et je n'aime pas beaucoup leur aspect. Qu'en pensez-vous ?

Je jette un coup d'œil aux poissons. Quant au poids, ils sont impressionnants : quatre ou cinq kilos chacun. Et du diable si je sais pourquoi leur aspect ne plaît pas au commis.

— Qu'en pensent les cuisiniers ? dis-je.

— Ben, dit Tetatui, il faudrait les ouvrir.

— Ouvrez-les.

Tetatui et Jegou s'y mettent et tandis qu'ils dissèquent les bêtes, je regarde les doigts qui tiennent les couteaux. Ils sont propres. Les ongles sont coupés ras et je ne vois pas trace de coupures, lesquelles, si elles s'infectaient, pourraient devenir un danger pour eux et pour l'équipage. Chaque matin, en leur tournant, en guise de bonjour, un petit compliment, j'examine leurs mains quasi à la dérobée. J'espère que je ne les verrai jamais sales. Je serais très gêné d'avoir à leur en faire la remarque. Il le faudrait, pourtant.

— Voilà, ça y est, hein ! dit Tetatui.

Je regarde, je ne suis pas plus avancé. J'ignore quel est l'aspect normal de la chair de saumon, quand elle n'est pas cuite et comme, en plus, elle ne sent rien, venant du congélateur, à tout hasard je grimace un peu et je dis :

— Qu'en pensez-vous, Tetatui ?

— Pas terrible.

— Jegou ?

Jegou ne dit rien, mais fait la moue.

Cela m'arrangerait bien qu'ils commentent un peu. Je saurais alors à quoi me raccrocher. Un silence. Nous regardons tous les cinq les morceaux épars de nos saumons avec une muette désapprobation.

— Celui-là, dit le boula en montrant le plus grand des quatre, c'est quand même une belle pièce.

— C’est une belle pièce, dit Tetatui.

— C’est moins mauvais que je ne le pensais, dit Marsillac en passant son index sur sa moustache en brosse à dents. Ce serait dommage de les mettre aux compacteurs. Après tout, ils sont peut-être consommables.

C’est lui qui le premier a attaché le grelot et joué les procureurs, et maintenant le voilà qui se mue en avocat de la défense. En réalité, la perte des saumons lui fait mal à la conscience. En lui, le gestionnaire l’emporte maintenant sur l’hygiéniste. Il répète :

— Après tout, ils sont peut-être consommables.

— A la limite, dit Tetatui.

Jegou ne dit rien et le boula, de toute façon, n’a rien à dire. Un silence. Ils se taisent tous les quatre, les yeux fixés sur les saumons. Ils ne me regardent pas, mais ils attendent ma décision. Elle est prise. S’il y a doute — au rebours de ce qui se passe aux assises — il ne doit pas profiter aux accusés. Je viens d’avoir une vision terrifiante : une vague de gastro-entérite qui déferle sur le sous-marin, touche les deux tiers des hommes et des officiers, désorganise le quart, et abaisse le moral vertigineusement.

— Allez ! dis-je, on ne peut courir de risque. On met les saumons aux compacteurs. Je rendrai compte au commandant en second.

On compacte, en effet, le contenu des poubelles dans des containers avant de les expédier au fond des Océans. Faute de place, on ne stocke pas ces containers à bord. On les y fabrique à partir de tôles qu’on cintre et qu’on rivette. Après quoi, on les *sasse :* néologisme damnable, mais commode qui vient de *sas :* espace fermé de deux portes étanches par lequel nous communiquons avec l’eau sans qu’elle nous envahisse.

Pour en finir avec nos déchets, ce que les préposés appellent en toute simplicité la « caisse à caca » (belle allitération) est *sassée* elle aussi avec discrétion, à la tombée de la nuit.

Je tiens ces détails du quartier-maître Pinarel, petit blond jeunot et joyeux que je trouve au retour de la cuisine à mon infirmerie où pour la troisième fois il vient se faire soigner un panaris en très bonne voie de guérison : bon prétexte pour bavarder avec moi.

— « Crabe », dit Le Guillou, tu te fais chouchouter.

Crabe, c'est l'argot du bord pour quartier-maître.

— Faut bien, dit Pinarel. Si la gangrène se fout dans mon pouce, on me coupe la main.

— Le pouce tout au plus, dit Le Guillou, toujours encourageant.

— Et alors ? dit Pinarel, le pouce en moins, je ne pense pas que ça plairait beaucoup à ma fiancée, vu que je me marie en fin de marée.

Les officiers disent la « patrouille », mais les hommes disent « la marée ». Le mot est savoureux. Il est, bien sûr, incongru, appliqué à un bâtiment qui ignore le flux et le reflux et la faune des mers. Mais j'aime que le matelot rattache le sous-marin à une tradition séculaire qui évoque à la fois le flot montant qui renfloue le bateau échoué dans le port, la durée de l'expédition de pêche, et par extension son produit. Ici, bien entendu, c'est la durée seule qui compte. « En début de marée », « à mi-marée » ou « en fin de marée », ce sont des expressions que j'entends quotidiennement dans la bouche des matelots.

Le Guillou sourit et ses larges pommettes remontent vers les tempes.

— Tant qu'il n'y a que le pouce, dit-il.

Je lui jette un œil et il ne poursuit pas.

— Félicitations, Pinarel, dis-je, tandis que je fais sur son doigt une désinfection pour la forme. On peut voir la photo de la fiancée ?

Il ne demandait que cela. Il la porte sur son cœur, sous enveloppe plastique, derrière le dosimètre, et me la tend d'un air détaché.

— Elle est très bien, dis-je.

— Elle est super, dit Le Guillou.

— C'est que, dit Pinarel d'un air sérieux et responsable en rengainant sa photo, je vais avoir vingt-deux ans : il est temps que je me marie.

— C'est pas pour dire, dit Le Guillou, mais justement, vingt-deux ans, c'est encore tout jeune.

— Excuse, dit Pinarel, pas d'accord. J'ai vingt-deux ans, mais remarque, moi, j'ai déjà beaucoup de bouteille dans la Marine : j'ai fait le *Foch*, j'ai fait deux ans et demi dans les sous-marins classiques et maintenant c'est ma deuxième marée sur un SNLE.

— Vous vous plaisiez, sur le *Foch*, Pinarel ?

— Alors là, pas du tout ! Un grand bâtiment de surface comme le *Foch*, c'est une usine ! Il y a deux mille gars là-dessus. Le commandant, c'est le Bon Dieu. On sait qu'il existe, mais on ne le voit jamais. Rapport à ça, docteur, le sous-marin, c'est tout le contraire. Tout le monde vous connaît, et tenez, le commandant, vous le rencontrez tous les jours dans la coursive. Il est habillé comme vous et moi ! Pas un bout de galon ! Et il vous dit bonjour ! L'autre jour, tu croirais pas, Le Guillou, mais il m'a dit : « Pinarel, n'oubliez pas que vous jouez un rôle important à bord ! »

— Tout le monde joue un rôle important à bord, dit Le Guillou, agacé. Un bateau, c'est un tout. Tout est lié.

— Quand même, dit Pinarel, quelque peu écrasé par ces trois « tout ».

Et il se tourne vers moi, espérant trouver de mon côté plus de compréhension.

— Moi, docteur, c'est les frigos et les poulaines. Une supposition que les frigos tombent en panne, et que je m'en aperçoive pas : Toute la bidoche est à jeter aux compacteurs. Et qu'est-ce qu'on va manger à bord ? Ou encore une supposition que les poulaines se bouchent, ou encore qu'on peut plus *sasser* la caisse à caca...

— Ne développe pas, on a compris, dit Le Guillou.

— Pinarel, vous ne m'avez pas dit que vous avez fait deux ans et demi dans les sous-marins classiques ?

— Si, docteur.

— Ça vous a plu ?

— Oh la la ! dit Pinarel, si ça m'a plu ! Bien mieux que le SNLE ! Malgré la banette chaude et tout !

La banette chaude, c'est quand il y a deux banettes pour trois gars. Quand l'un se lève pour prendre son quart, l'autre prend sa place pour dormir.

— Ce n'est pas bien commode.

— C'est sûr que c'est mieux d'avoir comme ici son coin à soi, dit Pinarel. Mais l'ambiance d'un sous-marin classique, je regrette ! C'est deux fois plus petit ! Il y a deux fois moins de monde ! C'est encore plus la petite famille...

***

Vers les six heures je passe faire un tour au carré pour emprunter un livre à la bibliothèque et j'y trouve, assis dans un fauteuil, l'enseigne de vaisseau de première classe (1) Becker. C'est un grand gaillard brun et barbu d'un mètre quatre-vingt-dix, solidement charpenté — grands pieds, grandes mains, l'œil sérieux et plutôt froid derrière de grosses lunettes d'écaille.

Une aiguille dans sa large pogne, il brode une serviette à thé au point de croix.

— Lieutenant, dis-je en m'asseyant à ses côtés, je ne vous connaissais pas ces talents.

— Oh, docteur, dit-il d'une voix basse et grave, c'est à peine un talent. Le point de croix, c'est le plus facile.

— C'est une serviette à thé ?

— Oui.

— Vous en ferez combien ?

— Six et un napperon.

— Vous aurez terminé avant la fin de la patrouille ?

— Je voudrais bien ! C'est une surprise pour mon épouse.

Je le regarde. Avec ses larges épaules et son corps athlétique, son grand front, ses yeux noirs, sa barbe noire épaisse et bien taillée, ses traits larges mais réguliers, ses cheveux coupés court et strictement coiffés, Becker a une sorte de beauté classique, marmoréenne. La chaleur est à l'intérieur. Je le trouve plutôt touchant, ce géant qui, à ses heures perdues, brode un service à thé pour son épouse. Il n'a pas dit « ma femme », mais « mon épouse ». Ce ne doit pas être un homme qui prend légèrement le lien conjugal, ni d'ailleurs quoi que ce soit.

Je regarde sa main manier l'aiguille. Elle ne me paraît ni

(1) Deux galons.

malhabile ni véritablement agile. Dans mon souvenir, du moins, ma grand-mère faisait mieux. Il est vrai que l'impression de rapidité tournoyante qu'elle me donnait était peut-être due à la petitesse de ses doigts.

— Vous trouvez du plaisir à cet ouvrage, lieutenant ?

— C'est détendant, dit Becker. Par malheur, je trouve que la lumière du néon me fatigue les yeux.

Bref, rien n'est parfait, et la « relaxation » elle-même est lassante. J'ai envie de le lui dire, mais je crains que ma petite plaisanterie ne le choque. Il a l'air si grave que je me demande s'il est perméable à l'humour. Je reprends :

— Vous êtes originaire de nos provinces de l'Est ?

Vous remarquerez que, mûri par l'expérience, je ne lui ai pas demandé s'il était alsacien, ou lorrain, ou vosgien.

— Oui, dit-il, je suis alsacien.

— Et vous avez eu des militaires déjà dans votre ascendance ?

— Non, personne. Sauf, dit-il sans l'ombre d'un sourire, mon grand-père qui, en 1940, a été enrôlé de force dans la *Wehrmacht*.

— Et finalement, qu'est-ce qui vous a attiré dans la Marine ?

— Je ne saurais dire. Quand je me suis engagé à dix-huit ans, après mon bac, je n'avais jamais vu la mer.

— Peut-être aviez-vous simplement envie de la voir ?

— Peut-être, dit Becker, qui doit trouver inutile d'analyser ses motivations.

— Vous n'avez donc pas fait Navale ?

— Non. Après trois ans dans la Marine, j'ai passé le concours des officiers de réserve, et la Marine m'a engagé pour cinq ans sous contrat. Je suis ORSA (1). A la fin de mon contrat, la Marine peut très bien ne pas le renouveler.

Il s'exprime de sa voix basse et grave, l'œil baissé sur sa broderie, les mains actives, mais sans trace d'émotion. Je me corrige : sans trace visible d'émotion. Qui aimerait se retrouver chômeur à trente ans après avoir exercé pendant dix ou douze ans un métier attachant ?

(1) Officier de réserve en service actif.

— Il ne vous serait pas possible, dans cette hypothèse, de passer pour de bon dans l'active ?

— Si, c'est possible. Mais l'activation reste très limitée. Il faut comprendre que nous représentons, pour la Marine, un personnel volant des plus utiles. La Marine ne nous prend pas en traître. Nous savons qu'en fin de contrat nous pouvons être débarqués.

Ni plainte ni récrimination : le coup est régulier. Becker aussi. Je dirais même qu'il est réglo, précis, boutonné, peu bavard. Bref, l'anti-Roquelaure. Mais j'aime bien Roquelaure aussi. Il faut de tout pour faire une France. Je reprends :

— Un des gars de la sécurité plongée m'a dit cet après-midi quelque chose de tout à fait étonnant. Pour m'expliquer que les ballasts étant remplis d'eau, le bâtiment s'enfonce, il a dit : « La comptabilité du sous-marin devient négative et il plonge. »

— Il a voulu dire, bien sûr, la « flottabilité », dit Becker en relevant la tête, mais sans sourire.

Je suis moins contrôlé : je ris.

— Il faut comprendre, dit Becker en suspendant sa broderie, que le sous-marin a deux coques, une coque épaisse, celle de l'intérieur, et une coque mince, celle de l'extérieur. Et entre ces deux coques, se trouvent des volumes que l'on appelle des ballasts.

— Justement, dis-je (Le Guillou déteint sur moi), un ballast, qu'est-ce que c'est au juste ? Quelle forme ça a ?

— C'est un volume en forme d'anneau entre la coque épaisse et la coque mince. Il y en a huit.

— Comment se fait-il qu'en carénage on ne voie pas ces huit anneaux ?

Ma question doit être un peu sotte, car Becker met quelque temps à la comprendre.

— Mais, dit-il, parce que la coque mince recouvre tout d'un bout à l'autre comme une peau. Il faut que le sous-marin soit bien profilé pour avancer dans l'eau.

— Et comment l'eau entre-t-elle dans un ballast ?

— Par une ouverture grillagée ouverte en permanence à côté de la quille.

— Comment cela, ouverte en permanence ? dis-je vaguement inquiet.

Lectrice, je vous le demande : aimeriez-vous l'idée de vous promener sur les Océans avec seize trous ouverts en permanence au voisinage de votre quille ?

— Mais alors, dis-je, quand on navigue en surface avec un sous-marin, qu'est-ce qui empêche l'eau de monter dans les ballasts ?

— L'air qui s'y trouve.

Evidemment, l'eau d'une bassine ne remonte pas dans une bouteille vide quand on l'y plonge verticalement, goulot en bas.

— Et comment cet air s'en va-t-il quand on veut que l'eau monte dans les ballasts pour pouvoir plonger ?

— J'y viens. En réalité, un ballast est composé de deux demi-ballasts indépendants, l'un à bâbord, l'autre à tribord, chacun comportant en bas et à côté de la quille une ouverture grillagée et en haut, une purge qui permet à l'air de sortir.

— Voilà qui devient clair comme cristal, dis-je. On ouvre la purge, l'air s'échappe en sifflant comme une bouteille de Perrier qu'on décapsule. L'eau peut monter dans le ballast, le sous-marin s'alourdit et plonge.

— Et on ferme les purges, dit Becker en souriant pour la première fois. N'oubliez pas de refermer les purges.

Il devrait sourire plus souvent. La chaleur intérieure serait plus apparente.

— Pourquoi ?

— Si on ne les fermait pas, on ne pourrait pas envoyer de l'air comprimé dans le ballast pour chasser l'eau par les grilles du bas, alléger le sous-marin et remonter à la surface.

— Ça prend du temps de plonger ?

— C'est comme sur un Airbus qui va décoller. Il y a un certain nombre d'étapes qu'on ne peut pas brûler.

— Par exemple ?

— Quand un sous-marin est en surface, on dit qu'il est en « tenue de navigation ». Pour plonger il faut d'abord passer de la « tenue de navigation » à la « tenue de veille ». Ça veut dire qu'on prépare le bâtiment : on ferme les panneaux. On passe de la ventilation à l'air libre à la ventilation en circuit fermé. On contrôle les purges, les caisses de réglage, les caisses d'assiette. Et, tout étant en ordre, on donne l'« alerte ».

— Les caisses de réglage ? Les caisses d'assiette ?

— Je vous dirai plus tard ce que c'est. Pour l'instant, nous en sommes à l'alerte.

J'aurais dû m'y attendre : le lieutenant Becker est très méthodique. Et patient. Il faut être patient pour broder. Et plus encore pour instruire un éléphant.

— Donc, dis-je, de la tenue de veille vous passez à l'alerte. Qu'arrive-t-il alors ?

— On plonge en deux temps. Premier temps : on ouvre les purges, mais pas toutes. On laisse fermées celles des deux ballasts situés au centre.

— Pourquoi ?

— Vous allez comprendre : le sous-marin s'enfonce, mais légèrement. Sur son tableau de bord au PCNO, le maître du central vérifie de nouveau si les ouvertures de coque sont toutes bien fermées. Si elles le sont, l'officier de quart donne alors l'ordre d'immersion à vingt et un mètres. On ouvre les purges des deux ballasts centraux (1) et cette fois le sous-marin s'enfonce.

— Et c'est fini ?

— Ça commence. Il faut encore peser le sous-marin. Mais attention ! Il y a une double pesée. On le pèse en poids. Et on le pèse en assiette.

Je répète :

— On le pèse en poids. Et on le pèse en assiette.

Vous remarquerez que lorsqu'on vous explique quelque chose, on a toujours l'air un peu idiot, parce qu'on a tendance à répéter ce que votre instructeur vient de vous dire, tant pour se le mettre en mémoire que pour lui faire entendre qu'on a compris.

— Voyons d'abord la pesée en poids, poursuit Becker. Comme vous savez, tout bateau a un tirant d'eau qui est la quantité dont il s'enfonce dans son élément. Or, quand vous

(1) Les deux ballasts centraux ne se trouvent pas, en fait, au « centre » du bâtiment, mais de chaque côté de la tranche missile.

faites entrer dans le sous-marin 32 tonnes de nourriture, plus du matériel, plus 130 hommes, plus les paquetages de ces 130 hommes, vous l'alourdissez et pour qu'il soit bien dans ses lignes d'eau, il faut qu'il soit bien pesé. C'est ce qu'on fait par des caisses de réglage.

— Nous y voilà !

— Remarquez, dit Becker avec un humour involontaire, nous à bord, nous les appelons plutôt les régleurs, mais je préfère dire « caisse de réglage » pour faciliter la compréhension.

Il a raison. Il facilite la mienne. « Caisse de réglage » est plus concret. Je reprends :

— Qu'est-ce que c'est ?

— Des volumes, comme les ballasts, mais des volumes situés à l'intérieur et en bas de la coque épaisse, bien sûr : ils sont susceptibles d'être plus ou moins emplis par de l'eau. Il y en a quatre, deux en avant et deux en arrière — et on y fait des mouvements d'eau, selon qu'on a besoin d'alléger ou d'alourdir le bâtiment pour le mettre bien dans ses lignes d'eau. Cette pesée n'est, bien entendu, jamais définitive. Elle fait l'objet de réglages constants, la densité de l'eau changeant constamment avec sa température.

Cela, Roquelaure me l'a déjà dit, appelant même la mer Morte à la rescousse pour les besoins de sa démonstration.

— Quant à l'assiette, poursuit Becker, elle est assurée par deux caisses d'assiette qui se trouvent aussi à l'intérieur de la coque épaisse, l'une située à l'avant, l'autre à l'arrière. Entre les deux caisses, on fait transiter de l'eau, selon les besoins. Si le bateau est trop lourd à l'arrière, on envoie de l'eau vers l'avant. S'il est trop lourd à l'avant, on envoie de l'eau à l'arrière.

— C'est délicat ?

— Oui, assez. Tant que le sous-marin plonge à une certaine vitesse, il est difficile de savoir s'il y a une erreur de pesée, car les barres de plongée la compensent. Mais quand on réduit la vitesse, les barres de plongée ne jouent plus autant et on peut affiner la pesée en assiette. Un bâtiment bien pesé est caractérisé par une parfaite stabilité verticale et longitudinale. C'est un bâtiment immobile entre deux eaux.

— Vous voulez dire : dont l'immersion ne change pas et dont ni l'avant ni l'arrière ne piquent du nez ?

— Oui, immobile. Ce n'est d'ailleurs qu'une façon de parler, car le sous-marin avance toujours.

Je ne sais pas si c'est une façon de parler, mais elle évoque à mes yeux une image splendide et qui, irrésistiblement, me ramène à l'obsession qui me hante depuis que je suis à bord. Voir — ne serait-ce qu'avec les yeux d'un poisson lumineux des grandes profondeurs — notre grand poisson noir « immobile entre deux eaux ».

Becker a terminé son topo, et d'une façon toute naturelle, il se remet à sa broderie.

— Merci, lieutenant, dis-je, vous m'avez grandement éclairé.

— Sur quoi ? dit abruptement le commandant en second Picard en pénétrant dans le carré d'un pas alerte.

— Sur la plongée du sous-marin. Le lieutenant Becker a été très patient avec l'éléphant que je suis. Je lui ai posé une foule de questions.

— Un éléphant curieux, ce n'est déjà plus un éléphant, dit Picard. Ce qui caractérise en général l'éléphant, c'est une morne incuriosité.

Picard et moi, nous rions. Becker, avec un temps de retard, sourit.

— Je voulais vous dire, commandant, j'ai dû réformer ce matin quatre saumons.

— Je sais. Vous avez bien fait. Je l'ai su quelques minutes après votre décision. A bord d'un SNLE, le téléphone arabe fonctionne à une vitesse stupéfiante. Toubib, dit-il en jetant un coup d'œil à sa montre, vous n'oubliez pas qu'aujourd'hui c'est samedi ?

— Non, pourquoi ?

— Parce que le samedi soir et le dimanche à midi, on se met en uniforme. Pantalon bleu marine et chemisette blanche avec pattes d'épaule.

— Ah, c'est vrai ! dis-je. J'oubliais !

Après un « merci encore » à Becker, je gagne ma chambre, je me lave les mains, je me recoiffe et je me mets en tenue, assez content que l'us du bord m'en fasse un devoir. A la réflexion, j'enlève la chemisette que je viens de mettre, et je me rase.

L'équipage d'un SNLE se divise en barbus permanents (Alquier et Becker), en barbus de patrouille et en anti-barbus. Les barbus de patrouille ont pour eux une tradition sous-marinière qui fleurissait jusque dans la marine allemande pendant la Première Guerre mondiale. Il est vrai que l'eau était rare et l'hygiène difficile dans les petits sous-marins d'alors. Mais j'imagine aussi qu'à bord d'un SNLE, la pilosité sauvage entend témoigner de la dureté, du danger et de l'irrémédiable solitude de la condition sous-océane, sans remontée à l'air, sans escale, sans consolation féminine. Les anti-barbus — dont je suis — ou bien sont britanniquement soucieux de leur image, ou se rattachent à l'exemple de Stendhal se rasant tous les jours pendant la retraite de Russie (autre tradition héroïque), ou estiment tout simplement que leur barbe est trop maigrelette et clairsemée pour en faire étalage.

Tandis que j'écoute le grattement obstiné de mon rasoir sur ma peau, je me sens plutôt content du petit cours que m'a fait Becker, et plus que satisfait d'avoir suivi le conseil que m'a donné le pacha, de m'intéresser aux choses. Depuis que j'ai fini mes études de médecine, je me rends bien compte que j'ai peu appris en dehors de ma spécialité. Faute d'en avoir l'occasion. Faute peut-être d'en avoir le désir. C'est navrant de constater comment, après trente ans, on a tendance à s'enfermer dans son métier, et à vivre les yeux fermés dans un monde inconnu sans faire d'effort pour le connaître, sans rien non plus remettre en cause, en soi et en dehors de soi.

Je viens de terminer l'opération propreté quand Becker s'encadre dans ma porte :

— Pardonnez-moi, docteur, dit-il d'une voix hésitante. J'ai un petit service à vous demander.

Il dit « docteur ». Il ne dit pas encore « toubib ». Il ne lui est pas facile de devenir familier.

— Demandez, lieutenant, dis-je avec entrain.

Un silence. Il se décide enfin.

— Pourriez-vous mettre l'infirmerie à ma disposition le dimanche matin à dix heures ?

— Pour y faire quoi ?

— Une assemblée de prières.

— Mais, dis-je, j'ai ouï dire que le dimanche, il y avait une messe télévisée que chacun peut écouter sur sa banette avec son bas-parleur.

— C'est vrai, dit Becker gravement. Mais l'aumônier de la Base (1) pense que ça ne suffit pas tout à fait. Et il m'a chargé d'animer une réunion de prières. C'est ce que j'ai fait au cours de la dernière patrouille.

— Et vous avez eu du monde ?

— Huit personnes. Sept officiers et un officier marinier.

— C'est assez peu.

— Oh vous savez ! dit-il, dans ces affaires, il y a beaucoup de respect humain. Et il y a des gens qui estiment que la messe radiodiffusée suffit.

— Si je comprends bien, dis-je, vous êtes le clerc chargé par l'aumônier d'animer cette réunion de prières ?

— C'est bien cela.

— Et lors de la dernière patrouille, elle s'est tenue à l'infirmerie ?

Et comme il fait « oui » de la tête, je poursuis :

— Avec l'accord du pacha ?

— Avec l'accord du pacha.

— Alors, dans cette patrouille, vous avez le mien aussi.

— Pardonnez-moi, dit-il avec effort, mais le pacha a pensé que votre autorisation était indispensable et que vous aviez parfaitement le droit de la refuser.

— C'est très honnête de votre part de faire état de cette opinion du pacha. Mais je ne vois aucune raison de vous dire non. Je suppose, dis-je avec un sourire, qu'en cas d'urgence, vous me laisseriez l'usage de l'infirmerie ?

— Naturellement, dit Becker sans sourire.

— Eh bien, alors, dis-je, tout va bien.

Un silence. Il hésite de nouveau.

— Est-ce que, dit-il, vous vous joindrez à nous ?

— Pour la réunion de prières ? Non.

(1) La BOFOST. La Base Opérationnelle des Forces Océaniques Stratégiques. (Brest)

— Vous estimez sans doute qu'il suffit d'écouter la messe ?

— Je n'écoute pas la messe.

— Ah !

Il me regarde, l'œil grave derrière ses grosses lunettes. J'ai eu tort de lui répondre cela. Scrupuleux comme il est, il va se faire du souci pour mon âme.

— Eh bien, un grand merci, docteur, dit-il assez gauchement. A tout à l'heure !

Quand je gagne le carré, je le trouve plein de monde, et j'ai l'impression que mes pairs se sentent assez heureux de se retrouver en tenue. Et pourquoi faire l'hypocrite ? Moi aussi. C'est plutôt seyant un uniforme d'officier de marine, même quand il se réduit à un pantalon bleu marine et à une chemise blanche avec insigne de grade sur la patte d'épaule. Et puis chacun a fait toilette, c'est évident. Le cheveu est bien coupé. Les anti-barbus se sont rasés. Les barbus ont tâché de mettre de l'ordre dans leur chaume. Il flotte dans l'air une odeur d'eau de toilette. Quasiment tous, même les plus abstinents, ont un verre d'apéritif à la main. Les conversations en deviennent plus pétulantes, le diapason des voix plus élevé, les rires plus fréquents.

Demain dimanche, à midi, l'us veut qu'il y ait, en tenue bien sûr, « un repas présidé » — présidé par le pacha, cela va sans dire. Sauf les trois officiers de quart, tous les officiers seront présents. Treize en tout. Nous serons plutôt à l'étroit. Et plutôt heureux d'être tous ensemble au coude à coude, serrés et soudés.

Lectrice, sautons un jour. Nous y sommes déjà. Vous y êtes aussi, invisible, cela vaut mieux. Car si vous étiez vue, que de regards se tourneraient vers vous, troublant les rites sacro-saints !

Quand tout le monde a pris place autour de la table ovale, le mimi Verdelet s'avance. Je vous l'ai déjà décrit. Il est grand, le cheveu blond, l'iris bleu. Il porte, pour l'instant du moins, l'aurore sur sa joue. Il est tel enfin que Racine a décrit Hippolyte :

« Charmant, jeune, traînant tous les cœurs après soi »,

encore que l'œil de notre mimi révèle quelques bons petits lutins qui ne sont pas tous des anges.

Verdelet tire un papier de la poche de sa chemisette et dit sur un ton de fausse gravité :

— Commandant, Messieurs, étant le plus jeune en grade dans le grade le moins élevé, il me revient, selon la tradition, de vous présenter le menu. Je commence :

* Fruit exotique israélien avec crustacé breton.

* Rôti de fils de vache présumée française avec légumes du terroir.

* Assortiment de fromages du premier âge.

* Coquette de chocolat fondant, fardée crème vanille ou crème à la menthe aux choix. (Rires)

— Commentaires ? dit le pacha.

— Bien, dit un convive, très bien, même, surtout la coquette de chocolat fondant. L'eau vous en vient à la bouche.

— Bien, dit un autre, mais insuffisamment précis. Le fruit exotique israélien est-il un avocat aux crevettes ou un pamplemousse au crabe ? (Rires)

— Un pamplemousse au crabe, dit Verdelet.

— Conclusion, dit le pacha : menu bien présenté, mais le mimi devra acquérir plus de précision et, bien sûr, se renouveler au prochain rôti de veau. Il va sans dire que le « rôti de fils de vache présumée française » ne peut servir qu'une fois.

Vous trouvez sans doute, lectrice, que nous nous amusons à des riens. Naturellement ! Puisque vous n'êtes pas là ! Et vous ne pouvez ignorer que les hommes entre eux sont toujours un peu enfantins. Il y a peu de différence entre la gaieté innocente qui règne au carré du SNLE et celle qui réjouit la table d'un grand séminaire.

Après tout, ce samedi en tenue, ce repas présidé du dimanche, ce menu présenté, c'est notre week-end. Certes, les épouses et les fiancées sont loin. Est-ce une raison pour ne pas marquer le coup ? Une semaine est partie. Nous l'avons laissée couler derrière nous dans l'eau noire et profonde de notre invisible sillage. Mais sept autres se dressent encore sur notre chemin — monumentales ! longues comme des mois !

Sept autres qui nous séparent des bien-aimées, mais que toutefois nous ne pouvons considérer en aucun cas comme perdues ou inutiles, puisque nous les consacrons à notre métier — le pacha dirait à notre mission.

CHAPITRE III

L'enseigne de vaisseau Angel qui est le plus jeune officier du bord et qui, à vingt-trois ans, en paraît à peine vingt, m'a confié qu'avant d'émettre le vœu de servir dans les sous-marins, il s'était demandé s'il n'allait pas y souffrir de claustrophobie.

Le lieutenant Angel, je le note en passant, est un garçon tout à fait délicieux. Il est petit, mince, blond, les traits réguliers. Frais émoulu de la Baille, il en parle avec pétulance, avec tendresse et, ce qui est rafraîchissant, comme un potache et non comme un ancien. Toutefois, il ne faudrait pas se laisser abuser par son apparence innocente — j'allais dire angélique —, il possède un caractère ferme et une grande maîtrise de soi.

Il a découvert — comme nous tous, moi compris — que ses craintes étaient peu fondées.

— Finalement, m'a-t-il dit, on n'est pas plus enfermé dans un sous-marin que dans un navire en surface...

Il a raison. J'ajouterais que si vous ne souffrez pas de claustrophobie dans un métro, dans un avion ou (comme Freud) dans un train, il n'y a pas de raison que vous ressentiez cette peur panique dans un SNLE.

Pour ma part, ce serait plutôt l'infini de la mer ou du désert autour de moi qui m'effraierait, si mon regard s'y perdait trop longtemps. Qu'il soit, comme ici, borné et limité me rassure, au contraire. A mon avis, la claustrophobie d'un individu ne s'explique que par un mauvais contact avec ses semblables : ce ne sont pas les cloisons trop proches qu'il redoute, c'est la proximité d'autrui.

C'est vrai que la promiscuité dans un sous-marin fait problème, lequel toutefois se pose davantage pour les hommes — qui dorment dans des chambres de 12, de 6 ou de 4 — que pour les officiers qui ont chacun la leur. Mais c'est un problème de cohabitation et non d'enfermement.

Il est vrai que je jouis, quant à moi, d'un privilège : outre ma chambre et le salon du carré, je bénéficie d'un autre espace : l'infirmerie, que je partage avec mes deux infirmiers, et qui, à l'échelle du SNLE, est relativement vaste. Je mets aussi à profit le conseil du pacha : je circule beaucoup à bord. Je m'intéresse aux choses et aux gens qui s'en occupent.

Je m'aperçois en écrivant cette phrase qu'il me serait possible d'en intervertir les termes sans en changer le sens. Je pourrais dire par exemple : Je m'intéresse aux gens et aux choses qui les occupent. Tant il est vrai que les uns et les autres s'interpénètrent.

Ce matin, au petit déjeuner, le lieutenant de vaisseau Callonec qui, à huit heures, allait prendre son quart au PCP (Poste de Commandement de la Propulsion) m'a invité à faire un tour dans la tranche machines. « Vous verrez, m'a-t-il dit, c'est très intéressant. Après tout, a-t-il ajouté avec un sourire, c'est nous qui faisons avancer le bateau. »

Je lui ai promis. Mais pour l'instant, il faut que je passe à l'infirmerie. Un coup d'œil me suffit pour constater que tout s'y déroule de la façon la plus normale : Morvan astique et Le Guillou pérore.

Il a trouvé un auditeur de choix : Le commis aux vivres Marsillac, l'homme qui le premier a soupçonné l'honnêteté des quatre saumons que j'ai dû condamner. Marsillac est un Méditerranéen jeunot, exubérant et sympathique que l'équipage a surnommé « Brosse à dents » en raison d'une moustache qui affecte cette forme et à laquelle il consacre, dit-on, beaucoup de soins.

— Marsillac, dit Le Guillou, me raconte ses malheurs

passés : il s'entendait mal avec le second de l'avant-dernière patrouille.

— Et avec le commandant Picard, vous vous entendez ?

— Ah lui, il est parfait ! dit Marsillac. Avec lui, c'est la lune de miel. Mais avec l'autre, pardon, c'était plutôt la lune de mélasse.

Il rit.

— Qu'est-ce qui n'allait pas ?

— Il ne pouvait pas me piffer. Et moi non plus, d'ailleurs, je ne pouvais pas le piffer.

— Qu'est-ce que vous lui reprochiez ?

— Ben, il était froid. Voilà. Pour le faire sourire, il fallait se lever de bonne heure.

Je ris à cette formule, et Marsillac, tout content de son effet, me quitte, non sans dire, sur un ton quelque peu glorieux :

— Il est temps que je retourne à la cuisse. Sans moi, ils sont perdus.

Après son exit, Le Guillou commente :

— Le commis, ce n'est pas le mauvais gars.

Il ajoute — ce qui dans sa bouche me paraît assez étonnant :

— Il a le défaut des Méridionaux : il parle trop.

— Et l'ancien second ?

— Il ne parlait peut-être pas assez. D'où, ajoute-t-il avec un air de sagesse profonde, leur mutuelle antipathie.

J'ai l'impression que cette remarque relève de cette « psychologie à la vapeur » que Dostoïevski reprochait aux magistrats de son pays. Après tout, le loquace Le Guillou et le taciturne Morvan s'entendent fort bien.

J'en suis là de ces réflexions quand apparaît le quartier-maître Vigneron, l'air assez abattu. J'ai une bonne raison pour le connaître. Il travaille aux transmissions et c'est lui qui, il y a une semaine, m'a apporté le familigramme dont j'ai parlé plus haut et dont vous avez, lectrice, admiré la concision : « *Je pense à vous. Sophie.* » Déjà, n'utiliser que cinq mots là où il était loisible d'en employer vingt témoignait, me semble-t-il, d'une certaine brièveté dans les sentiments. Mais cette semaine, le laconisme a atteint son apogée : je n'ai rien reçu.

Pour être le destinataire d'un familigramme, vous devez donner à la BOFOST le nom et l'adresse de la personne par vous élue : mère, épouse ou fiancée. Celle-ci envoie son texte chaque semaine à la BOFOST, qui le met en code et nous le transmet par ondes ultra-longues, en même temps que les informations générales et les messages opérationnels.

Nous recevons ces messages par antenne filaire — laquelle est un fil tout simple et tout bête que nous traînons dans l'eau derrière nous et qui, avec le bateau, crée un cadre, si bien qu'il suffit d'orienter comme il faut le bateau pour recevoir les ondes.

— J'ai mal au pied, dit Vigneron.

— Pas étonnant, dit Le Guillou. La radio, elle est toujours en balade d'un bout à l'autre du bateau, un papelard à la main. C'est la belle vie !

— La tienne n'est pas si mauvaise non plus, dit Vigneron.

C'est un jeune gars à la physionomie ouverte et des yeux francs derrière des lunettes de fer.

Je tâte son pied.

— Vous avez mal là ?

— Non, docteur.

— Et là ?

— Non plus.

— Et là ?

— Un peu.

Je diagnostique une légère tendinite de l'extenseur du gros orteil, et je lui fais donner une pommade par Le Guillou. Elle ne lui servira pas à grand-chose, sinon à lui donner l'impression réconfortante qu'il est soigné. En revanche, je lui donne un bon conseil.

— Vigneron, ne descendez donc pas les échelles à toute allure ! Prenez le temps de bien poser le pied !

— Qu'est-ce que vous voulez, docteur, moi, il faut que je cavale !

— Je vais te faire un petit massage tout de suite, cavaleur, dit Le Guillou.

— Ah merci ! dit Vigneron.

Mais « la radio qui est toujours en balade » a dû lui rester sur le cœur, car il ajoute :

— Voyez-vous, docteur, les gars, ils me voient aller et venir, ils croient que je me donne du bon temps. Mais moi, docteur, je joue un rôle important à bord. Si la radio fonctionne plus, qu'est-ce qui se passe ? Le SNLE perd le contact avec le commandement à terre, et il n'y a plus de dissuasion !

Le Guillou hausse imperceptiblement les épaules en me jetant un œil, mais il se tait. Il a beau être bavard. Il sait aussi écouter.

— Vous recevez beaucoup de familigrammes par jour, Vigneron ?

— Une bonne douzaine tous les soirs.

— Et alors, qu'est-ce qui se passe ? Vous les remettez aux intéressés ?

— Pensez-vous, docteur ! Il y a un filtre : c'est le commandant en second.

— Et pourquoi ce filtre ?

— Ben voyons, docteur, si un familigramme annonce à un gars la mort de sa femme à mi-marée, on va tout de même pas le lui dire tout de suite : ça serait horrible !

— Et quand le lui dit-on ?

— Le jour du retour.

— C'est horrible aussi.

— Ce n'est pas la même chose, dit Le Guillou en levant la tête. Un gars qui reçoit un choc pareil alors qu'il est enfermé à bord, c'est un désastre. Pour lui, pour son travail, pour son équipe.

J'entends bien, le bateau d'abord. Je ne blâme ni n'approuve, je réfléchis. Et plus je réfléchis, moins je parviens à me faire une religion. C'est un de ces irritants problèmes qui se posent à chaque instant et qu'on n'arrive jamais à résoudre.

— Maintenant, tu te rechausses, « trans », dit Le Guillou, j'ai fini.

« Trans (1) », cela veut dire « transmission ». Apprendre un milieu, c'est apprendre d'abord un langage, et un langage ésotérique. « *Le crabe untel est un trans* », ça veut dire : le quartier-maître untel travaille à la transmission.

— Comme a dit le docteur, dit Le Guillou, tâche de pas cavaler si vite, sinon un de ces jours, tu vas te péter le tendon d'Achille ou te décoller un ménisque.

Cette érudition frimeuse est perdue pour Vigneron qui se rechausse lentement, sans piper mot, l'œil soucieux derrière ses lunettes de fer. A le voir ainsi prendre son temps, je comprends qu'il a besoin de me parler. Et Le Guillou le comprend aussi, qui passe dans la chambre d'isolement.

— Docteur, dit Vigneron, vous trouvez ça correct de laisser ignorer à un gars que son père est mort ?

Difficile de répondre oui. Délicat de répondre non. Je ramène le problème du général au particulier.

— Vous avez des inquiétudes sur la santé de votre père ?

— Oh non ! Pas du tout ! Il se porte comme un charme ! Ma mère aussi.

— Pour votre femme alors ?

— Je ne suis pas marié.

Il jette un œil à la porte de la chambre d'isolement et baisse la voix.

— Mais je suis fiancé.

— Et votre fiancée se porte mal ?

— Oh non ! Pas du tout !

Je me tais. J'attends. Il me regarde, baisse les yeux, les relève, et dit :

— En deux semaines de marée, pas un mot d'elle !

Et tout d'un coup, il éclate :

— C'est pas un monde, ça, docteur ! Je reçois dix à quinze familigrammes par jour et pas un seul pour moi !

— Vous craignez qu'elle soit malade ?

— Mais non, docteur, dit-il avec véhémence. Je vous l'ai déjà dit ! Une santé de fer ! Jamais un rhume !

Un silence.

(1) On se souvient que « trans » en argot baille (mais pas seulement en argot baille) est *aussi* une abréviation de transcendant.

— Vigneron, dis-je, il ne faut pas se hâter de tirer des conclusions. Il y a peut-être des circonstances qui expliquent...

— Quelles circonstances ? dit-il d'un ton presque agressif.

— Mais je ne sais pas, moi, dis-je en écartant largement les deux mains... Il se peut qu'en partant, vous lui ayez dit un mot qui ne lui a pas plu. Les filles, vous savez, c'est très susceptible. Ça se vexe pour un rien.

Cette maxime machiste éculée (et Dieu sait si je la trouve sotte au moment où je l'énonce) n'en produit pas moins sur lui un effet apaisant.

— Vous croyez, docteur ? dit-il avec espoir.

J'ai un peu honte de jouer au gourou. Mais d'un autre côté comment le laisser en proie aux affres de la jalousie, alors qu'il a encore six semaines à tirer ?

— C'est bien possible, dis-je gravement.

— Alors, docteur, elle me boude ?

— C'est probable.

Il réfléchit.

— C'est quand même vache, dit-il avec un petit retour de sa véhémence, de me bouder alors que je suis enfermé sous l'eau dans une boîte en fer !

— Quel âge a-t-elle ?

— Dix-neuf ans.

Je hausse les épaules.

— Elle ne se rend pas compte, Vigneron ! Elle vit entre papa-maman ! Comment voulez-vous qu'elle imagine le genre de vie que nous menons ici ?

Il fait oui de la tête, il me regarde, il esquisse un sourire. Je lui rends regard et sourire. Je me vautre avec lui dans le sentiment réconfortant de la supériorité virile.

— Eh bien, docteur, dit-il chaleureusement, merci...

Il s'interrompt et reprend avec pudeur :

— Merci pour le pied.

Et il s'en va. Opération Valium terminée. Ses doutes reviendront le ronger et il reviendra me voir.

Le Guillou apparaît, les joues gonflées de commentaires que j'écoute à peine. C'est la deuxième fois que je vois Vigneron et je suis attristé pour lui. J'ai bien peur que sa petite nana, à son retour, ne lui révèle qu'elle en aime un autre.

— Vous voulez que je vous dise, docteur ? dit Le Guillou dont la voix parvient enfin à mes oreilles ; l'infirmerie pour eux, c'est la nounou et le curé ! Quand on a un bobo, on va se faire chouchouter, et quand on a quelque chose sur le cœur, on se confesse. Moi, je suis la nounou. Et vous, docteur, vous êtes le curé...

⁂

Après le trans Vigneron, je reçois trois ou quatre patients. Des bobos que Le Guillou pourrait tout seul diagnostiquer et soigner. Mais je tiens à être là. Le Guillou n'a déjà que trop tendance à se prendre pour le médecin. Et je n'ignore pas non plus que les hommes préfèrent avoir affaire à Dieu qu'à son saint. D'autant que ledit saint, quand il n'est pas bridé par ma présence, a tendance à devenir passablement impérieux.

Quant à mon autre bon apôtre, Morvan, il se fait oublier dans son coin, l'œil collé au microscope, placide et taciturne. Il fait pour moi une numération globulaire : tâche fastidieuse où il excelle, et qu'il aime pour la raison qu'il y exerce ses deux vertus cardinales : patience et conscience.

J'aimerais bien qu'elles soient les miennes aussi, quand, mes malades partis, je consigne leur cas dans les paperasses exigées par la Strasse. D'autant plus que l'ennui venant, mon esprit vagabonde et revient obsessionnellement tourner sur les silences de Sophie. Ingrate Sophie ! Comme diraient les psychologues américains, mauvais « investissement » que j'ai fait là ! Je pronostique avec une sombre lucidité que j'ai d'ores et déjà perdu ma mise, et que Sophie, la semaine dernière, a pensé à moi pour la dernière fois. J'ajoute méchamment en mon for : si tant est qu'elle pense, ne laissant pas à sa mère ce soin.

Même ce sarcasme ne me soulage pas. Moi aussi, comme le trans Vigneron, j'aurais besoin d'un docteur pour soigner mon moi endolori — endolori de tous les côtés : côté cœur et côté amour-propre. Car enfin, lectrice, il ne vous échappe pas que je ne mérite pas ces dédains...

L'action n'étant pas, comme on sait, la sœur du rêve, et témoignant même à son endroit d'une certaine hostilité, je décide de bouger, de gagner la tranche machines, et d'y retrouver le lieutenant de vaisseau Callonec, puisqu'il m'y a invité.

Il y a des usages amusants dans l'argot du bord. Ainsi le groupement Energie (que dirige le chauve et suave commandant Forget) comprend, on l'a vu, trois services :

L' « énergue » (l'Energie, entendez le réacteur).

La sec-plonge (la Sécurité plongée).

La prop (la Propulsion).

Ces trois noms sont féminins, mais quand il désigne les officiers qui les coiffent, ils deviennent masculins.

C'est ainsi que l'enseigne de vaisseau Becker — le géant barbu qui brode au point de croix et anime les prières du dimanche — devient le sec-plonge.

Le lieutenant de vaisseau Miremont, que le lecteur ne connaît pas encore, devient l'énergue (pas de changement apparent, en raison de l'élision du « e » de le).

Et le lieutenant de vaisseau Callonec, que je vais voir, est le prop.

Ici, serait-on tenté de dire, la chose devient l'homme et l'homme devient la chose. Comme dans *la Bête humaine* de Zola, où le conducteur Lantier fait corps avec sa locomotive, il y aurait une identification, à tout le moins nominale, entre la machine et celui qui la sert.

En réalité, ce n'est guère exact. Si je tenais des propos aussi romanesques devant Callonec, il me rirait au nez. D'abord parce que dans la tranche machines, il n'y a pas *une*, mais *des* machines, et ensuite parce que Becker, Miremont et Callonec, prenant le quart à tour de rôle dans le PCP (Poste de Commandement Propulsion), chacun doit s'occuper de la spécialité des deux autres aussi bien que de la sienne.

Avant de me diriger vers la queue du bâtiment — secouant la poussière de mes souliers sur mes moribondes amours —, je passe prendre dans ma chambre un pull que je porte à la main. Démarche apparemment paradoxale, puisque je n'ignore pas qu'une température de 35 à 40° règne dans la tranche machines. C'est que je pense au retour, quand il me faudra rétrograder de 35° à 22°. Je pense aussi à donner du poids par mon exemple aux recommandations que je fais quotidiennement aux mécaniciens. Je ne voudrais pas qu'ils disent de moi : « *El cura predica, pero non pratica* (1). »

Comme tout ce qui rompt la monotonie du « quart », je suis bien accueilli par le Poste de Commandement Propulsion où je trouve le lieutenant de vaisseau Callonec et trois opérateurs, dont le grand et gros Bichon à qui je demande des nouvelles de sa toux.

— Ça va très bien, merci, docteur, dit-il de sa voix rigolarde, vous m'avez guéri.

— Et maintenant vous mettez un pull pour gagner la cafétéria ?

— Non, mais je vais le faire, c'est promis, dit-il sur le même ton.

J'observe que la tendance actuelle de l'équipage que j'ai encouragée est de m'appeler « docteur » et non « monsieur le Médecin ». Même mes infirmiers m'appellent « docteur » et non « monsieur ». Je préfère cela. Et j'en conclus que l'homme, quand on le laisse faire, a une tendance naturelle à la simplification.

Je bavarde un moment avec Callonec. C'est un homme de taille moyenne, avec des yeux bleus et des cheveux blonds qui ont tendance à se retirer du front. Il a l'air content que je sois là et que je m'intéresse à son métier. Je ne dirais pas que les officiers mécaniciens souffrent d'un complexe d'infériorité vis-à-vis des officiers du « pont » (on appelle ainsi ceux qui dirigent le bateau y compris sur un sous-marin, où il est rarement dirigé du massif) car bien au contraire, les « chefs », comme on les appelle, ont un sentiment très vif et très justifié de leur importance : « Après tout, m'a dit Callonec ce matin avec un sourire, c'est nous qui faisons avancer le bateau. » Et vous vous souvenez sans doute, lectrice, que le mécanicien Roquelaure avait insisté, dans son style flamboyant, sur le fait que la sec-plonge (dont il fait partie) était peut-être « ce qu'il y a de plus important à bord, vu qu'un sous-marin, c'est quand même fait pour plonger ».

(1) Le curé ne pratique pas ce qu'il prêche. (Esp.)

Il n'en reste pas moins que certains officiers mécaniciens n'ayant pas l'aptitude de chef du quart, ne peuvent accéder au commandement du bateau. Ils le savent, ils l'acceptent, ils sont trop fiers pour s'en plaindre, mais le regret subsiste, même s'il ne s'exprime qu'en demi-teintes et à demi-mots, comme dans l' « après tout » de Callonec.

Si vous voulez savoir à quoi ressemble le PCP, prenez le tableau de bord d'un Airbus et multipliez-le sur trois faces dans un espace à peu près carré. Devant ces trois faces, asseyez quatre hommes sur quatre tabourets agrémentés d'un dossier succinct : l'officier et les trois opérateurs. Apparemment, ils ne font rien. Mais le pilote d'un Airbus lui aussi, la plupart du temps, a l'air désœuvré. Toutefois, pour des raisons évidentes, il vaut mieux qu'il soit là.

— Je viens de passer la suite à Miremont, dit Callonec. Il a pris le quart, je suis donc libre et je vais vous faire faire le tour du propriétaire.

Il n'y a qu'un seuil à franchir et nous nous trouvons dans la tranche machines.

— Voilà donc l'usine, dis-je impressionné. C'est grand et il fait chaud.

— Non pas l'usine, dit Callonec, les usines. Notre énergie, c'est la vapeur qui nous est fournie par le réacteur atomique. Il est situé dans la tranche qui nous précède. Avec cette vapeur, nous fabriquons de l'eau douce dans ces « bouilleurs vapeurs » que vous voyez là et qui sont, en fait, des distilleries. Cette eau nous sert à deux fins. Nous l'employons pour compenser les pertes dans le circuit d'eau secondaire du réacteur...

Je répète, plutôt plaintivement :

— Le circuit d'eau secondaire du réacteur ?

— Toubib, dit Callonec avec bonne humeur, Miremont vous expliquera. L'énergue, c'est lui. Il sera ravi de vous faire un topo. *Secundo,* poursuit Callonec, nous retraitons cette eau douce en lui ajoutant les sels minéraux qui lui manquent et nous la distribuons dans tout le bord pour la boisson et le lavage.

— Merci pour l'eau, chef, elle est excellente. Et j'apprécie de pouvoir me doucher quotidiennement. Je m'aperçois que votre rôle ne se borne pas à faire avancer le bateau.

— Exact, dit Callonec avec une fierté discrète. Nous fournissons l'eau. Nous fournissons aussi toute l'électricité du bord, grâce toujours à la vapeur, et par le moyen de ces deux petits turbo-alternateurs que vous voyez là.

— Ils ne sont pas si petits que ça.

— Ils sont petits, comparés aux deux turbines principales qui leur font suite.

— Ceux-là, je dirais 2,50 m de long et 1,50 m de diamètre ?

— C'est à peu près ça, mais, pour le diamètre, en comptant le calorifugeage.

— Vous n'avez jamais eu d'incident avec le calorifugeage ?

— Non, pourquoi ?

— Sur le *Nautilus* du commandant américain Anderson — celui qui a traversé le premier le Pôle Nord sous la calotte glaciaire — le calorifugeage imbibé d'huile a pris feu.

— Toubib, vous en savez des choses !

— Grâce à la bibliothèque du carré et à ma bonne volonté déséléphantisante. Comme dit le commandant Picard, « un éléphant curieux, ce n'est déjà plus un éléphant ».

— Forte parole. Vous aviez déjà saisi, toubib, que les deux turbines principales font tourner la ligne d'arbres, laquelle fait tourner l'hélice — il y a deux intermédiaires, le réducteur et l'embrayage.

— Pour l'embrayage, je suppose qu'il permet de désolidariser la ligne d'arbres de l'hélice ?

— Ou de la solidariser avec elle, comme dans une auto. Mais avant l'embrayage, il y a le réducteur : il réduit la vitesse de rotation des turbines pour l'adapter à celle de la ligne d'arbres.

— Et ça ?

— Ça, c'est le moteur électrique auxiliaire.

— Il vous permet de sortir du port ?

Callonec rit franchement :

— Mais pas du tout, toubib ! Vous confondez avec un yacht ! Nous sortons du port par les moyens normaux ! Le réacteur donne la vapeur. Les turbines tournent. Le réducteur réduit. Et l'embrayage embraye. Ne croyez pas qu'on ne puisse pas aller à très petite vitesse : la vitesse, nous la maîtrisons parfaitement.

— Alors, à quoi sert le moteur électrique ?

— A nous dépanner, en cas de besoin.

— Par exemple ?

— Nous constatons une petite fuite de vapeur à une purge. On ferme aussitôt l'alimentation générale. On arrête le réducteur, on débraye et on passe sur le moteur électrique.

— Elles sont fréquentes, ces petites fuites ?

— Non, mais elles sont inévitables, étant donné le nombre d'heures que tournent les machines. En général, c'est un joint qui lâche. On le change, c'est tout. L'intervention dure à peine cinq minutes.

— Mais ça doit être bouillant !

— On met des gants. Et quand c'est fini, on revient à la propulsion vapeur.

— Le moteur électrique, il marche sur le courant que vous produisez ?

— Pas du tout. Il est complètement indépendant. Il marche sur batteries.

— Vous devez en stocker beaucoup ?

— Pas mal ! Vous voulez les voir ? Elles sont en partie sous votre infirmerie.

— Non, merci, ça n'a rien de grisant, des batteries. L'hydrogène ne vous pose pas de problèmes ?

— Vous voulez parler des risques d'explosion ? Nous prenons des précautions : les batteries sont surveillées en permanence par des hydrogénomètres, et également très ventilées pour éviter que se forment des poches d'hydrogène susceptibles d'exploser à la moindre étincelle.

— Sage fut le commandant Louzeau d'interdire la cigarette à bord !

— Oh vous savez ! Même quand vous tournez un commutateur électrique, vous provoquez une étincelle.

— Et comment faites-vous pour passer d'une petite vitesse à une vitesse plus élevée ?

— Ce n'est pas nous qui décidons le changement d'allure. C'est le commandant au PCNO.

— Comment ça se passe ?

— Venez, je vais vous montrer.

Nous retournons au PCP qui paraît soudain très petit avec l'intrusion d'un cinquième homme. Callonec me place devant un des trois tableaux de bord que j'ai décrits plus haut. Plus précisément celui qui se trouve à droite en entrant.

— Exemple, dit-il. Le commandant veut passer à la vitesse « avant 4 ».

Il s'interrompt :

— Il y a quatre vitesses : avant 1, avant 2, avant 3, avant 4. Ces numéros définissent le nombre de tours, comme dans une auto. Et « avant 4 » définit la vitesse la plus élevée. Revenons au PCNO. Le commandant veut passer à « avant 4 ». Il donne l'ordre à l'officier de quart qui le répète au barreur. Le barreur pousse un bouton. Et ce bouton déclenche ici — au PCP — une petite sonnerie qui veut dire « Attention ! On va changer l'allure ! » Et aussitôt, une petite lumière s'allume devant l'allure souhaitée, c'est-à-dire, dans le cas d'espèce, en face d'avant 4. Alors, l'opérateur qui est assis là, dit-il en désignant Bichon, agit sur ce levier et ce levier admet davantage de vapeur aux turbines.

— C'est tout ?

— Non. L'opérateur qui est derrière Bichon doit veiller sur le réacteur et s'il voit qu'il a du mal à fournir à la demande, il agit sur cet autre levier dont l'effet est de remonter les croix dans le réacteur : la fission alors s'intensifie, produisant davantage de chaleur, et partant, davantage de vapeur.

— Qu'est-ce que c'est que ces croix qu'on remonte dans le réacteur ?

— Vous le demanderez à Miremont, dit Callonec. Le réacteur, c'est sa danseuse. Je ne vais pas la lui déflorer.

Nous rions. D'ailleurs, dès que l'autre sexe est mentionné dans une conversation à bord, le rire surgit. Nous essayons par là, je suppose, de désarmer cette évocation de la petite angoisse que l'absence de la femme dans notre univers nous inspire, même si nous ne l'exprimons jamais.

— Voilà, vous savez tout, toubib, dit Callonec.

Ce « tout, toubib » l'amuse et il rit. C'est une heureuse

nature dont les turbines intellectuelles fonctionnent bien et dont la joie de vivre ne manque jamais de vapeur.

— Maintenant que vous savez tout, docteur, dit le gros Bichon de son ton rigolard, vous pourriez peut-être prendre le quart à ma place.

— Et vous, me remplacer à l'infirmerie ? C'est une idée. Je vais la soumettre au pacha.

⁂

Je suis depuis une demi-heure à peine dans la tranche machines, et déjà je ruisselle de sueur. Je jette mon pull sur mes épaules et j'en noue les deux manches autour de mon cou pour passer dans des régions plus fraîches du sous-marin. La différence de température est saisissante. Je remarque, en traversant la tranche missiles, un homme d'équipage qui, adossé à un de nos engins de mort, joue pacifiquement de la guitare. Je lui souris en passant et je gagne l'infirmerie où m'attend un client de marque : le « patron », comme on l'appelle, ou comme il se définit lui-même, l'adjudant des adjudants, celui grâce à qui l'ordre, l'exactitude et la propreté règnent dans le SNLE.

Le patron vient de perdre le plombage d'une molaire en mâchant un des savoureux pains au chocolat dus à l'art du boula. Et réglo pour lui-même comme pour les autres, le matin même, il est venu me voir. La dent étant dévitalisée, le problème est simple ; je lui refais son plombage. Et ensuite, bien sûr, nous parlons.

Le patron n'est pas homme à nourrir des états d'âme : son moral est en acier. Et cette solidité se révèle au premier coup d'œil : c'est un homme athlétique, d'une trentaine d'années, les épaules larges, la poitrine profonde, les jambes longues, bien plantées sur le sol. Son visage régulier respire une large gamme de vertus : le bon sens, le contrôle de soi, l'équilibre, l'autorité tranquille. Il en a l'usage : c'est le gendarme du bord, la vestale du foyer sous-marin, le gardien des règles sacrées du nettoyage, du brossage et de l'époussetage. Il a la haute main sur les appelés, les cuisiniers, les infirmiers, les maîtres d'hôtel, les préposés aux poulaines, et à la buanderie.

C'est grâce à lui qu'à la « caffe » (1) les tables sont mises à l'heure pour le premier service, débarrassées, nettoyées, remises pour le second service et redébarrassées.

Le matin, le patron est debout avant que les haut-parleurs diffusent dans les chambres « le branle-bas ».

Le *branle* dans l'ancienne marine désignait le hamac que l'on mettait *bas* pour dégager les entreponts au moment du réveil, lequel, pour les marins comme pour les « éléphants », se traduit toujours par un passage douloureux de l'horizontal au vertical. De ce passage sont toutefois dispensés ceux qui ont subi un « quart » nocturne et peuvent, pour cette raison, refermer les yeux au milieu de l'agitation générale et savourer leur rabe voluptueusement. Quant aux autres, l'apparition quasi simultanée du patron dans toutes les chambres, suivie d'un claquement de mains, apporte une aide appréciable aux mal réveillés.

Mais c'est quand on annonce le « poste de propreté » par analogie avec « le poste de combat » que le patron, sans pour autant renoncer à son ubiquité, développe, comme Argus, une centaine d'yeux qui lui permettent de voir la brosse à dents qu'on a laissée sur le lavabo, la poubelle qu'on n'a pas vidée, la banette qu'on n'a pas recouverte, le seau qu'on n'a pas rapporté à sa place.

Si, pendant le « poste de nettoyage », les brumes du réveil ralentissent le mouvement, le patron l'éperonne en élevant la voix et en claquant deux fois dans ses mains. D'où le surnom de « claquemains » qu'un loustic lui a donné dans le journal de bord. Mais le surnom n'a pas tenu.

Il parle vite, avec une voix placée très en arrière de la gorge et des « r » un peu grasseyés à la parisienne, et d'ailleurs, il est de Poissy. C'est un homme réservé dans ses propos, pudique dans ses sentiments et à qui ses fonctions ont inspiré le talent, tout en se montrant cordial, de maintenir une certaine distance entre son interlocuteur et lui-même. En tant que premier maître, il participait au tour d'officier chef de quart à bord du sous-marin classique où il servait avant de rejoindre le SNLE, et comme je n'ignore pas qu'il pourrait,

(1) La cafétéria.

en préparant des examens, passer réellement officier, je lui demande s'il a cette intention.

— Je ne sais pas encore, docteur, dit-il sobrement. Je n'ai pas décidé.

J'ai posé il y a trois jours la même question au « président ». On appelle ainsi l'officier marinier le plus ancien dans le grade le plus élevé. Il a été plus péremptoire.

— Non, ça ne me tente pas.

— Pourquoi ?

— Pour des raisons personnelles, dit le président en se fermant comme une sensitive.

Il me semble que je peux deviner ses raisons : Le « prési » (c'est ainsi que l'équipage, en l'abrégeant, désacralise quelque peu son prestigieux surnom) a atteint, dans sa catégorie, le haut de l'échelle, et ça ne lui dit rien de remettre son titre en jeu pour se retrouver en cas de succès — un succès malgré tout aléatoire — en bas de l'échelle d'une autre catégorie, celle-ci fût-elle plus élevée. Orgueil ou sagesse, je ne sais. Comme Jules César, il préfère être le premier dans son village que le second à Rome. En attendant, il se sent, m'assure-t-il, « à l'aise dans sa peau ».

Et à l'aise dans sa peau, le patron l'est aussi, sa molaire replombée, assis dans cet étonnant fauteuil de dentiste qui n'est que la table d'opération transformée.

— A votre avis, dis-je, qu'est-ce qui pousse les gens à devenir sous-marinier ?

— Eh bien d'abord, dit-il, les avantages matériels. Vous les connaissez comme moi. 50 % de solde en plus, les trois annuités de pension pour un an de sous-marin. Et 75 F de prime par jour de plongée, 120 F après la 3e patrouille. Pas étonnant que les gars, ils s'achètent tous des maisons ou des appartements.

— Vous le premier ?

— Moi le premier. Et puis un autre avantage : sur un navire de surface, vous ne savez jamais quand vous revenez. Sur un SNLE, à dix jours près, vous le savez. Ça permet de mieux planifier sa vie, surtout quand on est marié. Et les congés aussi sont plus longs.

Il réfléchit.

— Mais il n'y a pas que ça, reprend-il. Les gars, ils sont fiers d'être sous-mariniers. Moi, par exemple, je vais à un mariage : tout le monde va me poser des questions. Et parmi les jeunes, il y en a beaucoup qui voudraient être à ma place. Faut comprendre, docteur ! N'importe qui peut prendre l'avion ! N'importe qui peut prendre un billet pour faire la traversée Douvres-Calais en car-ferry ! Mais les gens qui naviguent sur les sous-marins ! j'ai fait le compte : 1 360 sur les SNLE ! Et peut-être le double sur les sous-marins d'attaque ! C'est peu ! C'est très peu !

— En somme, dis-je, une élite ?

— Je ne dis pas ça, dit-il, soudain réticent. Faudrait pas croire que je me pousse du col ! Mais quand même, le rôle qu'on joue dans la défense du pays ! Les fatigues ! Les contraintes ! Le danger ! Faut nous voir quand on sort de cette boîte de fer après soixante-dix jours de plongée ! Les blonds, ils sont couleur de papier mâché ! Et les bruns, ils sont carrément verdâtres !

Il réfléchit encore, les sourcils froncés. Il voudrait trouver les mots pour me faire comprendre la fascination que les sous-marins exercent sur lui.

— J'ai servi quinze ans sur les SNLE, dit-il à la fin. Eh bien ! Je me souviens encore de ma première plongée ! Vous voyez nos deux mimis, docteur ? Vous voyez comme ils sont fanas ! Eh bien, ils le seront jamais autant que je l'étais à ma première plongée !

— Une belle aventure, alors ?

— Si l'on veut ! dit-il, mécontent de voir réduire à un stéréotype ce que son expérience eut d'unique et d'irremplaçable. Et autre chose, docteur, poursuit-il, et que j'apprécie énormément, à bord d'un sous-marin, personne ne peut tricher.

— Comment l'entendez-vous ?

— Eh bien, dit-il, à bord, à vivre tous ensemble enfermés dans la même boîte, on voit bien à qui on a affaire. Personne ne peut cacher son jeu. Personne ne peut faire longtemps illusion. Le faux jeton, on le repère tout de suite. Il ne va pas s'en tirer comme ça.

Et moi, à l'écouter, je trouve que lui, en revanche, il se tire pas mal d'affaire avec son analyse de l'authenticité et qu'avec peu de mots, et des mots simples, il a dit beaucoup de choses.

Je me retrouve au carré, à l'heure du thé, avec Verdelet et Verdoux. Nos deux mimis ont passé un concours difficile pour entrer à Sciences-Po et un second concours pour être admis à l'Ena. A l'issue de ce concours, le tirage au sort a voulu qu'ils fassent leur service militaire — heureux hommes ! — dans la Marine, et qui mieux est, dans les sous-marins. Cette plongée est pour eux la plus merveilleuse aventure.

De Verdelet, je dirais qu'il est intelligent, cultivé et charmant. Et de Verdoux, je serais tenté de dire qu'il est intelligent, cultivé et piquant. Mais en fait, son piquant n'est que défensif : Verdoux est charmant aussi. Il est à Verdelet ce qu'un citron pressé est à une orangeade. Il faut se faire à son acidité. Et il n'adhère pas tout à fait au personnage agressif qu'il joue : il le fait trotter devant lui en s'en amusant...

Au rebours du normalien que décrit Cocteau et qui « amincissait son intelligence en la suçant comme un sucre d'orge », l'intelligence de nos deux énarques est plus solide que byzantine. Comme l'honnête homme de Molière, ils ont des lumières sur tout. « A l'Ena, dit Verdelet, une bonne copie ne doit être ni littéraire, ni philosophique, ni scientifique. » Etrange que cette culture, qui se définit surtout par des négations, parvienne à former un corps de hauts fonctionnaires tout à fait compétents.

On s'entend bien, eux et moi, partageant le même sentiment du comique inhérent aux choses, et ayant un rôle non officiel, mais solidement établi, d'animateurs : c'est sur nous que compte le pacha pour désennuyer le carré du morne ennui des jours si semblables entre eux et des nuits si semblables aux jours.

Il faut bien avouer que la tâche n'est pas facile, la plupart des officiers ayant tendance, pendant les repas, à s'enliser dans le silence. C'est vrai qu'il y a le folklore de la patrouille précédente, et le folklore, en général, des sous-mariniers. Mais le premier s'est usé dès la première semaine et le second, trop rebattu — et à bord, et à Brest, et à l'Ile Longue —, a quasiment épuisé son fonds d'anecdotes.

Or, le pacha qui, non sans raison, redoute, la lassitude aidant, une baisse sensible de la sociabilité, s'efforce de maintenir le niveau de la communication. Il donne du sien. Le second aussi, qui est vif et caustique. Et quant aux deux mimis et à moi-même, le pacha nous lâche la bride dans les limites des convenances. Comme je dirai plus loin, il arrive qu'elles soient atteintes, et même au moins une fois, quelque peu dépassées.

— Nous sommes les clowns, dit Verdelet.

— Pardon, moi, je suis le bouffon, dit Verdoux.

Ils sont tout aussi à l'aise buvant leur thé dans les fauteuils du carré du SNLE que dans un salon du noble faubourg. Beaux garçons tous les deux, l'un blond, l'autre brun, dépassant allégrement les un mètre quatre-vingts. Voix bien timbrée. Bonne élocution. Assurance de bon aloi.

— Toubib, dit Verdelet comme je m'assois à sa gauche, nous sommes jaloux.

— Tu es jaloux, dit Verdoux.

— Vous figurez deux fois dans *Vapeurs actuelles*, et nous une fois.

— Qu'est-ce que *Vapeurs actuelles* ?

— La feuille de chou du bord qui prétend à l'humour, dit Verdoux.

— La prétention à l'humour est déjà de l'humour, dit Verdelet.

— Involontaire, dans ce cas, dit Verdoux.

Verdelet monte au filet.

— Qu'est-ce que l'humour ?

— Vaste problème, dit Verdoux en se dérobant.

Et il ricane.

— L'humour, dis-je, est une feinte cécité devant l'absurde.

— Pas mal, toubib, dit Verdelet.

— Qui aurait cru, dit Verdoux, qu'un spécialiste de la triperie humaine s'élèverait un jour à une idée générale ?

— Galopin, dis-je, reprenant le mot du pacha, ne venez

pas me trouver le jour où vous aurez mal au ventre : je l'ouvrirai.

— Ne serait-ce que pour voir ce qu'il y a dedans, dit Verdelet.

— Les examinateurs de l'Ena ont déjà fait ça, dit Verdoux, et je m'en suis très bien tiré.

— Verdoux est un saint, dit Verdelet. Pour l'humilité, il ne craint personne. Toubib, voulez-vous voir un numéro de *Vapeurs actuelles ?*

Et il me tend une feuille photocopiée. Je pose ma tasse de thé et je m'y plonge.

— Lisez à haute voix, toubib, dit Verdelet. J'aimerais ouïr ce texte génial.

Verdoux fait « pfeu ! pfeu ! » du bout des lèvres et je dis :

— Qui vous a remis ce texte ?

— C'est le patron. Je suppose que vous savez qui est le patron.

— Qui ne le connaît ? C'est un officier marinier.

— Vous remarquerez, dit Verdoux, que la Marine témoigne d'une remarquable perversité dans les appellations hiérarchiques. Un « officier marinier », c'est un sous-officier. L'enseigne, c'est un lieutenant. Le lieutenant de vaisseau, c'est un capitaine. Le capitaine de corvette, c'est un commandant. Et le capitaine de vaisseau, c'est un colonel.

— Preuve que dans la Marine, c'est le bâtiment qui compte, dit Verdelet, et non le galon. Poursuivez, toubib, je vous prie.

— « Un conseil de guerre présidé par le toubib, et composé de la cuisse, du boula et de Brosse à dents s'est tenu à la caffe le mercredi 31 juillet à onze heures du matin pour juger quatre saumons de mine patibulaire. Les accusés, indignes de nourrir des estomacs sous-mariniers, ont été refoulés aux frontières. »

— Poursuivez, dit Verdelet. Dans le paragraphe suivant, votre nom a l'honneur d'être associé aux nôtres. — « Les deux mimis et le toubib, dont c'est la première plongée, s'inquiètent de savoir quel sera leur baptême à mi-marée. D'après nos informations, le pacha n'aurait pas encore décidé s'il aurait lieu ou non, par immersion totale à trois cents mètres de profondeur. A tout hasard, on prépare le *sas.* »

Je ris. Verdelet sourit. Verdoux lève un sourcil.

— Ah ! dis-je en tournant la page, voilà qui est intéressant ! Un dessin érotique ! Restez à votre place, Verdoux ! Ce genre de dessin ne convient ni à votre âge ni à votre éducation anglaise.

— Contrôle-toi, voyons, Verdoux ! dit Verdelet. Tes yeux s'exorbitent et ta bouche bave !

— Ver de terre, dit Verdoux, je te revaudrai cela.

Je poursuis :

— Ecoutez, Verdoux, à défaut de l'image, voici une description *ad usum delphini :* c'est intitulé : *Rêvons un peu : et si l'Amiral était une Amirale !* La scène se passe à la tranche machines, où deux mécaniciens regardent avec des yeux ronds une Amirale à 4 étoiles, les cheveux longs et blonds dépassant de la casquette. Elle se penche pour ramasser un objet et comme elle est très court vêtue... Mais voyez vous-même, Verdelet, je n'oserais vous dire le reste.

— Elle est joufflue, dit Verdelet, impassible.

Et il me repasse le journal. Je tourne la page aussitôt.

— Ah voilà qui paraît intéressant !

— « Le jeudi, sur le coup de six heures du soir, l'oreille d'or Villefranque, appelé à la rescousse, a encorné l'informatique en détectant avec précision le voisinage d'un cargo. La présidence de la corrida a décidé d'accorder à Villefranque les oreilles et la queue de l'informatique. » Ça, dis-je, c'est du grec pour moi. Au risque de donner des armes à ce jojo lubrique (du doigt je désigne discrètement Verdoux), je confesse que je ne sais pas ce que c'est qu'une « oreille d'or ».

— Docteur, dit Wilhelm, en apparaissant sur le seuil du carré, je vous apporte votre deuxième théière ?

— Volontiers, Wilhelm.

— Il vous a à la bonne, dit Verdoux.

— Preuve, dis-je, qu'il n'a pas la dent ingrate.

Verdoux est sur le point de sourire, mais se retient, juste à temps.

— Une oreille d'or, dit Verdelet — je vous réponds ès

qualité de chef de la détection sous-marine — c'est un analyste-classificateur.

— Je suis bien avancé.

— Je voudrais faire remarquer, dit Verdoux, qu'ès qualité de chef de la détection sous-marine comme il dit, Verdelet est chapitré par un enseigne de vaisseau et coiffé par un capitaine de corvette.

— Preuve, dit Verdelet, qu'on a toujours besoin d'un plus grand que soi. A la Détection, je suis le seul maître à bord après un lieutenant, un commandant et Dieu.

— J'attends toujours, dis-je, la définition de l'analyste-classificateur. Ce suspense devient insupportable.

— Voilà. Vous avez pu remarquer, toubib, en embarquant, qu'un SNLE est bardé d'hydrophones et de sonars.

— Il aurait pu le remarquer, dit Verdoux, s'il ne s'était pas embarqué sur la patte de l'ancre.

— Poursuivez, Verdelet, dis-je sans battre un cil.

— Le sonar, bien sûr, on ne peut pas l'utiliser activement, c'est-à-dire en émettant des ondes à travers les eaux, et ceci à cause de la sacro-sainte discrétion.

Apparaissent, à la suite l'un de l'autre, l'enseigne Angel et le lieutenant de vaisseau Miremont. Comme il n'y a que quatre fauteuils dans le carré, Verdelet, le plus poli des deux mimis, esquisse — esquisse seulement — le geste de se lever.

— Ne te dérange pas, dit Miremont. Je ne fais que passer boire un café. Je vais être de quart.

— Moi aussi, un café, Wilhelm, dit Angel.

Et il s'assied.

— De quoi parliez-vous ? dit Angel.

Je le vois tous les jours et tous les jours je suis surpris par son apparence juvénile. Tel il était à dix-sept ans, tel il est encore cinq ans plus tard. J'ai l'impression — assurément fausse — que sa jolie petite gueule ne vieillira jamais.

— De fesses, dit Verdoux. Ces deux malheureux s'excitaient sur un dessin.

Je passe *Vapeurs actuelles* à Angel, qui l'ouvre à la bonne page et rit.

— *Tu quoque, fili* (1), dit Verdoux, mais étendant son long bras, il lui prend sans façon le journal et s'y absorbe.

— Tiens, tiens, dit Verdelet.

— Je l'étudie, dit Verdoux et je conclus : sociologiquement, cette esquisse, si grossière qu'elle soit, paraît indiquer une certaine aspiration des masses à la féminisation de l'état-major.

Rires auxquels ne s'associe pas Miremont, debout, le nez dans sa tasse de café. De toute façon, il est un des officiers les plus taciturnes et, à table, paraît le plus souvent absent.

Miremont, c'est l'homme dont Callonec dit que le réacteur, c'est sa danseuse. Mais plus je détaille sa physionomie sérieuse et fermée, plus je trouve difficile de l'associer à une danseuse. Toutefois, je prends note de lui poser, à la plus proche occasion, quelques questions d'éléphant sur le réacteur.

— En réalité, dit Verdelet, j'allais faire au toubib un cours sur la détection.

— Et je vous écoute, dis-je, l'ouïe grande ouverte.

— Le toubib nous snobe, dit Verdoux. Il est avec nous depuis deux semaines et il ne tutoie personne.

— Je suis prêt à tutoyer tout le monde, jusqu'au grade de loufiat inclus. Mais j'attendais que vous en prissiez l'initiative.

— Et maintenant, il nous snobe avec un imparfait du subjonctif ! s'écrie Verdoux en jouant l'indignation.

— Quelle mauvaise foi ! Si j'avais dit « preniez », vous m'auriez repris !

— Moi, dit Angel, je n'osais vous tutoyer en raison de votre grand âge. Après tout, vous avez trente ans.

— Eh bien, dis-je, dorénavant, je tutoierai tout le monde, bébés et vieillards inclus. Miremont, je peux te tutoyer ?

— Bien sûr, dit Miremont après un temps de retard.

Et comme nous rions, il nous regarde d'un air étonné, pose sa tasse vide sur la table et s'en va. Visiblement, il n'a rien entendu.

— Verdelet, je t'écoute, dis-je.

(1) Toi aussi, mon fils. (Lat.)

— Pas du tout, dit Verdelet. Qui peut mieux faire un cours sur ce sujet que l'enseigne de vaisseau de première classe Angel, chef du service de détection et en cette qualité mon chef respecté.

— Pas du tout. A toi de t'y coller, fistot. Je corrigerai, si tu dis trop de bêtises.

— « Fistot (1) » ! Vous avez ouï cette insolence ! dit Verdoux. Appeler « fistot » un énarque !

— Poursuis, Verdelet, dis-je, nous n'en finirons pas.

— Bien. Les hydrophones dont nous sommes bardés nous transmettent les sons du milieu marin. Nous les écoutons, et ces écoutes sont exploitées de deux façons que nous employons concurremment : par l'informatique qui les analyse et les classe et par un homme qui, artisanalement, accomplit le même travail. Quand l'écoute paraît particulièrement intéressante, ou inquiétante, on a recours à un analyste-classificateur doué d'un talent rare ! C'est l'oreille d'or.

— Surnom flatteur !

— Il le mérite, dit Verdelet avec élan. Il faut comprendre, toubib, que tout bateau émet, en naviguant, un bruit caractéristique. Non seulement, bien sûr, les bateaux de même catégorie. Mais dans la même catégorie, chaque bateau individuel a, pour ainsi dire, une signature acoustique qui lui est propre. On peut donc les reconnaître à l'écoute et distinguer un cargo, un chalutier, un pétrolier, un bateau de guerre, un sous-marin.

— Et même un sous-marin soviétique ?

— Et même tel ou tel sous-marin soviétique, pour peu qu'on l'ait déjà rencontré et qu'on ait relevé sa signature. Car bien entendu, toutes les écoutes sont enregistrées au magnétophone, ré-écoutées à terre et répertoriées.

— Mais cela, dis-je, suppose chez l'oreille d'or une mémoire colossale.

— Et un don exceptionnel. Ce don est décelé par des tests et soumis à un entraînement ad hoc. Le résultat, c'est un

(1) « Fistot » est le nom que donnent les anciens de la Baille aux jeunots de première année.

analyste qui possède une aptitude extraordinaire à percevoir les sons, à les mémoriser, à les comparer à d'autres et à porter un jugement. C'est mieux que de l'artisanat. C'est de l'art. L'informatique fait souvent moins bien.

— Vous m'en voyez heureux, dis-je. Pour une fois, l'homme est plus performant que la machine.

— Propos passéiste ! dit Verdoux. Vous me rappelez Jean Giono qui regrettait qu'ont ait remplacé la charrue par le tracteur.

— Sauf, bien sûr, dit Angel avec un bon sens écrasant, que la charrue était déjà une machine...

Verdoux en reste coi, et j'échange avec Verdelet un sourire jubilant.

— Un grand merci à toi, Verdelet, dis-je. Je vous quitte. Mes paperasses m'attendent à l'infirmerie.

*
**

— Ah, c'est vous, docteur, dit Le Guillou en passant la tête par la porte de la chambre d'isolement. Avez-vous besoin de moi ?

— Pas du tout.

Il disparaît et j'installe sur la table d'opération mes papiers en prêtant l'ouïe à une obscure histoire d'école publique et d'école catholique que Morvan s'efforce, dans la chambre d'isolement, de raconter à Le Guillou. Je dis qu'il s'y efforce, car il procède par grognements, interjections, et monosyllabes qui me demeureraient inintelligibles sans l'art que met Le Guillou à les accoucher de leur sens. Pour employer une autre métaphore, je dirais que l'histoire de Morvan est enfermée dans sa taciturnité comme la statue dans la pierre avant que le sculpteur ait réussi à l'en faire émerger.

Il semblerait, à l'ouïr, que Morvan, enfant, ait quitté l'école sans Dieu en raison du comportement aberrant de la directrice et de son adjointe, lequel il avait surpris par la vitre d'une classe après les cours.

— Et toi qu'est-ce que tu faisais là ? dit Le Guillou, vu qu'il n'y avait plus personne ?

Silence, grognement, et probablement mimique.

— Tu avais oublié ton béret ?
— Mm ! dit Morvan.
— Et tu les as vues ?
— Mm.
— Elles étaient dans une classe ?
— Mm.
— Dans la classe où tu avais oublié ton béret ?
— Mm !
— Et alors ?
Silence, grognement, mimique.
— C'est pas vrai ! dit Le Guillou.
— Mm !
Le Guillou rit, mais par fidélité à la République, il ajoute après un silence :
— D'un autre côté, ton curé, il fricotait peut-être avec sa bonne.
— Mm ! dit Morvan en donnant à ce « Mm » un sens énergiquement négatif.
— Remarque, dit Le Guillou avec tact, ton curé, je ne le connais pas. Tu as peut-être raison. Mais enfin, c'est pas pour dire : dans l'autre camp, ça arrive aussi.
Un long silence suit cette déclaration conciliante, puis Le Guillou apparaît dans l'infirmerie.
— Ah, docteur, vous êtes encore là ?
— Oui, dis-je, et je m'excuse d'avoir entendu votre conversation. D'un autre côté, si j'avais été fermer la porte, je vous aurais interrompus, et avouez, ajouté-je en souriant, que ç'eût été dommage.
Le Guillou sourit à son tour, puis rit franchement et me dit :
— Et vous savez ce qu'il fait maintenant, Morvan. Il dort ! Ça l'épuise de parler, si peu qu'il parle. Je n'ai jamais vu une pareille marmotte. Remarquez, docteur, poursuit-il aussitôt, comme pris de scrupule, dès qu'il y a quelque chose à faire, je le réveille et il le fait. Vous avez pu voir, dans le service, il est impec.
— Mais je ne me plains pas, dis-je. Ni de lui ni de mon infirmier-major.
Et je me remets à ma paperasse. Le Guillou, derrière moi,

s'affaire à de vagues rangements. Plus exactement, il dérange ce qui est rangé pour le ranger différemment. Signe chez lui de grande concentration.

— Docteur, dit-il au bout d'un moment.

— Oui, Le Guillou ?

— Je peux vous poser une question ?

— Allez-y.

— Vous croyez en Dieu ?

— Et vous ? dis-je aussitôt.

— En principe, non. Mais depuis que je suis dans les SNLE, j'ai des doutes.

Alors là, il m'étonne. Le Guillou, c'est le Breton athée, anticlérical et « républicain » (au sens gauchisant du terme). Et qu'il se pose un problème métaphysique de cette dimension dans les profondeurs de l'Océan, il y a de quoi vous surprendre.

Je répète interrogativement :

— Depuis que vous êtes dans les SNLE ?

— Ben oui, dit-il. Remarquez, la dissuasion, je suis d'accord. On ne peut pas y couper. Mais d'un autre côté, tous ces sous-marins français, anglais, américains et soviétiques qui rôdent sans arrêt dans les Océans, prêts à détruire en quelques minutes les patries des autres, et avec elles plus de la moitié de la planète, je trouve cela dément.

— Et vous pensez que s'il y avait un Dieu, cela rendrait la situation moins absurde ?

— Je ne sais pas, dit-il. Peut-être. Qu'est-ce que vous en pensez ?

— S'il y avait un Dieu, dis-je, la situation, à mon avis, ne serait pas moins aberrante. Cela voudrait dire que Dieu accepte que les hommes puissent détruire la planète qu'il a créée.

— Justement, dit Le Guillou. S'il y a un Dieu, il devrait l'empêcher.

— Ah ! Le Guillou, dis-je, au risque de vous décevoir, je vous ferai observer que l'histoire des hommes est jalonnée par d'innombrables tueries qu'aucune intervention céleste n'est jamais venue empêcher. Bien souvent, au contraire, c'est au nom du Seigneur que ces massacres ont été perpétrés.

Un silence, puis Le Guillou reprend :

— Alors, docteur, vous ne croyez pas en Dieu ?

— Il ne s'agit pas de croire. Il faudrait savoir. Et s'il y a une chose que nous ne savons pas, c'est bien celle-là.

— Dans ce cas, dit Le Guillou avec une nuance d'agressivité dans la voix, pourquoi prêtez-vous l'infirmerie le dimanche au lieutenant Becker ?

Alors là, bien finie, la métaphysique ! Et les spéculations élevées ! Quelle chute ! Nous retombons dans l'anticléricalisme têtu du Breton « républicain » qui ne fera jamais le moindre cadeau au curé de son village.

— Pourquoi pas ? dis-je. Le lieutenant Becker m'est sympathique. Et le Dr Meuriot avant moi lui avait prêté l'infirmerie.

— Mais vous ne vous rendez pas compte, docteur ! Ils sont à peine une dizaine et ils diffusent leurs prières dans tout le bord.

— Et alors ?

— Docteur ! Et les gars qui ont été de « quart » la nuit précédente ? Pour eux, le dimanche matin, c'est un matin comme les autres ! Ils ont envie de roupiller !

A cela, quoi répondre, sinon que les roupilleurs ne sont pas forcés de brancher le bas-parleur à côté de leurs banettes ? Mais ne voulant pas polémiquer, je me replonge dans mes paperasses.

Au bout d'un moment, comme Le Guillou tourne et vire dans l'infirmerie et que ma corvée est finie, je lui dis :

— Ça va, la coop, Le Guillou ?

— Très bien ! Je fais des affaires d'or. Et ce qui est plus important, je vois beaucoup de monde. Justement, docteur, je voudrais vous dire. Il y a un gars, parmi mes clients, qui file un mauvais coton. Il s'appelle Brouard. Il est second maître mécanicien.

— Il vous a parlé ?

— Non, justement.

— Alors, comment savez-vous qu'il file un mauvais coton ?

— Il vient tous les jours m'acheter cent grammes de bonbons.

— Et c'est une preuve, ça ?

— En un sens, oui. Car s'il a besoin de bonbons pour se passer son envie de fumer, pourquoi n'en achète-t-il pas tout de suite un ou deux kilos au lieu de venir tous les jours m'en acheter cent grammes ? Non, non, la vérité, docteur, c'est que c'est un gars qui cherche le contact.

— Mais vous avez dit qu'il n'ouvre pas la bouche.

— Enfin, si, il parle ! Mais de choses et d'autres. Vous comprenez, il tourne autour du pot. Vous devriez le voir. Peut-être à vous il dirait ce qui ne va pas.

— Je ne peux quand même pas le convoquer. Sous quel prétexte ?

— Le prétexte, c'est qu'il tousse.

— Eh bien, dites-lui de venir me voir à ma consultation. Je verrai. Comment s'appelle-t-il déjà ?

— Brouard. C'est un grand maigre, la poitrine rentrée. Il a des yeux salement tristes, si vous voyez ce que je veux dire.

CHAPITRE IV

Les familigrammes qui sont normalement distribués par les trans sont ce samedi soir au dîner remis aux intéressés par le commandant en second. Et quand je le vois à la fin de la troisième semaine pénétrer dans le carré, les feuilles jaunes à la main, stupidement, mon cœur se met à battre. Je détourne les yeux aussitôt et m'absorbe dans une orangeade qui n'est pas plus grisante que les pensées qui me viennent.

J'entends autour de moi une litanie de voix sourdes : merci, commandant, merci, commandant, merci, commandant — et je note une fois de plus qu'il y a chez les officiers deux écoles : les uns enfouissent le familigramme dans leur poche pour le savourer à loisir dans leur chambre, les autres le lisent séance tenante. Quant à moi, pendant la distribution, je suis très occupé à couper les ailes à toute velléité d'optimisme en me répétant que, bien sûr, je ne recevrai rien.

« Merci, commandant ; merci, commandant ; merci, commandant. » Voilà, c'est fini. Je vois du coin de l'œil que les mains du second sont vides. Chose étrange, j'ai du mal à en croire mes yeux. Si fortement que je me sois armé contre elle, la déception me tombe dessus et me serre à la gorge. Preuve que je n'avais pas vraiment réussi à tuer l'espoir.

Si je revois un jour Sophie, je le lui dirai : rien n'est plus cruel que le silence puisqu'il laisse subsister l'espérance tout en la décevant toujours. Mieux vaudrait le coup de bistouri de la rupture : la plaie cicatriserait plus vite. J'ai bien du mal, pendant le repas, à ne pas sombrer, moi aussi, dans la taciturnité et à remplir décemment mon rôle d'animateur. Par bonheur, Verdelet, qui, lui, a reçu un familigramme de sa fiancée, se montre ce soir étincelant de verve, si bien que mon éclipse passe inaperçue, sauf peut-être du commandant Picard, dont à table je surprends sur moi le regard aigu, vite détourné. Je saurai plus tard qu'il est hostile à l'institution des familigrammes, si humaine qu'elle paraisse être en son principe.

Ma nuit est agitée de rêves pénibles. Je me trouve à Prague, ville pourtant que j'aime entre toutes pour son charme, et parcourant une fois de plus le quartier fascinant de la *Mala Strana*, je perds mon guide. Mais connaissant bien la ville, je me rassure. A tort, car je perds aussitôt mon chemin. Les passants auxquels je m'adresse successivement en anglais, en français et en allemand ne me comprennent pas ou, semble-t-il, ne veulent pas me comprendre. J'erre interminablement dans des rues qui, toutes, débouchent sur des impasses. Finalement, je me retrouve devant mon hôtel, l'hôtel Alkron, dont je chéris les peluches rouges, les grandes tentures, les meubles vieux jeu et les serveurs cousus dans leurs smokings. Je demande ma clé au portier. « Mais pardon, Monsieur, me dit-il en anglais d'un air stupéfait, comment vous appelez-vous ? » Je lui dis mon nom. « Mais, dit-il, nous n'avons personne de ce nom ici, et le numéro de chambre que vous demandez n'existe pas. » Ils sont trois derrière le comptoir de la réception à me regarder avec une réprobation polie. Je suis saisi de honte et me retrouve dans la rue. J'ai tout perdu : mon guide, mon chemin, mon hôtel et ma valise qui, elle, est restée dans « ma » chambre.

Je me réveille en sueur sur ma banette, et ce n'est qu'au bout d'un moment que je retrouve dans ma cervelle assez d'humour — l'humour, comme on sait, est une des formes de courage — pour admirer à quel point mon inconscient a bien fait les choses : m'envoyant un cauchemar kafkaïen, il l'a situé à Prague.

Par malheur, mon ironie n'a pas réussi à désarmer la férocité de mon moi obscur. Car dès que je me rendors, je fais le même rêve, se déroulant dans les mêmes conditions et les mêmes endroits, avec une seule variante : ce n'est pas ma valise que cette fois je perds, mais pis encore, la sacoche contenant mon argent et mon passeport.

De tous les cauchemars, le cauchemar itératif est le plus fatigant, car il vous donne l'impression d'être emprisonné dans une obsession dont on ne trouvera jamais l'issue. Et quand enfin le branle-bas me réveille pour de bon, il me faut un assez long moment pour me débarrasser de l'impression d'irrémédiable perte que ces songes déplaisants m'ont donnée, alors même que je sais pertinemment que tous mes biens terrestres sont là, bien rangés, dans mes placards. Je me lève, la tête ennuagée, la nuque lourde, et pour la première fois depuis que j'ai embarqué sur un SNLE, l'envie irrésistible me vient d'ouvrir une fenêtre, de voir le ciel, et de respirer l'air du large. C'est très fugitif. La réalité rétablit vite son empire sur moi, et dès que je suis rasé, douché et habillé, je me retrouve dans ma peau rassurante d'animal sociable et raisonnable.

Au petit déjeuner du carré où je suis seul à table avec Miremont, j'enfreins mon régime restrictif : J'avale, comme disent les Italiens, *una grande colazione :* croissants, brioches et pains au chocolat. Je me dois bien cette petite compensation après la nuit que j'ai passée. Et j'engage la conversation avec Miremont. Ce qui n'est pas facile. Non qu'il ne soit pas d'un abord aimable. Mais comme dit Le Guillou de Morvan : « Il faut un levier pour lui desserrer les dents. »

Le lieutenant de vaisseau Miremont (trois galons) est notre énergue. Traduisez : le chef du service réacteur. Il a mon âge, mais me paraît plus âgé, peut-être parce qu'il est très peu enclin à la plaisanterie. C'est un homme de taille moyenne, le cheveu brun, l'œil marron bordé de cils foncés. Il porte sur son visage un air de sérieux et de franchise et il ne vous viendrait même pas à l'idée de dire que ses manières sont simples, tant elles le sont.

Je n'ai pas l'impression qu'il s'intéresse à grand-chose en dehors de son métier. Mais dans son métier, c'est un perfectionniste. Reçu comme tous les « bordaches » au concours de Navale sur le même programme que Polytechnique, il a le titre d'ingénieur. Mais cela ne lui a pas suffi. Il a passé les examens de l'Institut national des Sciences et Techniques nucléaires à Saclay, et il a obtenu un diplôme civil d'ingénieur en génie atomique. Il a déjà accompli trois patrouilles de soixante à soixante-dix jours à bord d'un SNLE.

Je confesse que, comme tous ses pairs, il m'épate assez, tant il me paraît difficile d'aller plus avant que lui dans la compétence, plus loin dans la pratique, plus haut dans le désintéressement. Car si ce garçon voulait quitter la Marine et « pantoufler » dans le privé, il doublerait son revenu. Il n'y pense même pas. Il ne vous dira pas : « J'adore mon métier. » Ce n'est pas son style. Il emploiera une litote : « Voyez-vous, m'a-t-il dit, en me regardant de ses yeux francs et modestes, je ne me suis jamais embêté dans mon métier. »

J'ai eu beaucoup de mal, il y a deux jours, à lui arracher cette phrase du bec, et ce matin, tandis qu'il déjeune, muet et les yeux baissés, je me sens, au moment de l'entreprendre, découragé à l'avance. Il a l'air si fermé, si muré dans ses maths. Toutefois, je m'éperonne : ce n'est pas parce que j'ai perdu mes valises toute la nuit que je vais renoncer à vivre et à comprendre. Qui était Sophie, après tout ? Un être humain d'un mètre soixante-cinq, pesant quarante-cinq kilos, je dis bien, quarante-cinq kilos, en majeure partie composé d'eau. Vous n'ignorez pas, en effet, que les cellules du corps féminin sont plus aqueuses que celles du nôtre. Peut-être est-ce la raison pour laquelle les femmes sont parfois si fluides, si insaisissables...

Lectrice, pardon, arrêtez-moi si je dis des bêtises. Et je vous prie, tenez-vous invisiblement à ma droite, votre douce et gentille main sur mon épaule tandis que j'avale — par désespoir — deux pains au chocolat et hésite à me lancer à l'assaut de cette montagne de science et d'ingénierie que je vois devant moi, si étrangère à mes affres.

Et justement, allez-vous dire, pourquoi ces affres, vous qui parliez de Sophie jusqu'ici avec tant d'ironie ? Et pourquoi vous devient-elle si chère au moment où elle vous quitte ? Je ne sais pas. Il se peut que mon enfermement m'ait rendu plus dépendant d'elle que je ne l'étais à l'air libre, puisque c'était d'elle seule que j'attendais un familigramme. Son silence n'est pas tant cruel parce que je l'aime que parce qu'il coupe le seul fil qui me rattache à la vraie vie, celle du ciel et des arbres.

— Miremont, dis-je.

Il lève la tête, presque surpris de me voir là, et pousse un petit soupir : il se rend compte qu'il va falloir qu'il parle et, comme il n'en voit pas la nécessité, il ne se sent pas très à l'aise. Vrai, j'ai presque pitié de lui. Et je commence d'une voix douce pour ne pas le traumatiser davantage :

— Tu sais, Miremont, je te le dis à toi, parce que tu es l'énergue du bord, il y a une chose qui m'étonne : c'est le mariage entre une technique aussi moderne et raffinée que l'énergie nucléaire avec une technique aussi vieille et simplette que la machine à vapeur.

Mon étonnement visiblement l'étonne, et il doit penser *in petto* qu' « un éléphant, ça dit n'importe quoi » (comme le prétend le bordache Angel) parce qu'il répond sur un ton de discrète mise au point :

— Pourquoi ? C'est bien comme ça que ça se passe dans une centrale nucléaire de l'EDF : le réacteur dégage de la chaleur. Cette chaleur est utilisée pour produire de la vapeur et cette vapeur entraîne des turbo-alternateurs qui produisent l'électricité.

Lectrice, si vous avez la bonne grâce de me dire que vous ne le saviez pas, je vais vous faire un aveu : moi non plus. Oui, je l'admets volontiers, honte à moi ! honte à nous ! C'est une chose que tout un chacun devrait connaître. Il suffirait, pour l'apprendre, d'ouvrir un dictionnaire.

— Nous ne faisons pas autre chose, dit Miremont, sauf que nous, nous utilisons aussi la vapeur dans les turbines qui font tourner la ligne d'arbre et l'hélice.

— En somme, dis-je au bout d'un moment, votre réacteur est une sorte de marmite qui fait bouillir de l'eau. Mais dans ce cas, l'eau doit être radioactive et je ne vois pas comment on peut utiliser sa vapeur.

— On utilise la vapeur qui vient d'une autre eau, dit Miremont. Il y a, en fait, deux circuits d'eau complètement indépendants l'un de l'autre. Le premier circule entre les éléments du réacteur, et l'eau qu'il contient est, en effet, radioactive. Elle atteint une température élevée, mais ne peut bouillir, étant pressurisée.

— Pressurisée comment ?

— Mais par un pressuriseur, dit Miremont en levant les sourcils avec un étonnement poli.

Mais bien sûr ! Cela va de soi ! Comment l'eau est-elle pressurisée ? Par un pressuriseur ! Je me sens un peu gêné. Je confesse que je n'ai jamais vu un pressuriseur, ni à l'hôpital de Bordeaux ni ailleurs.

— Cette eau radioactive, reprend Miremont, cède sa chaleur grâce à un échangeur de température à un deuxième circuit d'eau, qui, elle, n'est pas radioactive, et, n'étant pas non plus pressurisée, arrive à ébullition et produit la vapeur.

— Et qu'arrive-t-il, dis-je, à l'eau du circuit primaire ?

— Elle revient, froide, dans la cuve du réacteur, le refroidit, se réchauffe à son contact, retourne à l'échangeur, y perd de nouveau sa chaleur au bénéfice du deuxième circuit d'eau, retourne à la cuve, et ainsi de suite.

Je regrette fugitivement, tandis que je m'absorbe dans ma tasse de thé, de n'avoir pas suivi une carrière scientifique, tant ce double circuit d'eau me paraît astucieux, voire même « élégant ». Terme que je n'emploierai pas avec Miremont, encore qu'il soit la dernière personne au monde à sourire, et de mon ignorance et de mon enthousiasme. Je me dis cela en buvant mon thé comme le pacha, à petits coups dévotieux, avançant machinalement la main vers un des petits pains au chocolat dont la corbeille devant moi est encore pleine. Je me bride juste à temps, effrayé et culpabilisé par le nombre de calories que j'ai déjà absorbées.

Comme Miremont m'invite à venir voir les choses de plus près, je le suis, le petit déjeuner fini, jusqu'à la tranche C.

Le CRE (le compartiment réacteur-échangeur) occupe toute la longueur et hauteur du bateau. On y accède par une petite coursive tout en haut, fermée aux deux bouts par une porte étanche. Quand vous venez de la tranche D (régénération de l'air) une petite lumière verte ou rouge vous autorise, ou vous interdit, le passage. La deuxième porte, à l'autre bout de la coursive, vous mène à la tranche B et comporte à l'extérieur le même dispositif.

Ces deux portes étanches sont plus épaisses que des portes de coffre-fort et se ferment avec une vanne monumentale et un levier. La coursive qu'elles isolent ainsi est l'antichambre du monstre. Miremont me montre la très petite porte d'acier par laquelle un homme de corpulence moyenne peut passer pour descendre jusqu'au réacteur.

— Bon, dis-je, alors, on y va ?

— Où ? dit-il.

— Mais, là, dis-je, dans le compartiment réacteur.

Miremont me regarde. Il n'en croit pas ses oreilles. Il est stupéfait par mon inconscience.

— Mais jamais ! Jamais ! dit-il. Jamais en mer ! Jamais quand le réacteur est en marche. Uniquement quand il est en arrêt. Et seulement sur l'ordre du commandant. Et, bien sûr, avec des scaphandres.

— Et à terre, dis-je, y pénètre-t-on ?

— Oui, à quai. Dès qu'on arrive, on met le réacteur en arrêt chaud, on prélève de l'air à l'intérieur du CRE. S'il est respirable, une équipe spécialisée y descend.

— Et s'il n'est pas respirable ?

— Elle y pénètre aussi, mais avec des masques branchés sur un circuit d'air extérieur.

— Et que fait cette équipe ?

— Elle mesure minutieusement dans tous les coins avec un compteur Geiger le degré de radiation.

— Opération qui semble indiquer qu'il peut y avoir des fuites.

— Il peut y en avoir.

— Où ?

— Dans l'échangeur de température au niveau des raccordements et des vannes. Comme dans un chauffage central, ajoute-t-il avec un sourire, et beaucoup moins souvent.

— Sauf, dis-je, que les fuites d'eau d'un chauffage central ne sont pas radioactives.

— C'est bien pourquoi on a fabriqué pour les réacteurs des joints spéciaux. Des joints très fiables. J'ai fait trois patrouilles et je n'ai jamais eu de fuite.

— Tu as évoqué tout à l'heure la possibilité d'un gros pépin.

— Je pensais au feu.

— Le feu peut prendre dans le compartiment réacteur ?

— Comme partout où il y a des instruments qui fonctionnent à l'électricité.

— Et que fait-on alors ?

— On arrose le compartiment avec de l'eau, copieusement. L'arrosage est automatique. Tu m'excuseras, poursuit-il, mais je dois aller prendre mon quart au PCP. Je te verrai à midi.

Je le quitte et tandis que, par les coursives, je passe de la tranche C à la tranche F — disant un petit bonjour ou un petit mot à tous ceux que j'ai déjà soignés —, j'ai l'esprit plein de cette étrange idole enfermée dans le saint des saints, invisible et inaccessible, sauf, en de certaines circonstances, à ses prêtres, revêtus pour l'occasion de robes spéciales et porteurs d'objets aussi visiblement liturgiques que des compteurs Geiger, par lesquels ils rendent honneur — comme avec des encensoirs — au pouvoir de ce dieu qui peut être tour à tour merveilleusement bénéfique, puisqu'il nous fournit la lumière et le mouvement, ou abominablement maléfique, si notre culte minutieux s'avère défaillant.

Contre ma poitrine, comme tous ici, je porte, en guise de médaille sacrée, un dosimètre à mes nom et matricule, lequel, enlevé et remplacé au bout d'un mois, est envoyé, en fin de patrouille, à un laboratoire central qui développera le film et portera sur ma fiche les doses de radiations que j'ai ou non reçues de l'Idole (ne serait-ce qu'en osant passer par son antichambre), le laboratoire prévenant aussitôt mon unité si ces doses lui paraissent anormales.

Au PCNO, je passe à côté du second, qui, se tournant vers moi avec un petit sourire au coin de son œil vif, me dit :

— Alors, toubib, vous avez fait plancher l'énergue sur le réacteur. Ça a marché ?

— Comment, commandant ? Vous savez déjà ?

— Je sais tout, dit Picard avec son petit rire abrupt.

— Alors, dis-je, vous pourrez peut-être me dire s'il est déjà arrivé qu'un gars se fasse irradier ?

— A ma connaissance, jamais, dit Picard.

Il se met à rire.

— Ah si, une fois ! Voici comment ça s'est passé. Quelques jours après un de nos retours à l'Ile Longue, le laboratoire nous prévient qu'un quartier-maître a reçu une dose, à vrai dire peu dangereuse. On s'en étonne et on découvre que l'homme, justement, avait eu un empêchement au dernier moment et n'avait pu embarquer avec nous... On procéda alors à une enquête minutieuse et on découvrit qu'il avait sur les flancs du Menez Hom, dans le centre de la Bretagne, travaillé dans son jardin à un petit muret. Les pierres étaient radioactives — faiblement, mais assez pour qu'on en décelât les effets.

Il rit de nouveau et me jetant un œil aigu, il ajoute :

— Et vous, toubib, vous ne souffrez pas trop des effets de l'enfermement ? Le moral tient ?

Je vois très bien à quoi il pense et je dis aussitôt :

— Voyez-vous, commandant, il m'arrive comme à tout le monde d'avoir de petites baisses de moral, mais chez moi, ça ne dure pas. Je rebondis toujours.

— Je l'aurais juré, dit-il, et comme je m'en vais, il me donne sur l'épaule une petite tape amicale.

***

Je gagne l'infirmerie où Le Guillou me dit :

— Ah, docteur, Brouard vient de passer.

— Brouard ?

— Vous savez bien, docteur. Celui qui m'achète tous les jours cent grammes de bonbons à la coop.

— Oui, oui, je me souviens.

— Il n'a pas pu vous attendre. Il était de quart. Mais il a dit qu'il repasserait cet après-midi.

— Bien. Je le verrai. Que fait Morvan ?

— Il dort, dit Le Guillou avec satisfaction.

— Et qui a briqué à clair l'infi ?

— C'est moi.

— Infirmier-major, vous ne trouvez pas que vous maternez un peu trop votre second ?

— Dans le service il est impec, dit Le Guillou défensivement. Et dès qu'il y a un coup de feu, je lui corne le branle-bas aux oreilles et il rapplique.

Ce matin, en tout cas, le « coup de feu » — métaphore empruntée à la cuisse — ne va pas nous mettre le sang aux joues. Deux clients : une coupure à l'index. Et une brûlure d'estomac.

Pendant que Le Guillou désinfecte et panse l'Index, je questionne l'Estomac :

— Il y a longtemps que ça vous brûle ?

— Depuis le début de la patrouille.

— Comment va le moral ?

— Très bon, docteur.

— Bonnes nouvelles de chez vous ?

— Excellentes.

— Marié ? Des enfants ?

Il rayonne :

— Marié. Deux enfants.

— Vous vous ennuyez d'eux ?

— Forcément. Mais je ne suis pas inquiet. Ma femme, ce n'est pas une mauviette.

Bien sûr ! La femme du marin, c'est par définition une forte femme, dure à la peine, douce à l'homme, une vraie madone pour ses enfants. Depuis Victor Hugo, tout le monde sait cela. Vous vous rappelez *les Pauvres Gens :* « Tiens, dit-elle en ouvrant les rideaux, les voilà ! »

— Le Guillou, vous lui donnerez un Alka, un seul.

— Un seul ? dit l'Estomac. Et si la brûlure revient ?

— Vous faites comme moi. Vous mangez moins.

A la réflexion, j'ai un peu honte de me citer en exemple après mes excès du matin. Difficile pour un esprit consciencieux, même dans un domaine aussi humble, d'échapper à la notion du péché. Et pis encore, à l'autopunition. Comment expliquer sans cela que, la faim me tourmentant déjà, j'attends pour l'apaiser le second service ?

J'y retrouve Miremont.

— Justement, dis-je. J'avais quelque chose à te demander. Si en mer tu n'entres jamais dans le compartiment réacteur, qu'est-ce que tu fais ?

— Il ne faut pas croire que je me tourne les pouces, dit-il sans l'ombre d'un sourire. A la mer, je pilote le réacteur. Enfin, pas moi tout seul. Nous sommes trois : Callonec, Becker et moi.

— En d'autres termes, dis-je, le prop, le sec-plonge et l'énergue.

— Comme tu sais, nous prenons le quart à tour de rôle au PCP.

— Vous n'êtes que trois. Ça doit faire beaucoup de quarts ?

— Oui, pas mal, c'est assez stressant. Ennuyeux même à la longue. Mais le commandant Forget nous remplace de temps en temps pour nous soulager.

— Et chacun, à tour de rôle, vous pilotez le réacteur ?

Il se rebiffe un peu.

— Tu l'as déjà demandé à Callonec !

— Mais il m'a renvoyé à toi. Après tout, c'est toi l'ingénieur en génie atomique, non ?

— C'est moi, dit-il avec une sorte de fierté modeste. Bon, alors, qu'est-ce que tu veux que je t'apprenne ? poursuit-il avec un soupir.

— Comment et pourquoi on pilote un réacteur ?

— On le pilote à la hausse et on le pilote à la baisse.

— Ce qui veut dire ?

— On intensifie la réaction nucléaire ou on la ralentit.

— Et comment fait-on cela ?

— Avec les barres. On les enfonce pour ralentir la réaction et on les relève pour l'intensifier.

— Et qu'est-ce que c'est que ces barres ? En quoi sont-elles faites ?

— En afnium, je crois.

Il croit ! Il n'en est pas sûr ! Bien ! S'il est si discret, je le serai aussi.

— Pratiquement, comment ça se passe ?

— Le commandant veut accélérer l'allure. Il commande « Avant 4 ».

— Oui, ça, je sais. L'ordre est transmis électriquement au PCP. Sonnerie. Petite lumière d'en face d'Avant 4. L'opérateur actionne un levier pour admettre davantage de vapeur.

— Et moi, je pilote le réacteur à la hausse, si cela est nécessaire : je sors les barres de la cuve, et la réaction nucléaire s'intensifie. Bien sûr, je commande les barres à distance, par le moyen d'une simple manette au PCP.

— Les barres ou les croix ?

— C'est la même chose.

— Et quand le commandant revient à Avant 2, tu pilotes le réacteur à la baisse ?

— Oui, j'enfonce éventuellement les barres dans la cuve. Plus on les enfonce dans la cuve, plus les neutrons sont absorbés. A la limite, on peut arrêter la réaction nucléaire.

— Quand tu pilotes à la hausse, il y a une limite à la température que peut atteindre le réacteur ?

— Je pense bien ! Tu ne voudrais pas que le cœur se mette à fondre !

— Et quand faut-il abaisser la température du réacteur ?

— Quand elle est trop forte relativement à la pression qui empêche l'eau du circuit primaire de bouillir.

— Avoue que je t'embête avec mes questions ?

— Mais non, mais non, dit-il stoïquement.

— Encore une et j'ai fini. A quel degré de température la chaleur du réacteur devient-elle dangereuse ?

Il baisse les yeux et se ferme comme une vierge.

— Ça, dit-il, je ne sais pas tellement si je peux te le dire...

A l'infirmerie, à une heure et demie, je trouve Brouard. Je le fais déshabiller et, en conscience, je l'ausculte. Sans rien trouver, bien sûr. Il ne serait d'ailleurs pas ici s'il avait quelque chose : on l'aurait dépisté à terre.

— Eh bien, Brouard, dis-je, vous avez une petite laryngite. Rien de bien grave. Le Guillou va vous donner des pastilles à sucer. Un sous-marin, forcément, il y a des courants d'air. La température varie selon les tranches. Vous êtes peut-être plus sensible qu'un autre à ces variations. Revenez me voir, si ça ne passe pas.

Ceci, au cas où je n'aurais pas réussi du premier coup à faire sortir cet escargot de sa coquille. Car on ne peut pas dire que Brouard, même s'il en a envie, se confie volontiers. Il a deux rides profondes qui partent des narines et encadrent la bouche. On les appelle les rides du sourire, mais bien qu'elles soient très creuses chez lui, ni le rire ni le sourire ne doivent en être la cause. Il a des yeux mordorés par la couleur, mais tristes par l'expression, qui me font penser aux yeux d'un épagneul que j'ai bien connu, et qui me possédait toujours par la mélancolie de son regard. Les lèvres sont pressées, froncées, tombantes. Et il a le teint si jaunâtre qu'il aura bien du mal à tourner au blême, comme tout le monde, en fin de marée.

Comme il se rhabille, l'œil baissé et sans piper mot, je lui tends la perche.

— Vous n'avez pas trop bonne mine. Vous n'avez pas d'ennui du côté digestif ?

— Non, docteur, aucun.

— Alors, c'est le moral ? Il y a quelque chose qui ne va pas ?

Il me jette un œil.

— Rien du tout.

Le regard est méfiant. La physionomie fermée. Le ton sec et presque agressif.

— Bien, dis-je, revenez me voir, Brouard, si la toux continue.

Brouard s'en va avec un « merci, docteur » plus murmuré que dit.

Le Guillou, qui s'était retiré par discrétion dans la chambre d'isolement, reparaît. Je hausse les épaules.

— Il n'est pas commode et il veut garder ses soucis pour lui. Mais il en a, vous avez raison. Il est bien vu par ses camarades ?

— Très bien, pas causant, mais toujours prêt à rendre service.

— Il a un copain ?

— Oui, Roquelaure.

— Roquelaure ! Le Marseillais ! Et ils s'entendent ?

— Très bien. Ils se disputent, mais ils s'entendent. Roquelaure lui reproche de n'être pas causant. Et Brouard le traite de pie. Comme quoi, dit Le Guillou, il faut de tout pour faire un monde.

Faute d'entraînement — n'est pas curé qui veut —, je me

sens un peu mal à l'aise de me livrer, avec la complicité active de Le Guillou, à ce genre d'inquisition. Pourtant, elle fait partie de mes fonctions non écrites et je la crois utile.

Cinq jours après l'accouchement raté de Brouard, je suis en compagnie de mes pairs en train de terminer un savoureux repas, quand Wilhelm vient me dire à l'oreille :

— Docteur, Le Guillou vous réclame d'urgence à l'infirmerie.

Je jette un œil au morceau de tarte à l'ananas qu'il vient de me servir et un autre au pacha, lequel, d'ailleurs, a entendu, et me fait « oui » de la tête. Je me lève.

— Je vous la mettrai de côté, docteur, dit Wilhelm.

Ce qui fait rire à la ronde, ma gourmandise et les efforts que je fais pour la refréner étant connus.

C'est peu de dire que je suis soucieux. Je viens d'avoir à l'infirmerie le cas d'un homme qui, pendant quatre jours, a eu la fièvre sans présenter aucun des symptômes d'une maladie connue. Quatre jours pendant lesquels je me suis demandé : « Qu'est-ce qu'il va encore me faire, celui-là ? » Et puis, au matin du cinquième jour, la fièvre a disparu et l'homme s'est remis sur pied — sans que j'y sois pour rien.

A l'infirmerie, je vois Le Guillou désinfecter la main gauche ensanglantée de Roquelaure. Je m'approche et l'examine. Roquelaure est un peu pâle, il grimace, mais c'est un petit gars mince et nerveux, il ne va pas s'évanouir.

— Qui est-ce qui vous a fait cela, Roquelaure ?

— Une fourchette, docteur.

Sous l'effet de la douleur, son accent marseillais, bien corrigé pourtant par de longues années de conjugalité bretonne, réapparaît. « Une fourchette, docteur », c'est presque du Pagnol.

— Et qui était au bout de la fourchette ?

Roquelaure se tait, ce qui produit d'autant plus d'effet qu'il est à l'accoutumée plus bavard.

— Ne cherchez pas, docteur, c'est Brouard, dit Le Guillou.

— Personne ne te demandait de le dire, dit Roquelaure.

— Allons, allons, dit Le Guillou, ça s'est passé à la caffe devant soixante personnes. Tu penses si maintenant tout le monde le sait.

— Il n'y est pas allé de main morte, Brouard, dis-je en examinant les petites plaies une à une, et en tâtant les articulations. Le Guillou, vous lui ferez une radio.

— Brouard, il s'est un peu énervé, c'est tout, dit Roquelaure. Tout le monde peut avoir un mouvement d'humeur, hein, quoi ?

— Et pour quelle raison, dis-je, ce mouvement d'humeur ?

— J'étais en train de l'engueuler. Vous me connaissez, docteur, je peux pas fermer ma grande gueule. Je parle, je parle !

— Et à quel sujet, cette semonce ? dis-je, pendant que Le Guillou dispose le tube pour lui faire la radio.

— Ça, docteur, il vaudrait peut-être mieux le lui demander, à lui.

— Erreur, erreur ! dit Le Guillou. Ta grande gueule, c'est justement l'occasion de l'ouvrir, Roquelaure. Le docteur, c'est le tampon entre les officiers et nous. Il peut faire beaucoup pour arrondir les angles, notamment pour Brouard.

— Eh bien, dit Roquelaure après un moment de silence, je l'ai incendié, Brouard, parce que ou bien il pipait pas, ou bien quand il parlait, c'était pour critiquer.

— Il critiquait quoi ?

— Tout !

— Et quoi, en particulier ?

— Le second, dit Roquelaure d'un air gêné.

— Le second ? dis-je en levant un sourcil, mais Brouard n'a rien à voir avec le second. Qu'est-ce qu'il lui reprochait, au second ?

— De censurer les familigrammes.

J'échange un coup d'œil avec Le Guillou.

— Et savez-vous pourquoi il lui adressait ce reproche ?

— Alors là, franchement, je ne sais pas du tout, docteur.

Un silence.

— Dites-moi, Roquelaure, qu'est-ce que vous avez fait quand Brouard vous a donné un coup de fourchette ?

— Rien. J'ai mis mon mouchoir autour de ma main, je me suis levé et je suis allé à l'infirmerie.

— Sans rien dire ?

— Ben non ! Brouard, c'est mon copain, quoi, hein ? Déjà qu'il avait l'air bien embêté d'avoir fait ça !

Je regarde la radio que me tend Le Guillou : aucun os n'est atteint. Je panse moi-même Roquelaure et je l'envoie se reposer.

— Le Guillou, je retourne au carré finir mon repas. Voudriez-vous rechercher Brouard et me l'amener ici dans une demi-heure ?

En reprenant ma place à table, je glisse en aparté au pacha : « Rien de bien grave », et je réclame à Wilhelm ma part de tarte.

— Malheureusement, docteur, dit Wilhelm avec componction, ces messieurs en ont disposé.

— Comment ça, disposé ? dis-je en levant le sourcil.

— Dans ton propre intérêt, toubib, dit Verdoux. Nous avons remarqué que ta taille s'épaississait beaucoup.

Je lui jette un œil, et un autre à Wilhelm qui, debout sur le seuil, semble considérer cette scène avec un intense amusement. Je comprends aussitôt et j'entre dans le jeu.

— Comment ça ? dis-je en regardant mon abdomen avec une feinte consternation. Ma taille s'épaissit ? Vous croyez ? Vous en êtes sûr ?

— Toubib, dit Miremont, je ne voulais pas te le dire, mais je m'en étais déjà aperçu !

— Moi aussi, dit Saint-Aignan.

— Ça crève les yeux, dit Verdelet. N'est-ce pas, commandant ?

Mais le commandant qui ne veut pas mentir, même pour s'associer à une farce, se contente de rire.

— C'est triste, à trente ans, d'avoir déjà du bide, dit Verdoux.

— C'est surtout triste de croire qu'on a du bide, dis-je d'un air grave.

— Comment ça ? dit Verdelet, tu ne le crois pas ?

— Si fait ! Si fait ! Je crois ceux qui essaient de me le faire croire.

— Et qui essaie de te le faire croire, toubib ? dit Verdoux.

— Mais tous, dis-je, et en particulier un petit galopin qui s'introduit chaque jour en catimini dans ma chambre pour couper deux centimètres de ma ceinture.

Ma torpille fait mouche. Le rire secoue le carré.

— Messieurs ! Messieurs ! dit le pacha, le toubib vous a bien eus ! Je propose qu'on rende à César ce qui appartient à César.

Le vote est acquis par acclamation, et Wilhelm, non sans un certain air de pompe et de jubilation, me rapporte ma part de tarte. Cette petite histoire, par ses soins, va faire le tour de notre petit village, et je n'en serais pas autrement mécontent si, à cet instant, la fourchette à la main, je ne repensais à Brouard.

***

— Vous voulez me voir, docteur ? dit Brouard d'un air fermé et la voix agressive, dès que je pénètre dans l'infirmerie, où il m'attend déjà.

— En effet, dis-je, mais pas si vous me parlez sur ce ton. Moi, là-dedans, je soigne votre toux et je soigne la main de votre copain. Si vous voulez qu'on n'aille pas plus loin, je suis d'accord.

J'ai parlé vite et sèchement, et ce début le douche un peu.

— Personnellement, j'ai rien contre vous, docteur, dit-il.

— Encore heureux.

— Mais voyez-vous, docteur...

— Vous ne voulez pas que je vous aide.

— M'aider ! M'aider ! dit-il exaspéré. Mais vous ne pouvez pas m'aider, docteur ! Pour moi, le sous-marin c'est fini ! On peut me faire tout ce qu'on veut ! Me foutre en taule, me casser de mon grade, annuler mes annuités de pension et même me chasser de la Marine, je m'en fous ! Ça ne changera rien à ma décision. Le jour où cette marée finit et qu'on rentre à l'Ile Longue, je mets mon paquetage à terre et je m'en vais !

— Remettez-vous, Brouard, dis-je, et, le prenant par le bras d'une main ferme, je le fais asseoir et je reprends : combien avez-vous fait de marées jusqu'ici ?

— C'est ma cinquième.

Il parle d'un ton calme, maintenant qu'il est assis.

— Cinq, dis-je, c'est plutôt long. Je vous comprends. Vous en avez assez. Vous aimeriez mieux avoir un emploi à terre à l'Ile Longue. Par exemple dans un atelier de la Marine, puisque vous êtes mécanicien. A mon avis, c'est très possible.

Il me regarde. Il est si stupéfait de me voir dédramatiser à ce point la situation qu'il en reste coi. Je reprends.

— Evidemment soixante ou soixante-dix jours quand on est marié, c'est plutôt pénible. Vous êtes marié ? Vous avez des enfants ?

— Je suis marié. Mais (il avale sa salive), je n'ai pas d'enfant.

— Et vous avez de bonnes nouvelles de votre femme ?

— Oui, dit-il, enfin, non.

— Comment ça, non ?

— La semaine dernière, dit-il d'une voix détimbrée, je n'ai pas reçu de famili (famili, c'est l'abréviation du bord pour familigramme).

— Et ça vous inquiète ?

— Ben oui, ça m'inquiète ! Vous parlez que ça m'inquiète ! Vu qu'elle est enceinte !

— Il n'y a pas de raison que ça se passe mal.

— Oh si ! dit-il avec un retour de son agressivité. Il y a une raison ! L'année dernière aussi, elle était enceinte. Elle a fait une fausse couche et elle a failli mourir, et moi, j'étais en marée et je ne l'ai même pas su !

— En somme, vous craignez que sa grossesse se passe mal de nouveau et que vous n'en sachiez rien.

— Voilà ! dit Brouard d'un ton qui hésite entre la colère et le soulagement.

Il répète :

— Voilà !

Et il se tait.

— La première fausse couche, dis-je après un silence, elle était due à quoi ?

— A une chute dans un escalier.

— Mais voyons, Brouard, dis-je, puisque la fausse couche de l'an dernier était accidentelle, elle n'a pas de raison, cette fois-ci, de se répéter.

Cette remarque l'ébranle, mais sans le convaincre vraiment.

— Mais si elle se répète, dit-il en explosant de nouveau, je ne le saurai même pas ! Et tout ça à cause de cette fichue censure !

Je le regarde. La lésion est là, de toute évidence, et bien là.

— Votre femme, dis-je, a peut-être oublié, la semaine dernière, d'envoyer un familigramme.

— Alors là, docteur, vous ne la connaissez pas !

— Ou encore, son familigramme est parvenu trop tard à la BOFOST pour être expédié ici.

— Ça, c'est possible, dit-il d'un ton morne, mais moi, en attendant, je me fais un sang d'encre, enfermé dans toute cette ferraille, sous l'eau, sans possibilité de communiquer !

Qu'un sous-marinier traite son bateau de ferraille, voilà qui en dit long sur sa déprime.

— Attendez-moi, Brouard, dis-je, en jetant un coup d'œil à ma montre. J'ai un mot à dire à quelqu'un et je reviens vous parler.

Je sors de l'infirmerie sans qu'il ait le loisir de répondre, et je pars à la recherche du second.

Le commandant Picard possède la même caractéristique que le patron : le don d'ubiquité. Nuit et jour, partout où l'on va sur le bateau, on est sûr de le rencontrer. Rien n'échappe à son œil noir, vif et brillant. Il voit tout, il comprend tout et il réagit très vite, par une petite phrase lapidaire qui vous laisse sans réplique aucune. Il rit volontiers, à grand éclat, mais brièvement, l'œil et l'oreille déjà aux aguets pour ce qui va suivre, étant toujours tout au moment présent, et saisissant le fin mot de l'histoire — de toute histoire — avant n'importe qui. Qualité rare, il sait aussi écouter, et encore qu'il soit armé d'un redoutable humour, il ne manque ni de bienveillance ni de chaleur humaine.

Je trouve le commandant Picard au PCNO sur la plate-forme des périscopes — des trois périscopes qu'on n'utilise jamais en raison de la *discrétion*, mais qui sont là quand même « en cas de besoin ».

Je le rejoins :

— Commandant, dis-je, je peux vous poser une question indiscrète ?

Son petit œil noir se met à briller.

— Loin de moi, dit-il, la pensée de vous contrarier dans l'exercice de votre spécialité...

Sa flèche lancée, il rit pour en désarmer la pointe.

— Avez-vous censuré la semaine dernière un familigramme ?

— Non.

— Je peux le dire à Brouard ?

— Envoyez-le-moi. Je le lui dirai.

Bien sûr, Picard sait déjà tout, ou presque tout. Je reprends :

— La fourchette, ça va lui coûter combien ?

— Dix jours d'arrêt à bord.

— Et comment fait-on les arrêts à bord ?

— En travaillant normalement.

— C'est donc une punition tout à fait théorique ?

— Qu'est-ce que vous proposez ? dit-il d'un ton tout à fait sérieux. Le mettre en vigie toute la nuit au sommet du grand mât, le fourrer quinze jours à fond de cale les fers aux pieds ? Ou lui faire donner cent coups de chat à neuf queues par le patron ?

— Ou encore, dis-je, l'attacher à l'antenne filaire pendant vingt-quatre heures ?

— Vingt-quatre heures sans recevoir de message ? dit Picard. Toubib, vous n'y pensez pas !

Après quoi, il rit de son rire éclatant et bref, me jette un regard en coup de sonde et dit :

— Allez-y !

— Comment « allez-y » ?

— Posez votre troisième question.

C'est déconcertant. Il sait aussi bien que moi comment mon esprit fonctionne.

— Bien, dis-je, voici ma dernière question : est-ce faisable de trouver à Brouard un travail à l'Ile Longue dans un atelier ?

— C'est non seulement faisable. C'est souhaitable.

— Pourquoi « souhaitable » ?

— Je vous ferai remarquer, dit Picard, que la question précédant celle-ci n'était pas la dernière, mais la pénultième.

— Touché !

— Je vous réponds : l'homme est un excellent mécanicien, mais il a les nerfs trop fragiles pour faire un bon sous-marinier. Ce qui vient de se passer le prouve. Et...

Il me prend par le bras et le serre.

— Gardez pour vous cette appréciation, toubib. Et merci. Merci pour tout.

Je me demande s'il ironise encore.

— Vous ne trouvez pas que je sois sorti de mon rôle ?

— Pas du tout. Et si vous savez pourquoi Brouard s'en prend si violemment à la censure des familigrammes, vous m'obligeriez en m'en donnant la raison.

Je la lui donne. Il m'écoute, la tête un peu de côté, son œil vif et perçant fixé sur le mien.

— Eh bien, dit-il pensivement, tout s'éclaire.

Comme il se tait, je prends l'offensive :

— Vous vous demandez si censurer les familigrammes fait plus de mal que de bien ?

Il réagit vite :

— D'abord, nous ne censurons pas les familigrammes. Nous retardons l'annonce d'un décès à l'intéressé pour lui éviter des souffrances morales inutiles, puisque, de toute façon, étant enfermé avec nous sous l'eau, il ne peut pas courir rejoindre les siens. En outre, le retard de l'annonce n'est pas automatique. Le commandant et moi nous en discutons pour chaque cas. Et enfin, en début de patrouille, nous demandons aux hommes de l'équipage de nous prévenir si l'un de leurs proches est atteint d'une maladie grave dont ils redoutent l'issue. Dans ce cas, nous ne retardons pas l'annonce. Ce que nous voulons éviter, toubib, c'est le choc d'un décès imprévu et ses effets désastreux sur le moral de l'homme.

— Et partant, dis-je, sur le moral de l'équipe dont il fait partie.

— Naturellement, dit Picard, nous pensons aussi au bateau. Est-ce que ça vous choque ?

— Pas du tout. J'entends bien que le maintien du moral est important. Aussi important, en fait, que la maintenance du matériel.

— Bonne formule, toubib ! dit le second avec son petit rire particulier.

Je dis « petit » en me référant à la durée, non au volume. Car en fait, son rire est fort, éclatant, hennissant, mais brusquement syncopé.

— Bonne formule ! répète Picard. Si j'écris un jour un manuel du sous-marinier, je vous l'emprunterai.

— Et je vous réclamerai des droits d'auteur.

Sur cette plaisanterie usée (mais toujours utile, comme ses semblables, et de bon service dans les rapports sociaux), nous nous séparons, assez satisfaits l'un de l'autre. Et je retourne à l'infirmerie dire à Brouard que le second l'attend.

— Ne vous inquiétez pas, dis-je. Ça va plutôt bien se passer, vu les circonstances.

Il murmure un « merci, docteur » et il s'en va, non sans que Le Guillou tire à son avantage la leçon de l'incident :

— Vous voyez, docteur, que ça sert à quelque chose que vous coiffiez la coop, et que j'en sois le vendeur. Si Brouard ne m'avait pas acheté cent grammes de bonbons tous les jours, je n'aurais jamais deviné qu'il avait quelque chose sur le cœur.

Bref, Le Guillou, Brouard, le second et moi-même, tout le monde est content. Quant à Roquelaure, admiré par tous, il va promener à bord sa main pansée de blanc (et de probité candide) comme le symbole, tout à la fois, de la bonne camaraderie sous-marinière et d'une réaction contrôlée particulièrement méritoire.

— Merci de nous avoir aidés, toubib, dit le pacha que je retrouve au carré à l'heure du thé.

De son œil bleu chaleureux, il me jette un regard, un seul. Il n'en dit pas plus, et boit son thé à petites gorgées dévotieuses.

Les buveurs de thé peuvent se diviser, à mon sentiment, en deux catégories : Les « conventionnels » qui, à la limite, ne savent même pas ce qu'ils boivent, et les « aficionados » qui hument le bouquet de la tasse fumante avant d'en savourer les délices.

On reconnaît les aficionados à des signes indubitables : ils attendent que leur thé refroidisse avant de le porter à leurs lèvres, ne voulant pas brûler leurs délicates papilles. Ils le boivent à petits coups gourmands et, surtout, ils ne fument pas, ne voulant gâter ni leur goût ni leur odorat.

L'animal favori des aficionados, c'est le chat. Et leur poète favori, c'est Cowper qui le premier célébra « *the cups that cheer but not inebriate* (1) ».

Pourquoi le chat ? Mais, bien entendu, parce que de tous les animaux domestiques, c'est celui qui possède au plus haut degré ce sentiment de confort tranquille, immobile et silencieux, grâce auquel les aficionados, à l'heure du thé, revigorent leurs forces.

Je puis, certes, éprouver quelque commisération pour les conventionnels, mais je ne saurais nourrir de l'estime pour leur amateurisme. L'aficionado seul est mon frère. Dans vingt ans, dans trente ans, quand je penserai au pacha, je verrai des yeux bleus dans une courte barbe noire, et à proximité de ce poil farouche, une fragile tasse de thé, qu'il hume et boit comme il fait toute chose sur ce bateau : avec la plus raffinée compétence.

Le pacha pose sa tasse sur la petite table basse qui sépare son fauteuil du mien, prend un biscuit et le dos commodément accoté, détendu, il le grignote. Vous remarquerez qu'il n'est pas de ces brouillons qui mangent en buvant. Il ne mélange pas les goûts. Il les savoure en succession.

— Voyez-vous, toubib, dit-il au bout d'un moment, un coup de fourchette... un joint qui lâche... tout est important à bord, car tout peut dégénérer très vite.

(1) Les tasses qui réconfortent mais sans vous enivrer.

Ayant dit, il reprend sa tasse. Avec un temps de retard, je reprends la mienne. Un silence tranquille s'étend. Nous buvons de concert, à petites gorgées feutrées. Je n'irai pas jusqu'à dire que nous ronronnons. Mais presque.

CHAPITRE V

L'interminable semaine qui vient de s'écouler (mais interminables, elles le sont toutes) s'est finalement décidée à nous ramener le week-end. Curieux de parler de week-end, quand, sans la moindre possibilité de repos, de départ ni d'évasion, nous poursuivons notre tâche quotidienne dans notre boîte en fer sans changer un iota à sa routine.

Et par exemple, à mes paperasses. Me voici debout devant la table d'opération, tâchant de rattraper mon retard, le stylo à la main. Pour chaque client, je rédige une notice sur le cahier de visite. Après quoi, je la reproduis sur le carnet médical individuel dudit malade. Et enfin, si je lui prescris un repos couché, je remplis une feuille ad hoc. Lectrice, cela vous amusera peut-être d'apprendre qu'exempter un matelot de service, cela se dit à bord — même à bord d'un sous-marin où on ne reçoit pas d'embruns — le « mettre au sec ». Je suis fort prudent quant à ces exemptions — et pour les cas autres que franchement somatiques, j'en réfère au second, car elles entraînent un surcroît de travail pour les copains — et même quelque grogne, s'ils ne les croient pas justifiées.

J'entends bien que tout ce que j'écris sera archivé, et que l'obligation de laisser des traces écrites n'est pas déraisonnable. C'est moi qui le suis. Je devrais me contrôler davantage et ne pas tant me braquer contre cette petite besogne, la rendant d'autant plus lourde que je la prends plus à contrecœur.

Tandis que j'écris, la lumière devient rougeâtre. Elle nous indique que la nuit, à la surface des eaux, est tombée sur les heureux pour qui le jour se lèvera demain.

Je jette un coup d'œil à ma montre. Six heures. Pour qui ne fait pas le quart comme moi, cela n'a pas de sens de regarder l'heure, surtout dans un sous-marin où il n'y a pas d'autre différence entre le jour et la nuit que la coloration du néon.

Une fois de plus, l'immobilité et le silence du SNLE, dont pourtant je devrais avoir l'habitude, me surprennent. La température ambiante est de celles dont on ne s'aperçoit pas, n'étant ni trop froide ni trop chaude. Nous respirons tout à fait naturellement notre air artificiel. Et maintenant que je suis bien « amariné » à mon nouveau bateau, ma confiance en lui s'est accrue : je me sens en sécurité dans ses flancs.

La seule chose que je n'arrive pas à bien maîtriser, c'est le temps. Dire que je me plaignais, dans ma vie du dehors, qu'il passât trop vite ! Comme il est lourd ici ! Et combien longs, les jours ! Vous avez vu peut-être, par mer calme et longue houle, des vagues chargées d'algues se traîner jusqu'à la plage. On croirait, tant elles sont alourdies, qu'elles n'en finiront jamais d'arriver jusqu'à nous. Voilà notre temps à bord : il est fait d'une attente épaisse.

Parfois, mais brièvement, l'envie me saisit derechef d'ouvrir une fenêtre. Mais même si c'était possible, sur quoi ? Sur l'eau noire des grandes profondeurs où la pression est telle qu'un homme sans scaphandre serait aussitôt écrasé. Beaucoup plus souvent, je me prends à douter qu'il y ait quelque part un ciel bleu, une aurore, un brin d'herbe qui brille, un sourire de femme. S'il n'y avait pas le métier et l'amitié, il y aurait de quoi se pendre ! Sartre se trompe dans son *Huis clos*. L'Enfer, ce n'est pas les autres. Ils seraient bien plutôt notre Paradis — avec des petits coins de purgatoire çà et là.

Sauf quand je suis souffrant ou cafardeux, je ne recherche pas la solitude. J'ai soif de mes semblables. Ici surtout. Je me lève dès le branle-bas sans y être obligé et pour la seule raison que je désire prendre mon premier repas au carré en compagnie de mes pairs. Une ou deux fois, Wilhelm, dont l'office est à côté de ma chambre, m'a apporté le petit déjeuner au lit. Cette attention m'a touché, mais je ne l'ai pas encouragée. Je n'aime pas manger seul.

Je note ici en passant que Wilhelm ne sert pas seulement les officiers avec zèle et doigté. Il les guide et les endigue. Quand il veut se libérer assez tôt le soir pour regarder le film à la caffe, il presse le service par degrés insensibles. Et quand un jeune officier exige un peu trop de lui, il le remet à sa place avec une douce fermeté.

Après le breakfast (il mérite ce nom, étant si copieux), je me rends à l'infirmerie où Le Guillou, tout en rangeant ce qui est déjà rangé, me détaille les nouvelles du téléphone arabe, ce que, dans notre argot, nous appelons « les bruits de coursive ». Ce sont des événements minuscules et difficilement contrôlables. Par exemple, est-il vrai que le cuisinier Tetatui a eu des mots hier avec le boula, parce qu'il estimait que celui-ci, son pain cuit, lui avait laissé la cuisine dans un triste état ?

En tout cas, je me garderais bien de poser la question, quand ayant attendu en vain un patient, je passe faire un tour à la cuisse, la saluant comme à l'accoutumée de quelques compliments sur la chère de la veille. Le boula, qui n'a pu encore se décider à aller se coucher, est là, et son attitude à l'égard de Tetatui et de l'aide-cuisinier Jegou me paraît tout à fait normale. En revanche, j'observe une certaine tension entre le boula et le commis Marsillac.

Je regarde les mains. Elles sont propres et j'assiste à l'ouverture d'une boîte de salsifis. Le couvercle ôté, Tetatui la porte à son nez, la hume et fait la moue. Jegou la hume à son tour, et Marsillac, et moi.

— Ouvrez les autres, dis-je.

On les ouvre. Même jeu.

— Allez, dis-je, aux compacteurs !

Marsillac caresse sa brosse à dents d'un air contrarié.

— Si on faisait cela dans un restaurant, dit-il, ce serait vite la ruine.

— Mais ici, Marsillac, la finalité n'est pas de gagner de l'argent.

— Très juste, dit le boula, comme si j'avais rivé son clou au commis.

Sachant celui-ci sensible, je lui souris et je lui dis :

— Ça va ? Bonnes nouvelles du Languedoc ?

— Excellentes, docteur.

Je retourne à l'infirmerie où Morvan, sous la direction de Le Guillou, passe l'aspirateur. Je ne sais pas ce que le malheureux instrument peut trouver comme poussière à se mettre sous la dent : Le Guillou a balayé ce matin, et passé la serpillière. Le parquet reluit.

— Vous avez vu, docteur, dit Le Guillou, l'aspirateur remarche !

— Qui l'a réparé ?

— Morvan et moi.

— Bravo ! Faites attention qu'on ne vous le pique pas de nouveau !

— Oh ! pas de danger, dit Le Guillou. Cette fois, il couchera dans un placard fermé à clé, et la clé dans ma poche.

Avec attendrissement, Le Guillou regarde Morvan s'activer avec application sur un parquet parfaitement propre. De toute évidence, mes collaborateurs sont en train de vivre une des riches heures de l'infirmerie sous-marinière : Un aspirateur arraché aux puissances du mal, remis en fonction et d'autant plus précieux qu'il nous avait été ravi.

Trois patients m'arrivent coup sur coup. Des bobos. Les soins prennent dix minutes, la conversation vingt minutes, et la paperasse, un quart d'heure. Le Guillou participe à la thérapie et à la parlote. Et le géant Morvan, les mains croisées sur sa vaste poitrine, et dominant tous les présents d'une tête, écoute sans dire un mot. Le Guillou prétend que sa seule présence exerce, par la sérénité qui s'en dégage, une influence bénéfique sur les malades.

Je regarde ma montre : j'ai largement le temps, avant le déjeuner, d'aller faire un quart d'heure de vélo à la tranche missiles, de me doucher, de me frictionner à l'eau de toilette et de changer de linge. Après quoi, dans ma nouvelle peau, je me sens un autre homme et, jetant un coup d'œil à ma lingerie, je prends note d'aller acheter à la coop — mot que tout le monde ici prononce la « cope » — deux ou trois T-shirts, le buandier n'arrivant pas à tourner assez vite pour suffire à mes besoins. « Le docteur, remarque-t-il avec résignation, il salit peu, mais il use beaucoup. »

Ainsi briqué, je fais une entrée remarquée dans le carré, où je suis accueilli par des remarques assassines. Des quatre commandants, seul Forget est là. C'est la curée.

— Voilà notre play-boy ! dit Angel.

— *Our lady-killer*, dit Verdoux, mais ici, par malheur, il n'y a rien à tuer.

— Sa seule image lui suffit, dit Verdelet. Il s'aime. Comme dit l'autre, s'aimer soi-même, c'est le début d'un amour éternel.

— Sentez ! dit Callonec, on dirait de l'œillet !

— C'est moi, dis-je modestement.

Huées.

— Chef, dit Angel, en s'adressant du bout de la table au commandant Forget, notez, je vous prie, que le toubib ajoute à la quantité d'alcool contenu dans l'air.

— Il n'est pas le seul, dit Forget de sa voix douce, et il passe la main sur son crâne chauve, gêné qu'il est de se voir mêlé à cet assaut.

— Je ne vois pas le scandale, dis-je, je suis tous les jours aussi boyard.

— Démagogie ! s'écrie Verdoux. Le toubib emploie le mot « boyard » pour avoir la cote du bordache Angel.

— Il ne l'aura pas ! dit Angel. Seul un éléphant se parfume comme une touloulou.

— Tu vas choquer notre pieux Becker, dit Verdoux. Il va peut-être s'imaginer qu'une touloulou, c'est une courtisane.

— Je n'imagine rien de ce genre, dit Becker d'un air bourru. Je n'écoutais pas.

— Miremont, sais-tu ce que c'est qu'une touloulou ? dit Verdelet.

— Naturellement, il le sait, dit Angel ; Miremont est un bordache.

— Le monde, dit Verdoux, se divise pour Angel en deux catégories : les bordaches et les non-bordaches.

Miremont ne dit rien. Il ne rit ni ne sourit. C'est un pur matheux. Pour lui, tout ce qui n'est pas mesurable est insignifiant. Ce qui explique que l'humour, au carré, le prend souvent pour cible, d'autant qu'ès qualité de chef de gamelle, il ne débloque pas volontiers ce champagne dont les jeunes officiers sont friands.

— Miremont, je t'ai posé une question, dit Verdelet. Qu'est-ce qu'une toulouloute ?

— Une femme en argot baille, dit Miremont sans lever les yeux de son assiette.

— Commandant, s'écrie Verdoux avec indignation, Miremont a prononcé le mot « femme » ! C'est indécent ! Nous lui avions défendu de prononcer le mot « femme » au carré ! A l'amende, le satyre !

Le commandant Forget est dépassé. Il sourit, toussote, passe la main sur son caillou.

Nous reprenons en chœur « à l'amende », étant bien entendu que l'amende sera une bouteille de champagne. Miremont se tait, ferme comme roc dans son refus tacite. Becker, le barbu brodeur, reste lui aussi de marbre, étranger aux remuements de ce bas-monde. Le chef Forget sourit, paternel et embarrassé.

L'affaire se plaidera le dimanche suivant au cours du repas présidé, le pacha, après avoir ouï les deux parties et le témoignage du chef Forget, exposera ses conclusions. *Primo :* la défense faite à Miremont de prononcer le mot « femme » au carré était arbitraire et tyrannique, et n'avait pas l'aval de l'intéressé. *Secundo :* En outre, Miremont n'a prononcé le mot « femme » que parce qu'on lui a tendu un piège linguistique. En conséquence, nous sommes déboutés de nos demandes.

A treize heures, le repas fini, je dirige mes pas vers la cope pour acheter des T-shirts comme j'ai dit. Vous allez être déçu, la cope n'a rien d'un supermarché. C'est un petit cagibi à côté de la caffe, fermé par une porte dans laquelle on a percé un guichet.

Derrière ce guichet, gardant et vendant le trésor d'Ali Baba, trône Le Guillou en sa majesté. A l'infirmerie, c'est un brillant second. Ici, bien qu'en principe je coiffe la cope, il règne. Bien naturellement qui l'en blâmerait ? Le Guillou aime être le premier partout. Il n'a jamais été si heureux que dans le petit sous-marin classique où il a d'abord servi, et où il était, en l'absence de tout médecin, le seul maître à bord du service sanitaire.

J'ai, moi aussi, la clé de la cope et, Le Guillou étant occupé, je pourrais vendre. Rien ne s'y oppose, sinon que Le Guillou aurait l'impression que j'empiète sur son territoire.

C'est Le Guillou qui a choisi d'ouvrir la cope à treize heures, ce qui témoigne de son sens commercial. A cette heure-là, il est sûr de faire le plein de clients. C'est un bon vendeur qui sait pousser un article quand il craint qu'il lui reste sur les bras. Corollaire : à terre il sait acheter ce qui plaira à bord. Mais il n'oublie pas non plus son magister spirituel. Il recueille les bruits de coursive, les confidences, les doléances. Il veille sur le moral du bord.

Lectrice, n'allez pas croire que la cope, parce qu'elle est petite, est peu pourvue en marchandises et vend mal. En 65 jours de patrouille, et avec une clientèle de 130 hommes, nous allons faire un chiffre d'affaires de 160 000 francs. Hors du contrôle de leurs épouses, les hommes sont dépensiers...

Bien qu'il n'y ait pas ici de carreaux à lécher ni d'étalage séducteur, le lieu offre un divertissement très prisé. On y va volontiers. On s'y rencontre. On bavarde. La cope est une sorte de salon à station debout — à mon sens le seul endroit où les hommes aiment faire la queue. Qui plus est, le jour où on a acheté un article à la cope, on a l'impression — travail non compris — d'avoir fait quelque chose de sa journée. L'achat est un acte social important qui rompt la monotonie de la vie.

Je suis moi-même un bon client de la cope. En articles de toilette bien sûr, comme tout le monde (je note en passant que les parfums sont détaxés ici comme sur un avion). Mais je suis friand aussi de ce que Le Guillou appelle « des articles de prestige » et qui sont, en fait, des souvenirs touristiques : porte-clefs et coupelles frappés au nom et aux armes de notre sous-marin, le plus important de ces knicknacks étant la « tape de bouche ». On appelle ainsi un bouchon métallique qui ferme la bouche d'un canon et qui chez nous est purement emblématique. Elle représente, gravé en relief, un chevalier en armure au heaume empanaché. Il brandit à deux mains une lourde épée. Un écu fleurdelisé protège son épaule senestre et une épée plus petite pend à sa ceinture. Il se silhouette gaillardement sur fond d'ancre marine géante, et derrière ses reins, on aperçoit le profil de notre SNLE. Cet anachronisme voulu a pour but de faire entendre que la forme moderne de l'estoc, c'est un missile.

Cette tape de bouche est fixée sur un socle de bois. Ce qui permet, soit de la poser sur une table, soit de l'accrocher au mur. J'en ai acquis deux. L'un pour mon jeune frère, l'autre pour mon neveu. J'ai acheté également deux coupelles (même gravure mais plus petite) pour mes parents et enfin, quelques porte-clés pour mes amis.

La lingerie pour hommes est tout aussi bien approvisionnée mais j'évite la confiserie, si tentante qu'elle soit, la cope comportant un assortiment prodigieux de sucreries. Comme je m'étonnais de cette profusion, Le Guillou m'a dit :

— Ne vous inquiétez pas, docteur. Vu que nous revenons en septembre, tout va partir. Ah ! si nous étions revenus en juillet. Alors là ! Les choses seraient différentes ! Il aurait fallu en commander moitié moins...

— Et pourquoi cela ?

— Parce que, pour le retour en juillet, les hommes soignent leur ligne.

Quand j'arrive à la cope, il y a déjà devant le guichet de Le Guillou une petite foule, laquelle présente un contour indécis, car vu l'exiguïté des lieux, il n'est pas question de se mettre « à la queue leu leu », expression bizarre mais qui s'éclaire quand on sait que le premier « leu » est l'article défini et le deuxième « leu », en vieux français, « le loup » — les loups ayant la réputation, quand ils se déplaçent, de marcher l'un derrière l'autre.

Ainsi, prendre la queue à la cope, cela ne veut pas dire se placer derrière quelqu'un, mais le plus souvent à côté de lui — sans que jamais ait surgi, à ma connaissance, une querelle de priorité : Un SNLE est un endroit où dans ses moments de loisir on est très peu pressé. En outre, nous sommes assez satisfaits d'être là, au coude à coude, à échanger nos impressions.

En arrivant, je dis un petit bonjour ou un petit mot à mes voisins, le « petit mot » ayant une valeur sociale bien supérieure au « petit bonjour », à condition qu'il soit personnalisé. Ce qui n'est guère commode, quand il s'agit d'un homme que je n'ai jamais vu à l'infirmerie et dont je ne connais pas la fonction. Mais c'est facile, en revanche, quand l'homme est l'un de mes anciens patients : « Pinarel, c'est fini, ce pouce ? Je ne serai pas obligé de vous le couper ? Vigneron, votre pied, vous ne le sentez plus ? Patron, elle tient le coup votre molaire ? » Quelquefois, j'ajoute même une petite taquinerie : « Bichon, vous avez encore oublié votre pull. C'est comme cela que vous tenez vos promesses ! »

Il va sans dire que pour le patron et le prési, qui sont à bord des officiers mariniers importants et respectés, je fais un effort supplémentaire de sociabilité. C'est assez aisé avec le patron, qui est parisien et causant, mais un peu plus délicat avec le prési qui est breton et ne s'ouvre pas facilement. Toutefois, comme je sais (tout se sait dans notre petit village) qu'il est très attaché à sa famille et reçoit régulièrement des familigrammes, je lui parle des siens. Il a un père qui se fait vieux et qu'il aide à la ferme pendant ses permissions, et trois enfants, la plus jeune, une fille, qui a quatre ans.

— Les autres, me dit-il, ils sont grands. Ils sont habitués à me voir partir. Mais pas elle. A mon départ, elle a pleuré, et même maintenant, elle me réclame tous les jours. Quant à moi, enchaîne-t-il après un silence, j'ai vingt et un ans de service. C'est ma huitième patrouille. Ça fait beaucoup. J'ai trente-sept ans, et maintenant j'aimerais bien avoir un poste à terre à l'Ile Longue pour être près des miens et jouir de ma vie de famille.

Devant moi — mais il ne m'a pas vu, sans cela il serait venu aussitôt m'entreprendre — je vois et j'entends Roquelaure qui, brandissant sa main pansée de blanc, pérore pour le bénéfice de ses voisins qui l'écoutent avec patience. Il leur en faut, car il leur détaille — et sans doute n'est-ce pas la première fois — le récit de son accident.

— Quand je lui ai dit : « Brouard, écoute, ou bien tu ne

l'ouvres pas, ou quand tu l'ouvres, c'est pour critiquer », c'est alors qu'il s'est énervé. Les gars, je revois cela comme si c'était hier ! J'avais la main gauche à plat sur la table et lui, la fourchette à côté de son assiette. Tout d'un coup, il saisit le manche à pleines mains comme tu saisirais le manche d'un couteau, hein quoi ? Et il pique la fourchette dans ma main. Vlan ! de toutes ses forces ! Les pointes traversent toute l'épaisseur de ma pauvre main et se plantent dans la table ! Comme je te le dis !

Cette version, qui dramatise la version primitive qu'il a dû donner à ses camarades, rencontre un scepticisme général.

— Oh la la ! dit un petit blond à l'œil vif, ce qu'il faut pas entendre ! Tu te prends pour Jésus-Christ cloué sur sa croix !

— Tu exagères, dis donc ! dit un autre. La fourchette n'a pas traversé la main !

— Et alors, dit Roquelaure avec assurance, même que j'ai eu du mal à la déclouer de la table ! Et ça, je peux te le jurer sur la Bonne Mère !

— Et qui c'est, d'abord, cette Bonne Mère ? dit le petit blond.

— Comment ? dit Roquelaure, prompt à se saisir d'un avantage culturel, mais tu es ignare, toi, dis donc ! Tu ne connais pas Notre-Dame de la Garde à Marseille ?

— Si elle est de Marseille, la Bonne Mère, dit le petit blond, alors elle aussi, elle exagère !

Rires, et se tournant à la ronde pour jouir de son succès, le petit blond m'aperçoit :

— Eh bien, tiens ! dit-il perfidement. Le médecin est là. Il n'y a qu'à lui demander si la fourchette, elle a vraiment traversé la main.

Tous les yeux se tournent vers moi, y compris ceux de Roquelaure — qui ne me paraît pas très à l'aise. Mais pour rien au monde je ne voudrais, devant tant de monde, lui faire perdre la face.

— Secret médical, dis-je promptement. Mais c'est vrai que c'était une vilaine blessure et que Roquelaure a eu beaucoup de chance que ses os ne soient pas atteints.

Roquelaure exulte.

— Tiens, qu'est-ce que je disais !

Quelqu'un le contre :

— Justement, tu ne disais pas ça !

Roquelaure contourne l'objection.

— C'est pas la blessure qui compte, mon gars. L'important, je vais te dire, hein, quoi ! Deux jours après m'avoir percé la main, Brouard, il recevait son famili, et le voilà tout requinqué, content comme une puce ! Tu saisis, mec ? Tu saisis la relation de cause à effet ?...

Cette phrase savante le ravit et il fait une petite pause pour que nous en absorbions la beauté. Après quoi il conclut :

— A deux jours près, pas de coup de fourchette !

— Et au lieu de la percer, il te baisait la main, dit le petit blond.

Rires.

— Tu m'écœures, dit Roquelaure, mais sans aigreur.

C'est un bon gars, qui admet d'être chahuté, et qui se fie à son éloquence pour avoir le dernier mot.

Mais cette fois-ci, il n'aura pas le temps de l'avoir. Car Bichon survient, grand, gros et même grassouillet — pas du tout le gabarit qu'on s'attendrait à trouver dans un sous-marin, et il prend « le relais du crachoir », comme dirait Roquelaure.

— Salut les gars, dit-il jovialement. Vous savez quoi ? Aujourd'hui, c'est dimanche ! Vous l'auriez pas cru ? Vu que le dimanche, on prend le quart aussi. Eh bien, pas du tout. Le commandant a décidé de poser le sous-marin sur le fond, d'arrêter les machines et de nous donner campo !

— Arrête, Bichon ! dit quelqu'un. Les petits matelots vont te croire !

— Mais c'est quand même un monde, ça, non ? reprend Bichon avec une indignation rigolarde. Deux mois sans samedi et dimanche ! On le vole pas, notre supplément de solde ! Les 39 heures, c'est pas pour nous ! Bosser le dimanche, tu réalises ? Même le Bon Dieu, il s'est reposé le septième jour !

*
**

Je m'aperçois qu'au tout début de ce récit, quand j'ai parlé des officiers du bord ayant le grade de commandant, j'en ai oublié un. Pour que tout soit clair, je vais donc les récapituler tous, en précisant non seulement le grade exact de chacun, mais le nom de ce grade dans l'argot baille et dans l'armée de terre.

Notre pacha, le commandant Rousselet, est capitaine de vaisseau, peu respectueusement abrégé par ledit argot en « cap de vau » (colonel).

Notre second, le commandant Picard, est capitaine de frégate, abrégé en « frégaton » (lieutenant-colonel).

Le chef du groupement opérations, le commandant Alquier et le chef du groupement Energie, le commandant Forget, sont tous deux capitaines de corvette, grade abrégé en « corvettard » (commandant).

Mais est aussi corvettard le chef de l'arme anti-sous-marine, alors que cette fonction est généralement assumée par un lieutenant de vaisseau. Il s'agit du commandant Mosset (objet de mon oubli) qui, après cette patrouille, devra nous quitter pour se préparer à commander un sous-marin d'attaque à Toulon.

A l'exception du jeune et sémillant ex-bordache Angel et de l'ORSA Becker, qui sont enseignes de vaisseau de 1re classe (lieutenants), tous les autres officiers du bord sont lieutenants de vaisseau (capitaines). Et comme vous savez déjà, on les appelle les loufiats.

— Pouah, dit un jour Angel en regardant Miremont et Callonec, quand je pense que, moi aussi, tôt ou tard, je passerai loufiat, ça me dégoûte ! J'aurai trente ans ! Je serai déjà un vieux con — comme vous.

— Fistot, dit Callonec, rendant injure pour injure, tu voudrais peut-être passer directement corvettard ?

Le logement des officiers comporte des chambres à tribord, des chambres à bâbord et des chambres situées au milieu, celles-là, « sans vue sur la mer » dit Verdelet. Une coursive circulaire dessert ces chambres et elle prend un nom différent, selon qu'elle longe les chambres de bâbord, qui, habitées par les jeunes et turbulents officiers, s'appelle « la rue de la Joie » ou celle qui longe les chambres de tribord, habitées par les commandants et que nous avons surnommée pour cette raison l' « avenue de l'Ecole de guerre ». Par une bizarre anomalie, l'ORSA Becker a une chambre sur cette avenue malgré la modestie de son grade. Il se peut que le pacha l'ait placé là pour qu'il échappe aux entreprises du gang de la rue de la Joie dont les animateurs sont les deux mimis, Angel, Callonec et moi. Je dois souligner, cependant, que si je suis le confident et, à l'occasion, le complice de leurs farces, j'en suis aussi le modérateur.

Si ce dimanche je me souviens tout d'un coup de mon oubli au sujet du commandant Mosset, c'est que je le rencontre, seul, au carré à l'heure du thé. Non, ce n'est pas un aficionado, mais un adepte du chocolat chaud. Il en avale deux ou trois tasses le matin et deux ou trois tasses à cinq heures. Il peut se le permettre : il a une minceur de sylphe. Heureux les hommes qui peuvent chaque matin que Dieu fait accompagner *una cioccolata* de cinq ou six croissants sans ajouter un gramme à leur panicule adipeux !

Son visage glabre et maigre, qui me rappelle le portrait de Bonaparte au pont d'Arcole, est en accord avec la finesse de sa taille, la netteté de son élocution et la franchise de son propos. Mosset a une autre particularité. C'est le seul commandant que les loufiats tutoient et, parfois, chahutent. La raison en est qu'hier il était lui-même loufiat : son quatrième galon brille encore d'un éclat trop neuf pour nous intimider.

Comme je lui demande si la perspective de retourner à Toulon sur des sous-marins d'attaque lui sourit, il s'exclame :

— Je pense bien ! Le sous-marin d'attaque, c'est le vrai sous-marin ! Ça bouge, ça n'arrête jamais ! Les exercices sont incessants ! Sur la *Diane,* j'ai tiré cinquante torpilles d'exercice ! Et ici en quatre ans, je n'en ai lancé que quatre... Il faut dire que la finalité d'un SNLE n'est pas de lancer des torpilles, mais de suivre en silence un itinéraire secret, obéissant à une stratégie de la dérobade et de la discrétion.

Je pose alors ma question d'éléphant :

— Dans ce cas, pourquoi possède-t-il des torpilles ?

Mosset sourit :

— C'est un principe militaire qu'on ne doit jamais se

trouver désarmé dans une situation de désespoir. Au nom de ce principe, le bombardier lourd a des canons, le chef de char une arme individuelle, et le SNLE, des torpilles.

— Et quand doit-il s'en servir ?

— Quand, en temps de guerre, il est détecté et talonné par un sous-marin d'attaque ennemi qui lui veut du mal. Imagine-toi une grosse souris poursuivie par un tout petit chat. Sa tactique consiste à fuir, mais si elle est acculée, elle doit pouvoir mordre et griffer.

— Et la morsure, c'est une torpille ?

— Oui. Mais les perspectives ne sont pas très joyeuses. Car l'ennemi ne restera pas seul bien longtemps, et nous aurons bientôt toute une meute à nos trousses.

— Et les deux Exocets de l'*Inflexible ?*

— Tu rêves, toubib ! La torpille est une arme sous-marine. Pas l'Exocet ! L'Exocet sort de l'eau et ne peut atteindre qu'un navire de surface.

— A quoi sert-il dans ce cas ?

— Un navire de surface peut lui aussi nous chercher des poux.

— Belle métaphore !

— Et dans ce cas, l'Exocet est très efficace, si du moins la cible se trouve à notre portée. Je dirais même qu'actuellement, un Exocet est imparable.

— Imparable ?

— Il va très vite. Il parcourt quarante kilomètres en moins d'une minute.

— En moins d'une minute ! C'est effarant ! Et tu en as tiré ?

— Oui, deux — sans charge évidemment — sur un but défini. Je l'ai atteint. Les deux fois.

— Commandant, dis-je avec un sourire, tu m'as l'air d'un artilleur très motivé. Je ne m'étonne pas que dans ces conditions tu t'ennuies à bord d'un SNLE.

Son visage glabre et maigre marque de l'étonnement.

— Mais je ne m'ennuie pas ! dit-il avec vigueur. Pas une seconde. D'abord, une patrouille sur un SNLE, c'est très intéressant sur le plan humain : Tous ces gens qui se retrouvent ensemble dans la même boîte en fer pendant si longtemps... Et puis sur un SNLE, on vit une situation très proche de la réalité. On est en permanence en temps de guerre, le doigt posé sur la détente, prêt à tirer.

— Mais si l'ordre vient, ce n'est pas toi qui vas tirer, c'est le missilier.

— Très juste, toubib. Moi dans un SNLE, sauf dans les cas que nous venons d'évoquer, je ne tire pas. J'écoute. J'écoute les bruits biologiques : crevettes ou dauphins. J'écoute les bruits que font les autres bateaux en essayant de déterminer leur azimut et leur distance. Et aussi je m'écoute moi-même.

— Tu t'écoutes toi-même ?

— Façon de parler ! J'écoute les bruits que fait notre bateau.

— Pourquoi ?

— Pour les faire disparaître ou les atténuer. Au nom de la sacro-sainte discrétion !

— Je ne vois pas comment on peut supprimer, ou même diminuer, le bruit de l'hélice.

— Les Anglais y sont bien arrivés ! Ils ont inventé une hélice qui, tournant moins vite que la nôtre pour une même vitesse, est beaucoup plus silencieuse.

— Verdoux dirait « *Hear ! Hear !* ».

— Il aurait raison. Mais il n'y a pas que l'hélice qui est bruyante. Tout ce qui tourne à bord peut produire des vibrations qui se communiquent à la coque et la font résonner comme une peau de tambour.

— Tout ce qui tourne à bord ?

— Oui. Les turbines, les turbo-alternateurs, les moteurs électriques auxiliaires, et Dieu sait s'il y en a.

— Et qu'est-ce qui produit ces vibrations des machines tournantes ?

— Le balourd.

— Commandant, mets-toi à la portée d'un modeste éléphant !

— On dit d'une machine qu'elle a le balourd quand elle est mal équilibrée.

— Et on peut y remédier ?

— Oui, de diverses manières. Par exemple, on peut

suspendre la machine sur des plots élastiques. Mais il n'y a pas que les moteurs qui font du bruit. Les canalisations, les tuyauteries peuvent aussi être fautives.

— En somme, sur un sous-marin d'attaque, tu es un artilleur. Mais sur un SNLE, tu es surtout le préposé au silence.

— C'est cela, dit Mosset d'un air satisfait. C'est exactement cela.

Il se tait et boit son chocolat non pas comme moi, mon thé, à petites gorgées, mais à grandes lampées. Quand je pense qu'il y a des gens dans des stands de tir qui sont contents parce qu'ils mettent cinq petites balles de revolver dans un petit carton ! Mosset, lui, s'exerce avec des torpilles et des Exocets ! A cette échelle, c'est un peu effarant. Toutefois, dans ce qu'il a dit, c'est autre chose qui me chiffonne.

— Commandant, dis-je, si je t'ai bien compris, la discrétion du SNLE — cette discrétion sur laquelle repose son invulnérabilité, et par voie de conséquence, l'efficacité de la dissuasion — est fonction, d'une part, du silence avec lequel il se déplace, et d'autre part de ses moyens de détection.

— Pas seulement, dit Mosset. Sa discrétion est aussi fonction du silence d'un ennemi éventuel et des moyens de détection dudit ennemi.

— Ce qui veut dire, je suppose, que si un sous-marin ennemi est plus silencieux qu'un de nos SNLE et possède de meilleurs moyens de détection, il pourra le détecter avant d'être détecté par lui, et par conséquent, être en mesure de le détruire en toute discrétion.

Mosset me regarde et fait une petite moue.

— Ce que tu viens de dire n'évoque pas une perspective bien agréable, mais c'est vrai.

— J'en conclus que notre dissuasion n'est efficace que dans la mesure où notre technologie — en ce qui concerne le silence et les moyens de détection — est au moins égale à celle d'un ennemi éventuel. Est-ce le cas ?

— Je me demande bien qui pourrait te répondre là-dessus, dit Mosset.

Un silence tombe, et qui pèse assez sur lui comme sur moi pour que j'éprouve le besoin de l'alléger.

— Eh bien, dis-je avec un sourire, si je deviens un jour Premier ministre, dans le doute, voici ce que je ferai : je multiplierai par dix le nombre de nos ingénieurs et par vingt, les fonds alloués à la recherche.

— Ne t'inquiète pas, dit Mosset avec un sourire. On travaille déjà très activement sur le SNLE de la seconde génération...

⁂

Après le thé, je gagne l'infirmerie où Le Guillou me dit :

— Nous avons un malade.

— Urgent ?

— Non.

— Vous savez, Le Guillou, qu'en cas d'urgence...

— Oh, docteur, il faudrait vraiment qu'un gars soit subclaquant, pour que j'aille troubler votre thé !

— Merci. Qui est-ce ?

— Premier maître Lombard, missilier.

— Qu'est-ce qu'il a ?

— A ce que je crois, une double sciatique.

— Diable ! Où il est ?

— Je l'ai fait coucher sur la banette de Morvan, et j'ai expédié Morvan à sa place dans sa chambrée.

— Vous avez bien fait.

Je passe dans la chambre d'isolement, j'examine Lombard, je confirme le diagnostic de Le Guillou. Je prescris le repos couché et le traitement ad hoc.

— J'en ai pour longtemps à rester couché ? demande Lombard.

Je le regarde, c'est un grand brun d'une trentaine d'années, les yeux cernés, les lèvres mobiles, l'air inquiet.

— Lombard, il va falloir être patient. Et surtout ne pas vous lever, ni faire d'effort.

— Déjà, dit-il, qu'en temps ordinaire je m'ennuie pas mal... Docteur, ça ne vous ferait rien de prévenir M. de Saint-Aignan ? Je ne voudrais pas qu'il croie que je tire ma flemme.

— Ne vous inquiétez pas. Je vais le lui dire. Savez-vous où il est ?

— Il est de quart au PCNO.

— J'y vais.

Le Poste Central de Navigation Opérations qui est dans la même tranche que le logement des officiers, et qui fait suite au carré, est la tête pensante du SNLE. Il comprend un nombre impressionnant de tableaux de bord. A ma gauche, l'écoute. A droite, les barreurs. Devant moi, sur une plate-forme, les périscopes. Au fond, les centrales de navigation par inertie.

J'ai parlé du barreur et je ne voudrais pas que vous l'imaginiez dramatiquement debout devant une grande roue en acajou, qu'il fait tourner d'un mouvement ample et cinégénique. Assez souvent, le pilotage étant automatique, il n'y a pas de barreur, seulement un surveillant. Parfois, il y en a un. Dans les moments délicats, il y en a deux.

Ils ne sont pas debout, mais confortablement assis dans des fauteuils jumeaux comme des pilotes d'avion, les mains posées comme eux sur un manche fait de deux poignées.

Ces manches commandent par le truchement du gouvernail les changements de direction à droite et à gauche, et par les barres de plongée (situées sur le massif et à l'arrière du bâtiment) la plongée et la remontée. Ces fonctions peuvent être couplées sur un seul manche ou découplées sur deux, selon qu'on a besoin d'un barreur ou de deux.

Derrière les barreurs et perpendiculairement à leurs sièges, on voit une impressionnante rangée de tableaux de bord devant lesquels des hommes sont assis et sur lesquels s'inscrivent, par un jeu de petites lumières, tout ce qu'il est nécessaire de connaître pour la sécurité-plongée. Par exemple, si au moment de l'état de veille qui précède la plongée, un panneau reste ouvert, cet « accident » est aussitôt signalé comme le serait une voie d'eau éventuelle.

Lectrice, vous devez trouver que je suis toujours en train de solliciter votre imagination. J'aimerais malgré tout que sur ce simple mot « voie d'eau » vous vous mettiez à trembler un peu (toutefois pas assez pour cesser de me lire). Car une voie d'eau, sur tout bateau, c'est grave, puisqu'elle détruit, si elle n'est pas aveuglée, la flottabilité. Mais quand il s'agit d'un sous-marin en plongée, la gravité est multipliée par la nécessité de remonter à la surface avant que le poids de l'eau ne l'enfonce jusqu'à des profondeurs où sa coque serait écrasée.

Derrière les barreurs se tiennent trois hommes : l'officier marinier, le lieutenant de vaisseau de Saint-Aignan, qui est de quart, et le pacha qui ne prend pas le quart, mais que l'on voit souvent en ces lieux, jeter l'œil du maître, ou, comme dit le second, « parer au grain » : expression paradoxale quand il s'agit d'un sous-marin qui ne connaît ni les éclairs, ni le vent, ni la houle. Mais justement, le pacha craint que les gradés, si compétents et si consciencieux qu'ils soient, s'endorment dans un sentiment de fausse sécurité. Sa vigilance tend à stimuler la leur. Il redoute l'inattention et le laisser-aller, nés du confort de la routine ou de la banalisation des risques. Je l'ai entendu dire aux analystes classificateurs de l'écoute : « Attention, n'abusez pas des " bruits biologiques " — crevettes, dauphins et *tutti quanti* — ça peut être autre chose... »

— Vous me cherchez, toubib ? dit le pacha.

— Non, commandant. C'est à Saint-Aignan que j'ai affaire.

— Tu as quelque chose à me dire ? dit Saint-Aignan en s'approchant de moi.

Il a une façon bien particulière de dire « tu », le tutoiement chez lui n'impliquant aucune familiarité.

— C'est bien toi le missilier du bord ?

— Plus exactement, dit-il, je suis un « missoum ».

— Allons bon ! Qu'est-ce qu'un missoum ?

— Un missilier de sous-marin. Tu devrais savoir qu'il n'y a pas qu'à bord d'un SNLE qu'il y a des missiles balistiques.

— Je prends bonne note. Et je t'apprends que tu vas perdre un de tes missoums, Lombard, immobilisé à l'infi avec une double sciatique.

— Pas de chance ! dit Saint-Aignan.

Un autre aurait dit « pas de pot », mais l'expression ne fait pas partie de son vocabulaire.

— Bien, dit-il, je le dirai à Pérignon.

— Pourquoi à Pérignon ?
— Parce qu'il est le mis 1. Moi je suis le mis 2.
— C'est ton chef, en somme.
— En quelque sorte, dit-il avec un sourire.

Je le lui rends, car il ne m'est que prêté, et je m'en vais. N'en concluez pas que je n'aime pas le lieutenant de vaisseau de Saint-Aignan. Au contraire, je l'aime bien, mais parfois il m'agace.

Saint-Aignan a le teint clair, l'œil bleu, les traits réguliers, et je ne sais quel air de distinction répandu sur le visage. Je dis « je ne sais quel air », parce que je ne parviens pas à le définir. Celle de mes deux grand-mères qui avait quelques prétentions bourgeoises eût dit qu'il était « racé ». Mais c'est un mot que je n'emploie pas. Je préfère dire que de Saint-Aignan émane une certaine dignité, qu'il a une tournure élégante, et qu'il est élégant en ses gestes et attitudes, mais sans pose aucune.

Il appartient à une vieille famille du centre de la France, et comme on sait, la noblesse est friande de la Marine, et la Marine, de son côté, est friande de la noblesse, pour peu qu'elle apprenne les mathématiques et passe par sa grande école.

L'époque est loin où Henri IV nommait vice-amiral de France M. de Vic qui n'avait jamais mis les pieds sur un bateau, obéissant ainsi à cette coutume fort répandue en Europe qui voulait qu'on nommât à la tête des escadres des personnages titrés qui ignoraient tout de la mer. Tout changea quand Elisabeth Ire d'Angleterre eut l'idée d'envoyer un vieux loup de mer peu recommandable affronter sur ses vaisseaux rapides le pimpant duc de Medinasidonia et son Invincible Armada. Quand le forban vainquit le duc, la Marine des temps modernes vit le jour.

C'est du moins ce que prétend le second, de qui je tiens ces détails érudits.

Je jette un coup d'œil à ma montre et, voyant qu'il est encore beaucoup trop tôt pour que je revête mon uniforme pour le repas présidé du dimanche, je gagne le carré et prends un livre (pas tout à fait au hasard :

Verdelet me l'a recommandé) dans la bibliothèque. M'installant dans un fauteuil, je commence à lire.

Ce livre qui s'intitule *le Froid et les Ténèbres,* et qui est écrit par un symposium de savants appartenant à trente pays différents, décrit les conséquences d'une guerre nucléaire de cinq mille mégatonnes.

C'est à vous donner dans le dos quelques petits frissons. Ces savants estiment à cinq cents millions le nombre de personnes qui, à la suite d'une guerre de ce type, seraient volatilisées par la chaleur, tuées par le souffle ou condamnées à la mort lente par les radiations.

C'est beaucoup. Mais ce n'est pas le pire. Car d'après ces mêmes savants, l'échange de missiles nucléaires projetterait dans l'atmosphère une telle quantité de poussières, de suie et de fumée (dues non seulement aux bombes elles-mêmes, mais aux incendies gigantesques qu'elles déclencheraient) que le rayonnement solaire serait réduit au point de plonger la terre dans « le froid et les ténèbres » pour une durée d'un an au moins.

Selon eux, la température, même en été, descendrait alors bien au-dessous de zéro, gelant les végétaux. En outre, la photosynthèse des plantes n'étant plus possible en raison de l'obscurité permanente, les sources de nourriture pour les animaux et les hommes seraient gravement atteintes, sinon anéanties.

La famine qui en résulterait tuerait en toute probabilité deux milliards et demi de personnes, et d'autant qu'à la famine s'ajouterait un autre mal : l'énorme quantité d'oxyde d'azote produite par les boules de feu de la guerre nucléaire détruirait la couche d'ozone qui nous protège et, de ce fait, augmenterait dans des proportions considérables le rayonnement ultra-violet du soleil. Les hommes et les animaux seraient alors menacés de cécité et leur système immunitaire étant atteint les laisserait sans défense devant les maladies.

Après cet holocauste — en tout trois milliards d'êtres humains —, on est presque stupéfait d'apprendre qu'il y aurait malgré tout un milliard et demi de survivants, presque tous dans l'Hémisphère sud, les populations les moins affectées étant celles de l'Australie et de la Nouvelle-Zélande.

Je ne lis pas ce livre. Je le parcours. Car il est très répétitif, tous ces savants traçant le même tableau avec une consternante unanimité ; ce qui m'impressionne d'autant plus que pas la moindre intention politique n'est décelable en impression, ou en surimpression, dans leurs propos.

Nouveau coup d'œil à ma montre. Il est temps d'aller m'habiller. Sur le seuil du carré, je croise Verdoux.

— Tiens, dit-il, en me voyant le livre dans les mains, tu lis *le Froid et les Ténèbres ?*

— Oui, c'est effrayant.

— Le général Gallois a trouvé le scénario de l'après-guerre atomique excessif et irréaliste. Il l'a dit à un « Dossier de l'écran ».

— Je ne savais pas qu'il était physicien.

— Mais il ne l'est pas. Il se place à un autre point de vue. Il estime que toute guerre nucléaire étant suicidaire pour l'Etat qui en prendrait l'initiative, aucun chef de gouvernement ne saurait s'y résoudre.

— Et toi, qu'en penses-tu ?

— C'est naïf, mon général, dit Verdoux en se mettant au garde-à-vous, un petit sourire au coin des lèvres.

Il reprend :

— Peut-on douter un seul instant qu'un Hitler aurait le premier déclenché une guerre nucléaire, s'il en avait eu la possibilité ?

— C'est probable, en effet.

— Et Hitler, dans l'Histoire, c'est pas un phénomène isolé. La sagesse n'est malheureusement pas la qualité dominante des princes qui gouvernent le monde. Je suis en train de lire *la Marche folle de l'Histoire* de Barbara Tuchman. Elle démontre, à l'aide d'exemples très fouillés, que bon nombre de gouvernants — de la guerre de Troie jusqu'à la guerre du Viêt-nam — ont suivi une politique absurde, parfois suicidaire, en tout cas rigoureusement contraire aux intérêts de leur pays.

— Je te retiens le livre quand tu l'auras fini.

— Impossible, je l'ai déjà promis à Verdelet.

— Après lui, dans ce cas.

— Cette soif d'apprendre m'étonne, dit Verdoux en affectant un air hautain, surtout chez un toubib.

— Qui sait ? dis-je, je suis peut-être un petit peu moins idiot que la moyenne.

— Et présomptueux par-dessus le marché ! dit Verdoux en s'éloignant dans la coursive, les deux mains en l'air.

Je me retire dans ma chambre et je me mets en uniforme pour le « repas présidé ». Tandis que j'écris ces lignes, je me souviens que j'ai commis une erreur la première fois que j'ai décrit la présentation du menu par le mimi Verdelet. Je l'ai placé un samedi, alors que c'est le dimanche, au début du repas présidé, que ce rite a sa place.

Chemisette blanche avec patte d'épaule portant l'insigne du grade, cravate et pantalon bleu marine : c'est agréable de laisser T-shirt et jean, et, pour une fois, de se faire beau. C'est agréable et en même temps assez mélancolique, car cela me rappelle le temps — qui me paraît aujourd'hui incroyablement lointain — où je me rasais, me coiffais et m'habillais avec plus de soin que d'habitude pour sortir, le soir, avec une fille.

Au carré, alors que nous sommes déjà tous à table — sauf les malheureux qui sont de quart —, il y a un moment de flottement : le mimi Verdelet qui doit présenter le menu n'apparaît pas.

— On pourrait commencer sans lui, dit Mosset à mi-voix.

— Quoi ? dit Angel, tu as faim ? Malgré les litres de chocolat chaud que tu ingurgites chaque jour ?

— Qu'y puis-je ? dit Mosset.

— Il paraît que le chocolat stimule l'intellect, dit Saint-Aignan.

— Hélas ! dit Verdoux. Il est sans effet dans les cas graves.

Rires, auxquels Mosset, le premier, s'associe.

— Je soutiens la proposition Mosset, dit Callonec, mais lui aussi à mi-voix.

— Quand il a faim, dit Angel, le prop a ses vapeurs.

— Tu l'as déjà faite, dit Mosset. Quant à moi, je soutiens la proposition Callonec.

— Les souteneurs se soutiennent entre eux, dit Verdoux.

Ce badinage a pour but de meubler l'attente et non pas de

faire pression sur le pacha pour qu'il commence sans Verdelet. Car on n'ignore pas qu'il est trop attaché au rite de la présentation du menu pour le sacrifier à la piaffe des jeunes officiers. D'ailleurs, il fait semblant de ne pas entendre, et s'entretient avec le second. Raison pour laquelle l'échange de plaisanteries s'est fait *sotto voce*.

Mais le second, toujours vif et bouillant, s'impatiente à son tour et dit :

— Que fait donc notre coquelet ?

— Wilhelm, dit le pacha, allez donc voir dans sa chambre.

Wilhelm s'éclipse et revient, tout sourire.

— Il se pare, commandant, il vient de suite.

— Il se pare ? dit le pacha.

— Il se pare ou il se prépare ? dit le second.

Wilhelm ne répond pas.

— Maintenant que j'y pense, dit Verdoux, je me souviens que Verdelet a parfois des difficultés à mettre ses boucles d'oreilles.

Miremont relève la tête, étonné. Mais il ne dit rien. Il commence à se méfier de l'humour des mimis.

— Attendons, dit le pacha avec flegme.

— Et espérons, dit Angel, que cela en vaudra la peine.

— Wilhelm nous cache quelque chose, dit Callonec.

Wilhelm sourit sans répondre.

— Je vois, dit Callonec : bouche cousue.

— Pas tellement, dis-je, puisqu'il sourit.

— Que mange-t-on ce soir, Wilhelm ? dit le pacha.

— Un repas exotique, commandant.

— Définition qui n'en est pas une, dit Verdoux. Au sens propre, tout ce qui n'est pas la cuisine française est exotique. Exemple : la cuisine anglaise est exotique.

— Horreur ! dit Mosset.

A ce moment, Verdelet fait une apparition triomphale, costumé en Chinoise. Une Chinoise d'un mètre quatre-vingt-cinq. Il est parfaitement déguisé, perruqué, les yeux en amande, le teint jaune, poudré de blanc. Les mains jointes sous le menton, il fait au pacha et à chacun des officiers une petite courbette polie, puis il dit d'une voix haut perchée, criarde et nasale :

— Honorés Seigneurs de la guerre (courbette) et vous, très honoré Seigneur, commandant la grande jonque qui va sous l'eau (nouvelle courbette), plaise à vos honorées oreilles d'entendre l'énoncé des nourritures qui vous seront apportées ce soir :

Pâté impérial
Riz cantonais
Poulet aux amandes
Lychees ou cumquats au choix
Thé au jasmin
En supplément (50 francs) :
Rôti de chien nouveau-né

Rires et bravos accueillent ce numéro et Verdelet recueille des compliments tous azimuts qui débouchent sur une discussion ludique : on se demande si on va lui accorder la note maximale pour sa prestation.

— C'est à voir, dit Verdoux. Fille du ciel, poursuit-il en se tournant vers Verdelet, est-ce que je pourrais avoir le supplément ?

— Je regrette infiniment, honoré seigneur, dit la Chinoise de sa voix nasale et criarde, il est épuisé.

— Je voterai donc contre la note maximale, dit Verdoux. J'avais justement très envie ce soir d'un rôti de chien nouveau-né.

Rires et protestations.

— Que dit le commandant ? dit Callonec.

— C'est excellent, dit le pacha. J'aurai une petite réserve à faire.

Le silence se fait.

— Je trouve, dit-il, que pour une Chinoise, Verdelet est peut-être un peu petit.

Rires et la note maximale est votée par acclamations. Dès qu'elle est acquise et qu'un silence relatif se fait, Wilhelm s'approche du commandant.

— Avec votre permission, commandant, j'aurais une suggestion à faire.

— Je vous écoute, Wilhelm.

— L'équipage a eu vent du déguisement de l'aspirant Verdelet...

— Tiens ! Et comment en a-t-il eu vent ?

Wilhelm rougit et la Chinoise dit promptement :

— Mais par moi, commandant. J'ai pensé que cela ferait peut-être plaisir à l'équipage si j'allais pour une fois lui présenter le menu à la caffe, puisqu'il a le même menu que le nôtre.

Le pacha hésite, et je crois presque voir son esprit fonctionner ; la présentation du menu par le mimi est un rite du carré et c'est porter atteinte au rite que de l'étendre à la caffe. Mais d'un autre côté, Verdelet s'est donné tant de mal pour réussir son déguisement (car il a dû l'amener à bord, dès qu'il a su à terre par Brosse à dents qu'il y aurait des menus chinois) que ce ne serait guère gracieux de lui refuser l'autorisation qu'il demande. Surtout, tout ce qui rompt, pour les hommes comme pour les officiers, la monotonie engourdissante de la vie à bord crée une péripétie, fût-elle infime, et tonifie le moral.

— Voici comment on va procéder, dit le pacha d'un ton vif et décisoire : Angel va aller annoncer à la caffe qu'on vient de découvrir à bord une Chinoise embarquée clandestinement, et que cette Chinoise, à titre exceptionnel, est autorisée par le commandant à présenter le menu à l'équipage.

Je savoure : c'est à la fois gentil et habile. Wilhelm sert à la ronde les pâtés impériaux et ils sont déjà à demi dévorés (tant l'attente nous a creusés) quand la grande Chinoise revient de la caffe, suivie d'Angel qui paraît derrière elle absurdement plus petit.

— Un triomphe ! dit Angel, j'ai eu du mal à l'arracher à ses admirateurs.

Comme s'il était jaloux de ce succès, Verdoux tire un papier de sa poche et dit :

— Commandant, comme je sais que vous aimez les citations, j'en ai copié une qui vous concerne dans les *Propos* du philosophe Alain.

— Qui me concerne ? dit le pacha.

— Ou plutôt votre métier. La voici : « Sur son navire, le capitaine est seul maître après Dieu. Vous formez aussitôt, d'après cette forte manière de dire, l'idée d'un homme inflexible et redouté. Je me représenterais plutôt quelque diplomate, capable de dissimuler, d'attendre et même de supporter beaucoup. »

— Preuve, dit le pacha, que les philosophes ne disent pas que des bêtises, contrairement aux idées reçues.

— Mais qui peut bien « recevoir » une idée pareille ? dit Verdoux.

— Moi, dit Miremont.

Ah l'imprudent énergue ! Qu'a-t-il dit là ? Pour une fois qu'il ouvre la bouche !

— Misérable matheux ! s'écrie Verdoux, tu viens d'insulter Minerve, déesse de la sagesse. Je la vengerai, je le jure !

— Je le jure aussi, dit la Chinoise en regardant Miremont d'un air farouche.

Puis, lui montrant de loin les doigts ornés d'ongles postiches pointus comme des poignards, elle ajoute :

— Je te plains de tomber dans nos mains redoutables.

— Mais c'est un alexandrin, dit le pacha.

— De Racine, dit Verdoux, Songe d'Athalie.

Le pacha sourit.

— Ce qu'il y a de bien avec les énarques, c'est que sur le chapitre des citations, ils ne craignent personne.

— Il ne faut pas être jaloux, commandant, dit Verdoux : la culture est ouverte à tous.

— Voyez-vous ce galopin ! dit le pacha.

Mais il n'est pas le moins du monde offusqué. Les impertinences de Verdoux sont rituelles et par conséquent admises. En un sens, s'il cessait de s'y livrer, c'est au rite qu'il manquerait.

— Mais que vois-je ? dit le pacha. Nous avons une dame ici et elle est assise en bout de table ! Toubib, voudriez-vous avoir l'obligeance de lui céder votre place à ma droite ?

— Avec joie.

Je me lève, la Chinoise aussi, et les deux mains jointes sous son menton, elle fait deux petites courbettes.

— Je vous présente mes humbles et honorés remerciements, commandant de la grande jonque qui va sous l'eau.

Et avec des petites mines, elle va s'asseoir à sa dextre.

— La note archaïque est exagérée, dit le second ; les Chinois ont eux aussi des sous-marins.

Le badinage se poursuit pendant tout le repas, et Verdelet joue à la perfection son rôle féminin. Quant au pacha, au second, au commandant, à nous tous, nous comblons la Chinoise de compliments et des plus galantes attentions. Mais est-ce que nous entrons dans le jeu ? Ou est-ce que nous sommes pris par lui ? Il me semble déceler à la longue chez les autres et chez moi que cette comédie ne va pas sans quelque émotion. Nous avons beau rire et sourire, il n'empêche que nos yeux, fascinés, ne quittent guère la Chinoise, au point que Verdelet, malgré son aplomb, me paraît par moments gêné. Mais il se reprend aussitôt, trop professionnel pour trahir son rôle séducteur. Il le sert à merveille. Il n'est jamais équivoque ni caricatural. Et nous lui savons gré de le jouer si bien, avec tant de tact, sans passer la mesure, sans détruire l'illusion qui pour un soir — devant cette apparence de femme — nous redonne le goût de vivre.

CHAPITRE VI

Deux ou trois jours après le repas de la Chinoise, la cuisse me conte ses rêves d'avenir et j'ai un assez sérieux accrochage avec Le Guillou au sujet du boula.

On remarquera que la cuisse désigne 1° — Le local où se cuisent les mets. 2° — Le cuisinier, l'aide-cuisinier et le boula. 3° — Uniquement le cuisinier. Les rêves d'avenir n'étant pas collectifs, c'est de celui-là seul qu'il s'agit ici.

Ce n'est pas souvent que Tetatui trouve les loisirs de parler, car de six heures trente du matin à huit heures trente du soir, il est, avec son aide-cuisinier Jegou, l'homme le plus occupé du bord. Toutefois, il peut se permettre une petite sieste de deux heures l'après-midi, et il a ses nuits franches.

— Et les nuits franches, dit Tetatui, je suis très pour, vu que je suis un grand dormeur, voilà, c'est ça.

Je viens de le soigner pour une petite tendinite à l'épaule droite, et le dos appuyé contre la table d'opération, il me regarde et pousse un soupir. C'est un homme plutôt petit, trapu, bien en chair, le visage large et les yeux grands. Je suppose que la taille des yeux dépend de la quantité de soleil qu'ils ont à absorber. Et, quant à Tetatui, en fait d'horizons vastes et lumineux, il est bien servi, étant né à Rikitea dans les Gambiers.

Il soupire de nouveau.

— Enfin, dit-il, j'ai trente-trois ans et dans trois ans, je quitterai la Marine.

— Vous aspirez à la retraite, Tetatui ?

— J'aspire surtout au repos, voilà, c'est ça. Vous comprenez, docteur, les Français de France, ils pensent qu'au travail. Le travail ! Le travail ! Ils sont fous avec leur travail !

— *Maamaa...*

— Non, docteur, *maamaa,* c'est tahitien. Aux Gambiers, pour désigner des gens fêlés, on dit *pocovéliveli.*

— La plupart des cuisiniers de la Marine, quand ils quittent la Royale, ouvrent un restaurant.

— Eh bien pas moi ! dit Tetatui. Moi, quand je vais en permission, je touche pas une casserole ! C'est ma femme qui fait la cuisine !

— Elle aime ça ?

— A bien fallu.

— Mais vous allez vous ennuyer à Rikitea, quand vous serez retraité ?

— Pensez-vous, docteur ! Je ferai les perles artificielles. J'aurai un Japonais pour me montrer. C'est un truc. On glisse une petite bille en plastique dans l'huître, et l'huître l'entoure de nacre. Et on vend les perles à Papeete pour les touristes. Quand le Japonais m'aura appris, j'apprendrai à des gars de mon village. C'est eux qui travailleront. Pas moi.

— Mais il faut des terres côtières pour élever les huîtres perlières.

— C'est pas ça qui me manque. Je possède le quart de l'île.

— Vous possédez le quart de Rikitea ?

— Un peu moins du quart, dit-il modestement. Disons 20 %. Vous comprenez, docteur, mon grand-père, il était juge de paix. Il savait lire et écrire. Les autres, non. Alors, il leur faisait signer des actes de vente en échange de petits avantages. Et voilà comment il a acquis le quart de l'île. Une sacrée magouille !

Le mot est désapprobateur. Mais le ton ne l'est pas. Après tout, le droit, c'est le droit. Même s'il découle de l'iniquité.

— Mais vous, Tetatui, pendant que vos travailleurs travailleront, qu'est-ce que vous ferez ?

— Je pêcherai.

— Dans le lagon ?

— Oh non ! Dans le lagon, il n'y a pas beaucoup de poissons intéressants. Je pêcherai en pleine mer dans ma barque à moteur.

— Si je comprends bien, dis-je avec un sourire, vos ouvriers travaillent la perle, la perle travaille pour vous, votre femme fait le ménage et la cuisine, et pendant ce temps-là, vous pêchez. Mais c'est encore du travail que pêcher, Tetatui...

— Pas quand on pêche comme moi, à la traîne. Vous vous baladez, le moteur à petite vitesse, les poissons se prennent tout seuls. Et vous avez même pas la peine d'appâter, vu que c'est toujours le même leurre que vous traînez derrière vous.

Ce coup-ci, je ris franchement.

— Alors là, je vous imagine très bien, assis sur votre banc, le dos calé contre la lisse, deux doigts posés sur la barre et le torse nu...

— Le torse nu, pas toujours, dit Tetatui avec un soupir. Les Gambiers, c'est plus froid que Tahiti. Il y a même des jours où il faut mettre un petit pull...

En somme, rien n'est parfait. Le bonheur lui-même a ses limites. N'empêche, dans quatre ou cinq ans, si le sort m'appelle de nouveau vers les îles des mers du Sud, je pense que je pousserai jusqu'à Rikitea pour voir où Tetatui en est de ce farniente que son rêve a eu tout le temps d'organiser, tandis qu'il travaille et transpire dix heures par jour à ses fourneaux, enfermé comme nous sous les eaux dans une boîte en fer.

Tetatui a un petit problème de cohabitation avec le boula, parce que leurs activités se déroulent dans le même local. Quand Tetatui, à vingt et une heures, cesse les siennes, le boula s'empare de la cuisine et la transforme en fournil, lequel, à six heures et demie du matin, redevient cuisine pour Tetatui. Ces mutations ne vont pas sans heurts.

— Y a forcément une question de territoire, dit le boula qui est grand, gros et l'œil noir sous des sourcils épais. Le cuisinier, il veut être le seul maître à bord dans sa cuisse. Et moi aussi dans mon fournil.

Le boula est venu me voir parce qu'il a mal à la plante des pieds.

— Vous devriez vous asseoir davantage.

— Mais c'est impossible, docteur ! dit-il avec véhémence. La boulange, ça se fait debout.

— Vous n'allez pas me dire que vous pétrissez à la main ?

— Non, pour ça, j'ai un batteur électrique. Mais je façonne manuellement. Je fais vingt baguettes par fournée.

— Vingt, ce n'est pas beaucoup.

— J'ai quatre fours électriques, et chacun ne contient que cinq baguettes. Comme je fais deux cents baguettes en tout, ça me fait dix fournées.

— Vous ne pouvez pas vous asseoir entre les fournées ?

— Pas possible, docteur ! Pendant qu'une fournée lève, je prépare la suivante. Et en plus, entre les fournées, je fais les croissants, les brioches, les pains au chocolat et la pâtisserie.

— Et la journée, vous dormez au moins ?

— Très bien.

— Je ne vois pas comment vous pouvez dormir si bien dans une chambre de six, avec la lumière de jour et tous les va-et-vient de vos camarades.

— Y a pas de problème. Pour le bruit, je me mets des boules Quies dans les oreilles. Et pour la lumière, comme vous savez, chaque banette dans les chambres est fermée par des « rideaux de courtoisie ». Enfin, c'est comme ça que la Marine les appelle. Remarquez, c'est pas tout à fait suffisant : alors je les double avec une toile de jute. Il fait très noir dans mon petit coin et je dors très bien. Pas la peine de me bercer. Remarquez, je me relève à midi pour manger, et me balader un peu dans le bord. Je veux garder le rythme des deux repas par jour.

— En somme, dis-je, tout va bien, sauf vos pieds.

— Voilà !

— Vous devriez acheter des tennis à la cope. Ils vous isoleraient les plantes des pieds davantage que vos chaussures.

Il a suivi mon conseil et quand, huit jours après, je le rencontre dans une coursive alors qu'il « se balade » dans le bord, il ne me parle plus de ses pieds, mais de sa barbe.

— Docteur, ça vous ferait rien d'ouvrir pour moi la cope.

Je n'ai plus de lames de rasoir. Et je voudrais me raser avant de reprendre mon service.

— Ça, c'est courageux ! dis-je en regardant ma montre : se raser à huit heures du soir !

— Mais pour moi, le soir, c'est le matin ! dit le boula. Et j'aime me sentir frais pour me mettre au travail.

— Venez, dis-je, je vais vous ouvrir. Vous faites toujours vos deux cents baguettes par jour ?

— Oh non, docteur. La consommation a baissé. Maintenant, c'est cent quarante et en fin de patrouille, je n'en ferai plus que cent. Les gars commencent à avoir peur des réflexions de leur femme à leur retour.

J'ouvre la cope, je donne au boula ses lames de rasoir, je reçois son argent, je referme et, après cette infime transaction commerciale, je m'en retourne dans ma chambre, le cœur tout innocent. Mais mon lendemain va déchanter.

Déjà, ma nuit est bien loin d'être bonne, malgré un bon début. Comme l'écrit si joliment Marcel Proust, « une femme naît dans mon sommeil d'une fausse position de ma cuisse ». Malgré l'étroitesse de ma banette, l'impression eût été charmante, si sa vivacité même ne m'avait réveillé, me laissant sur le sable, furieux et frustré, comme un pauvre crabe que le reflux d'une vague a jeté sur le dos, agitant dans l'air ses pinces inutiles.

Je me rendors, et c'est pour me retrouver à Prague où mes cauchemars précédents avaient situé la perte de ma valise. Cette fois, le rêve commence sous les meilleurs auspices. Je suis installé à une table du grand hall de l'hôtel Alkron, en train de boire du thé. Et à la table voisine de la mienne, est assis, prenant le thé, un quarteron de jeunes femmes que les Tchèques, avec leur humour pince-sans-rire, appellent « les demoiselles Touzek », du nom des magasins d'Etat où l'on vend — exclusivement aux touristes et en échange de leurs précieuses devises — les merveilleux cristaux façonnés en Bohême. Ce que vendent, contre devises aussi, les demoiselles Touzek dans ce grand hôtel fréquenté par les hommes d'affaires occidentaux, on le devine. Qui le dirait pourtant, à les voir si distinguées en leur allure et vêture, le maquillage discret, le verbe bas, le geste mesuré, l'œil modeste, et belles comme seules les Tchèques peuvent l'être ?

Lectrice, irez-vous penser du mal de moi — mais souvenez-vous que tout ceci n'est qu'un rêve — si je vous dis que me sentant triste et seul, je succombe à la tentation. Je me lève, et ma clé de chambre ostensiblement à la main, me dirige vers les demoiselles Touzek et demande à la plus ravissante son nom.

— Je m'appelle Sophia, dit-elle d'une voix basse et douce.

Je lui laisse voir alors le numéro de la chambre inscrit sur ma clef et la quitte, le cœur me battant quelque peu. Naturellement, elle ne me suit pas. Les yeux au bord de ma tasse de thé, j'ai observé ici même, plus d'une fois, l'extraordinaire discrétion de ce petit manège.

Un quart d'heure plus tard, on gratte à la porte de ma chambre. J'ouvre. C'est la merveilleuse, la paupière à demi baissée sur de beaux yeux verts, et la tête un peu penchée sur le côté, comme alourdie par le poids de ses longs cheveux noirs qu'elle porte rassemblés sur sa nuque en chignon comme une héroïne romantique. Elle est vêtue d'un fourreau de satin blanc décoré sur le devant d'un grand oiseau brodé or. Pas de bijou, sinon une petite croix qui brille dans la pénombre, pendant de son cou au bout d'une chaînette. On dirait une ingénue à son premier bal. Et comme, la porte refermée et reverrouillée, elle ne bouge ni ne parle, ce n'est pas sans vergogne qu'à la longue, j'ose porter la main sur elle pour la déshabiller. Elle se laisse faire, l'œil baissé et une demi-risette sur ses lèvres qui lui donne l'air délicieusement malicieux et gentil du petit ange sculpté sur le portail de la cathédrale de Reims : Le seul ange de la chrétienté qui soit ouvertement féminin et qui sourie.

Je la mène jusqu'à mon lit où je la fais étendre. Elle se blottit et s'enfouit sous le drap au point qu'on ne voit plus que ses longs cheveux noirs dénoués. Je me détourne pour me déshabiller, les doigts tremblants d'impatience, et quand enfin, j'ouvre le drap pour la rejoindre, je ne trouve plus qu'un squelette dont le crâne hideux est couronné d'une perruque.

Mon horreur cède alors à la plus folle colère : Je décroche

mon téléphone. J'appelle la Direction en termes véhéments. Je me rhabille. On frappe à la porte. J'ouvre et je trouve devant moi deux messieurs vêtus de noir, roides, pompeux et compassés, qui me dévisagent d'un air soupçonneux.

— Messieurs, dis-je, c'est inacceptable ! Je croyais que l'hôtel Alkron était un hôtel respectable ! Et on y joue aux voyageurs des farces macabres ! J'insiste pour qu'une enquête soit faite et pour qu'on punisse d'une façon exemplaire l'auteur de cette sinistre plaisanterie. On a placé dans mon lit sous mon drap un squelette féminin !

— Monsieur le docteur, dit le plus grand des messieurs en noir, avec l'air de me prendre en faute, comment savez-vous qu'il est féminin ?

— Mais je n'en sais rien ! dis-je avec irritation. Vous pensez bien que je ne l'ai pas examiné ! Et d'ailleurs, cela n'a aucune importance ! Masculin ou féminin, il y a un squelette dans mon lit et il n'y est pas venu tout seul.

— Monsieur le docteur, dit le second des deux messieurs en noir, lequel est roux avec des yeux vairons, l'hôtel Alkron est un hôtel sérieux, et que ce squelette, féminin ou non, soit venu spontanément dans votre lit ou que vous l'y ayez amené, peu importe. Nous espérons toutefois, pour notre réputation comme pour la vôtre, que vous vous êtes conduit convenablement avec lui.

— Comment cela convenablement ? crié-je au comble de la fureur. Mais je ne l'ai même pas touché ! Dès que je l'ai vu dans mon lit, je me suis rhabillé et je vous ai appelés !

— Vous vous êtes rhabillé, monsieur le docteur ? dit le plus grand des deux en ouvrant de grands yeux. Vous étiez donc nu ? Nu dans un lit avec un squelette ?

Et ce disant, il regarde son collègue roux et tous deux hochent la tête avec un air de componction attristée.

— Messieurs ! dis-je, tremblant de fureur, finissons-en ! Prenez ce squelette, je vous prie, et donnez-le au diable, si vous voulez ! Je n'en ai rien à faire !

Ce disant, je marche à pas rapides vers le lit, je le découvre d'un geste brutal. Il est vide. J'entends un petit rire derrière moi.

— Monsieur le docteur, dit le petit roux en toussant

derrière sa main, vous devriez vous méfier de notre alcool tchèque ! Il est traître.

Je crie :

— Mais je ne bois que du thé !

Peine perdue ! Après une raide courbette, ils sont partis, je saisis ma clé, je les suis, et comme la porte de l'ascenseur se referme à mon nez, je descends par l'escalier, lequel est monumental — dix hommes pourraient s'y présenter de front. Je le dévale et, traversant l'immense hall presque en courant, je marche droit vers la table des demoiselles Touzek. Ma merveilleuse est là, impassible. Toutefois, elle n'est pas vêtue de blanc virginal, mais d'une robe noire fendue sur le côté. Elle me paraît aussi beaucoup plus maquillée.

— Mademoiselle, dis-je d'une voix tremblante, c'est vous Sophia, oui ou non ?

— Je m'appelle Olga, dit-elle d'une voix un peu rauque (elle doit beaucoup fumer).

Elle me regarde de haut en bas, sans gêne aucune et, voyant la clé de ma chambre au bout de mes doigts, elle sourit, mais d'un sourire qui ne rappelle en rien, mais en rien, celui du petit ange rémois. Je cache ma clé dans le creux de ma main, je m'enfuis, je remonte quatre à quatre l'escalier monumental et je me réveille, mon cœur cognant contre mes côtes, trempé de sueur.

J'allume et la lumière achève de me réveiller. Je me repasse le film de mon rêve et je me sens très mécontent de mon inconscient. Qu'il soit fâché des frustrations que je subis, je le conçois, mais qu'il recoure pour me le faire entendre à cet ascétisme cruel, pessimiste, contempteur du corps, je ne puis l'admettre. Ce rêve, on le dirait sorti de la peinture de l'Enfer de Jérôme Bosch : peintre que j'admire, mais que je trouve beaucoup plus malsain que les pauvres pécheurs que son pinceau sadique voue aux pires supplices. Je regarde l'heure : quatre heures du matin. Je ressens alors deux besoins, complémentaires l'un de l'autre : j'ai faim et j'ai faim aussi de la compagnie de mes semblables.

Je descends à la caffe. Sur deux tables, est disposé, chaque nuit, par les soins de la cuisse, un assortiment de sardines, maquereaux, pâtés et miettes de thon, le tout accompagné de baguettes de pain. Ceux qui, ayant fini (ou commençant) un quart de nuit, se « sentent un petit creux » (à mon avis surtout psychique, les repas à bord étant si copieux), viennent ici casser « une petite croûte », avant de gagner leur lit ou de rejoindre leur équipe. A côté d'eux, devant les fours électriques de la cuisse, le boula s'affaire à façonner et à cuire ses pains. On entend le ronronnement du moteur qui bat la pâte, et quand le boula ouvre les fours, une bonne odeur de croûte chaude flotte jusqu'à nous, apportant un réconfort de plus.

On se sent bien, là, debout, l'un à côté de l'autre, à fendre les baguettes en deux et y étaler les *delikatessen* de notre choix. Les paroles sont rares, paresseuses, à demi articulées : « salut, salut ; vivement qu'on se couche ; veinard, tu te plains » ! Mais le contentement animal est présent chez tous dans le remplissage, dans le coude à coude... Et parfois, l'un de nous, plus culotté ou plus gourmand, ose se diriger vers le comptoir qui sépare la caffe de la cuisse, et dit à mi-voix :

— Dis donc, boula, tu n'aurais pas une baguette fraîche pour moi ?

Fraîche, c'est une façon de parler ; elle est brûlante, sortie du four. Le boula grogne et gronde, c'est son rôle. A cet instant, il est le roi du bateau, la divinité tutélaire, le père nourricier.

— Tu fais chier, mon gars. Si tout le monde me bouffe mon pain au fur et à mesure que je le cuis, j'en aurai jamais fini.

Quand, cependant, il consent à donner une baguette « fraîche », c'est une faveur insigne qui auréole l'heureux récipiendaire, tandis qu'il revient vers nous, faisant sauter le pain d'une main dans l'autre, tant il est chaud. Il le partage, bien sûr. Avec moi aussi. Mais je refuse. Je ne veux pas grever mon estomac davantage.

Au bout d'un moment, je quitte, réconforté, ma famille sous-marinière. Je regagne ma chambre et ma banette et je dors, sans rêve cette fois, jusqu'au branle-bas.

Le réveil est rude. Après un petit déjeuner avalé sans faim, je gagne l'infi. A mon entrée, Le Guillou, qui est en train de tout briquer à clair, baisse la tête sur sa tâche et ne me salue pas. Cet accueil me cueille à froid, comme disent les sportifs. Je me reprends et, sans dire un mot, je gagne la chambre d'isolement où se trouve Lombard endormi. Je reviens sur mes pas. Ma deuxième entrée ne produit pas plus d'effet que celle qui l'a précédée. Mes pas seraient inaudibles et ma présence invisible que Le Guillou ne serait pas plus sourd aux premiers, ni plus aveugle à la seconde. Bien, je décide de prendre ma lancette et d'inciser l'abcès. En douceur toutefois.

— Le Guillou, on peut savoir ce qui se passe ?

Il lève la tête : ses cheveux rouges rougeoient, et ses yeux verts verdoient, froids comme glace.

— Il se passe, monsieur, que je ne suis pas très content. Si je refuse à un gars d'ouvrir la cope tout exprès pour lui, il faut pas la lui ouvrir derrière mon dos ! Vous me cassez la baraque si vous faites ça !

— Un instant, Le Guillou, dis-je sèchement, mais sans hausser la voix, ce gars, c'est qui d'abord ?

— Le boula.

— Et il vous avait demandé d'ouvrir la cope ? Hier soir ? Pour des lames de rasoir ? Et vous lui aviez refusé ?

— Exactement.

— Et peut-on savoir pourquoi ?

— Je n'avais pas de raison de lui faire une fleur, vu que, lui, il ne m'en fait pas.

— Bien. Alors, Le Guillou, écoutez bien et que tout soit clair entre nous. Je coiffe la cope, j'ai la clé du local, et j'ai le droit, le cas échéant, d'y pénétrer. Toutefois, si j'avais su que vous aviez refusé au boula de l'ouvrir exprès pour lui, alors naturellement, je ne lui aurais pas ouvert et je l'aurais renvoyé à vous.

— Ah, mais si vous ne saviez pas que je lui avais refusé, docteur, dit Le Guillou, radouci, alors, ça change tout !

— Mais bien entendu, je ne le savais pas ! Croyez-vous qu'il s'en soit vanté ?

— Alors, ça change tout, répète Le Guillou, maintenant un peu gêné.

— Bon, dis-je rondement, n'en faisons pas une montagne.

Ce n'était qu'un malentendu et il est éclairci. Il y a toutefois un petit point que j'aimerais préciser. Quelle était la faveur que vous aviez demandée précédemment au boula et qu'il vous avait refusée ?

— Oh ! en soi, ce n'est pas si grave ! dit Le Guillou en haussant les épaules, mais c'est quand même vexant d'essuyer un refus, surtout en public. Faut pas croire que je sois rancunier.

— Un peu quand même...

— Quand il y a de quoi, oui, un peu. Ecoutez, docteur, je vais vous dire. Une nuit j'ai eu un petit creux. Je me suis relevé, j'ai été casser une graine à la caffe, et j'ai demandé une baguette fraîche au boula. Eh bien, vous croiriez pas, docteur, mais ce petit trou du cul de second maître, il me l'a refusée !

Je hoche la tête avec gravité. Evidemment, c'est humiliant. Surtout quand on est soi-même premier maître. Et infirmier major. Et le vendeur de la cope. Bref, un notable.

Je prends bonne note d'en toucher un mot à l'occasion au boula. Avec une goutte de vinaigre et beaucoup d'huile, comme dit le second. Je l'apostrophe déjà en pensée. Voyons, boula, est-ce bien raisonnable ? Si vous tombiez malade, vous êtes sûr que vous n'auriez rien à demander à Le Guillou ? Et puis, est-ce que ça vaut pas mieux pour le bateau que tout le monde y mette du sien ? Je m'entends bien avec Le Guillou, moi ! Alors ?

En somme, l'homme n'est guère différent des autres mammifères. Il aspire au pouvoir : sur les femelles, sur les autres hommes, sur un territoire. Bien que cette vérité ne soit pas neuve, elle me frappe davantage après l'incident avec Le Guillou. Si l'on excepte la compétition pour la possession des femmes, absentes ici, on voit comment mon infirmier a été blessé au plus vif par une atteinte du boula à son autorité (alors qu'il se voyait refuser non pas un droit, mais une faveur) et une atteinte par moi à son territoire (alors même que je coiffe la cope et que j'en ai la clé). Preuve que la susceptibilité du pouvoir est extrême et accepte difficilement ses propres limites — à quelque échelon que ce pouvoir s'exerce — et peut-être davantage encore à l'échelon subalterne.

J'ai remarqué qu'un accrochage entre deux hommes, s'il était bien géré par celui des deux qui a le pas sur l'autre, se concluait rapidement par un traité de paix tacite, et le plus souvent durable. En revanche, il n'en est pas ainsi d'une dispute entre un homme et une femme, ce genre de querelle ayant tendance à s'éterniser sans jamais se résoudre vraiment, justement parce que aucun des deux ne dispose sur l'autre d'une autorité qui ne soit confuse en son principe et contestée en ses applications.

Deux ou trois jours après cette tension subite entre Le Guillou et moi, je me trouve seul au petit déjeuner avec Saint-Aignan et lui dis :

— Si je comprends bien, tu es avec Pérignon le spécialiste des missiles.

Il émerge à peine d'un quart de nuit, affamé, fatigué, les yeux papillotants et pas encore rasé, mais tout aussitôt courtois et composé que s'il commençait sa journée.

— Pas de tous, dit-il, je suis spécialisé dans le M20, mais pas dans le missile M4. Comme tu sais, le M4 équipe l'*Inflexible*, le dernier fleuron de nos SNLE.

— Et quelle est la différence ?

— Le M4 est beaucoup plus performant que le M20. Il a une portée plus grande et surtout il a six têtes nucléaires.

— Un instant, dis-je. Seize missiles à six têtes nucléaires chacun, ça fait presque une centaine de têtes nucléaires. Pourquoi tant de têtes ?

— Plus vous avez de têtes, dit Saint-Aignan avec flegme, plus votre capacité de pénétration en pays ennemi augmente, car il faut compter qu'un certain nombre d'entre elles seront abattues avant d'atteindre leur cible. En outre, sur le M4, les têtes sont durcies et par conséquent mieux protégées contre une réponse adverse.

Je reste bouche bée d'entendre ce bon et beau jeune homme envisager d'une voix douce et sur un ton posé une opération qui aurait pour conséquence l'anéantissement d'un grand pays. Il est vrai qu'il se place dans l'hypothèse où ce grand pays aurait commencé lui-même par détruire le nôtre.

— Suppose, dis-je, que tu deviennes fou et que tu appuies sur le bouton.

Saint-Aignan rit et paraît tout d'un coup beaucoup plus jeune :

— D'abord, dit-il, avant d'être admis dans les sous-mariniers, on passe devant un psychologue et je puis t'assurer qu'il n'a décelé en moi aucune tendance homicide. Ensuite, il n'y a pas de bouton. Il y a un pupitre, et sur ce pupitre, une série de boutons qui commandent toute la séquence de lancement.

— Qui empêche le fou d'appuyer sur tous ces boutons ?

— Ça ne l'avancerait pas, dit Saint-Aignan, la séquence est bloquée. Et elle ne peut être débloquée que par le commandant et le second, agissant conjointement.

— Supposons, dis-je, qu'ils deviennent fous.

— Tous les deux ?

— Evidemment, dis-je. C'est peu probable. Eh bien, supposons que le commandant, seul, devienne fou et qu'il contraigne le second, sous la menace d'une arme, à débloquer avec lui la séquence.

— Impossible ! Et tu devrais le savoir, puisque tu as déjà assisté à des lancements fictifs ! Le commandant ne peut débloquer la séquence par l'intermédiaire d'une machine qui se trouve dans le PCNO, que si le second, *en même temps que lui*, la débloque dans une machine située à l'étage au-dessous.

— Ah ! dis-je béant, c'est vrai ! Je me souviens ! Et quand on y pense, quelle étonnante astuce ! Un romancier inventerait cela, son invention paraîtrait peu crédible. Ainsi toutes les précautions ont été prises pour que le commandant ne puisse agir seul.

— En outre, et surtout, dit Saint-Aignan, le commandant ne peut agir sans avoir reçu l'ordre du président de la République, et cet ordre lui parvient par ondes ultra-longues, et sous forme d'un message codé.

— Qu'il faut évidemment décoder ?

— Mais pas n'importe comment, dit Saint-Aignan. Il y a deux codes à bord gardés dans deux coffres différents. Au reçu de l'ordre gouvernemental, le commandant et le second, chacun enfermé dans sa chambre, le décodent. A la suite de quoi, chacun des deux l'introduit dans un calculateur, le commandant au PCNO, le second à l'étage au-dessous. Si les deux codes coïncident, la séquence de lancement est débloquée.

— Que se passe-t-il alors ?

— On fait le point. Il faut évidemment connaître l'endroit exact où se trouve le SNLE pour calculer la distance entre lui et les cibles.

— Les cibles ? Il y en a plusieurs ?

— Oui. Probablement. Il faut ensuite programmer chaque missile.

— Comment le programmez-vous ?

— Eh bien, dit Saint-Aignan (avec une patience d'ange, car fatigué et ensommeillé comme il est, il doit trouver que je lui pose beaucoup de questions), chaque missile possède son calculateur de bord et sa centrale de navigation inertielle. Ils lui permettent d'aller là où on lui commande d'aller. Cette préparation, reprend-il, est assez longue, car elle exige beaucoup de précision.

— C'est toi qui fais cela ?

— Le Mis 1 et moi.

— Vous connaissez donc les cibles ?

Saint-Aignan cille, son visage se ferme et il dit :

— Nous ne savons rien de l'attribution des cibles. Ses coordonnées géographiques sont inscrites sur un disque magnétique que seul l'ordinateur sait lire.

Je mets un sucre dans ma tasse et remue le thé avec ma petite cuiller, créant une mini-tempête que je considère sans vraiment la voir. Ce que Saint-Aignan vient de me dire me donne matière à réfléchir : Il lance un missile sans connaître l'objectif sur lequel il va faire pleuvoir « le soufre et le feu ». En un sens c'est heureux pour lui. Une chose est de lancer une fusée sur un point abstrait et une autre de tirer sur une ville dont on connaît le nom. Il y a des moments où on a intérêt à substituer la mathématique à l'émotion.

Je reprends :

— Quand tous les missiles sont programmés, comment se fait le lancement ? Le sous-marin fait surface ?

— Pas du tout. Mais il se rapproche de la surface.

— A combien de mètres ?

— C'est un secret, dit Saint-Aignan avec un sourire.

— Encore un ! dis-je. Vous lancez le missile dans l'eau. Comment faites-vous ?

— Tu as vu sur le pont, derrière le massif, cette double rangée de grands panneaux circulaires ? Il y en a seize.

— Je n'ai rien vu. Je me suis embarqué trop vite et trop tard.

— Eh bien, ces panneaux s'ouvrent.

— Tous ensemble ?

— Un par un.

— Ils s'ouvrent comment ?

Saint-Aignan sourit.

— Automatiquement. Tout est géré par ordinateur.

— Bien, dis-je, un peu piqué de ce sourire. Le panneau s'ouvre, l'eau pénètre dans le tube, noie le missile, et la guerre de Troie n'a pas lieu.

— Hélas, dit Saint-Aignan, elle a lieu. Sous le panneau, une membrane de caoutchouc obture le tube et empêche l'eau d'entrer. Le missile est chassé du tube.

— Comment ?

— Par l'air comprimé.

— Tous les vieux trucs ! dis-je. C'est la machine à vapeur qui fait tourner l'hélice et c'est l'air comprimé qui chasse le missile. L'air comprimé comme dans les carabines à plomb de notre enfance !

— En plus fort, dit Saint-Aignan. En beaucoup plus fort : le missile pèse dix-huit tonnes. Et malgré ce poids respectable, il est expulsé, crève la membrane de caoutchouc, monte dans sa bulle d'air, traverse la surface de l'eau.

— Quoi ! dis-je, il monte dans sa bulle d'air ? Tu veux dire qu'il n'est pas mouillé ?

— Ça serait désastreux, s'il l'était.

Pour Saint-Aignan, cette montée du missile dans sa bulle d'air a posé un problème. Mais puisque le problème a été résolu, il n'y a pas à y revenir, ni même à s'en étonner. Mon étonnement, je m'en rends bien compte, provient de mon ignorance. Et aussi de mes émotions. Car je suis en train de me demander jusqu'où ira la prodigieuse et périlleuse inventivité de l'*homo sapiens*.

— Bien, dis-je, le missile traverse la surface de l'eau. Et après ?

— Il se met lui-même à feu. Plus exactement, son premier étage se met à feu. Il y a deux étages propulsifs. Et leur finalité est de mettre la tête du missile sur sa trajectoire de façon à ce qu'il recoupe la terre à l'endroit où se trouve la cible.

C'est mathématiquement et impeccablement dit : le missile, après avoir parcouru trois mille kilomètres (c'est un M 20) amorce sa descente et « *recoupe la terre à l'endroit où se trouve la cible* ». Je ne mets là aucune ironie. Je suis un ferme partisan de la dissuasion. J'en comprends la nécessité. J'en accepte les contraintes. Mais cette phrase me fait froid dans le dos. Je pense au missile adverse qui dans le même temps « *recouperait la terre* » à l'endroit où se trouvent les nôtres.

— Bien, dis-je, on a lancé un missile. Que fait-on après ?

— On lance toute la salve.

— Les seize missiles ?

— Oui.

— Ensemble ?

— Non. Successivement. Quand on a lancé un missile, avant de passer au suivant, il faut laisser pénétrer l'eau dans le tube que le missile vient de quitter.

— Pourquoi ?

— Parce qu'avec le départ d'un missile, le bateau est allégé de dix-huit tonnes. Il faut compenser cet allégement pour lui garder sa pesée.

— Si je ne craignais pas d'abuser, je te poserais bien encore deux petites questions.

— Pose-les, dit-il avec bonne grâce. Tu ne me déranges pas. Je n'ai pas fini mon petit déjeuner.

— Mais tu as sommeil ?

— Non justement. Voilà le hic. Après le quart de nuit, je n'ai jamais sommeil. Je suis seulement fatigué.

— Comment sais-tu qu'au moment où on vous donnera l'ordre, vos missiles partiront ?

— Rassure-toi, dit Saint-Aignan avec un humour involontaire, ça fonctionne très bien. Après chaque carénage, on fait des essais de lancement avec des maquettes.

— Bon, deuxième question : que fais-tu au cours d'une patrouille, puisque tu ne lances pas les missiles ?

Il rit franchement.

— Il n'y a pas de mystère. Tu as vu la salle des missiles ? C'est grand ! C'est compliqué ! Il y a une maintenance à assurer. Des contrôles. Des vérifications. En plus du Mis 1, de moi, cette maintenance mobilise du monde ! Neuf hommes pour la partie tube et six pour la partie missile. Et comme partout ici, il s'agit d'un personnel hautement qualifié.

— Tu as l'air, dis-je, tout à fait content d'être là.

— En effet. Vois-tu, j'ai fait en surface des choses beaucoup moins passionnantes. Depuis que je suis sur un SNLE, j'ai le sentiment d'avoir découvert un vrai métier. J'ai l'impression de faire ici des choses grandes, nobles, importantes.

— T'arrive-t-il de penser que tu pourrais un jour recevoir l'ordre de tirer ?

Un silence. Et Saint-Aignan dit d'une voix neutre :

— Je préfère ne pas y penser.

Un silence encore et je dis :

— J'entends bien : tu aimes ce que tu fais et tu le fais avec conscience, avec compétence, avec enthousiasme. Toutefois, il y a un paradoxe dans ton métier : nuit et jour tu surveilles, tu maintiens, tu bichonnes tes missiles et tes tubes. Tu es archiprêt. Et pourtant, tu espères du fond du cœur n'avoir jamais à tirer.

Saint-Aignan me laisse à peine achever. Il dit vivement :

— Bien sûr ! Bien sûr !

Et pour la première fois il me semble déceler un peu d'agacement dans sa voix.

Je m'aperçois que j'ai omis de parler de la « cabane » : à tort, car c'est un événement important de notre vie sous-marinière qu'on appelle aussi la fête de « mi-patrouille » ou, comme disent les hommes, de « mi-marée » La cuisse y participe en composant presque une semaine à l'avance un buffet froid — digne, affirme Brosse à dents, « des meilleurs traiteurs ». Mais cette grande bouffe n'est qu'une préface au clou de la soirée : une séance de variétés, préparée conjointement par les officiers et l'équipage (avec présentateur, orchestre, sketches et chansons). Elle se déroule à la caffe (10 m sur 6), seul endroit assez grand à bord pour autoriser une représentation — unique bien sûr, et devant un public hilare, mais très compressé et, faute de place, le plus souvent debout.

La préparation de la cabane commence dès le départ de l'Ile Longue, et suppose qu'à terre on y a déjà pensé, car ni les instruments de musique, ni les accessoires, ni les déguisements ne s'improvisent. Encore que pour les déguisements j'ai vu des robes de femmes surprenantes, exécutées par des artistes à partir de sacs poubelle.

Sur la prière instante de Verdelet, j'ai participé à la cabane. Avec lui, Verdoux et le patron, j'ai dansé et chanté dans un numéro, heureusement fort court (mais fort applaudi) où nous étions déguisés en coco girls, notre cible étant Bichon le bouchon gras, dont nous célébrions l'excellence, entre deux gracieux entrechats, en susurrant d'une voix douce :

Bichon est too much
Bichon est trop
Trop ! Trop ! Trop !

Ledit Bichon que ses camarades surnomment Beru 1er (du nom du héros de San Antonio) en raison de son ample morphologie, chanta, habillé en mignon d'Henri III, avec fraise et chausses bouffantes, une chanson intitulée *le Petit Ver de terre* dont les paroles simplettes et répétitives sont restées dans ma mémoire :

Qui a vu, dans la nue, tout menu
Le petit ver de terre ? (bis)
C'est la grue qui a vu dans la nue le petit ver de terre (bis)
Et la grue a voulu manger cru
Le petit ver de terre (bis)

Dans une laitue bien feuillue a disparu
Le petit ver de terre (bis)
Et la grue n'a pas pu manger cru
Le petit ver tout nu (bis)

Le *bis* peut être repris (et le fut) par le public, qui peut au besoin trisser, afin de permettre aux plus lents d'esprit de comprendre la connotation finement obscène du poème. A cette connotation je ne fais pas d'objection, mais je regrette toutefois que la tyrannie de la rime (dont déjà se plaignait Verlaine) ait exercé là aussi ses effets funestes, puisqu'elle a imposé au ver de terre de se promener dans la nue.

Le Guillou, de son côté, remporta un franc triomphe en chantant *Fais-moi mal, Johnnie* tandis que Morvan, le fouet à la main, feignait de contenter, en le cinglant, ses appétits masochistes. Il est possible qu'il y ait eu quelque malice dans les applaudissements redoublés qui saluèrent ce numéro paradoxal, le caractère quelque peu autoritaire de Le Guillou étant connu dans le bord.

Ces fastes sont maintenant bien passés. Il n'en reste plus que quelques oripeaux et des photos à faire développer au retour. J'éprouve le même sentiment qu'autrefois quand on montait au lycée une pièce de théâtre sur le plateau mal sonorisé de la salle de distribution des prix. Tant de travail pour une seule représentation ! La griserie d'une soirée ! Et le lendemain, la routine des jours semblables reprenait. Certes, nous avons la consolation de nous dire que la mi-patrouille est déjà derrière nous ! Mais je sais bien — et comment en douter, quand tous les anciens me le répètent — que la deuxième moitié, c'est la plus dure à supporter.

Le pauvre Lombard continue à reposer — si l'on peut dire qu'il repose — sur son matelas qu'une planche isole des ressorts du sommier. Comme il ne lit pas, sa seule distraction est la télé de l'infi, placée à commode distance de son lit et que Le Guillou nourrit de vidéo-cassettes. Il ne peut pas se plaindre d'être abandonné. Je le vois deux fois par jour. Le Guillou lui fait la conversation. Morvan lui tient silencieusement compagnie. Et les gars de sa chambrée — des premiers maîtres — lui rendent visite à tour de rôle.

C'est souvent le soir, après le dîner, que je remplis mes paperasses. C'est le moment aussi où Le Guillou me parle, car il est sûr alors de ne pas me contrarier en m'interrompant.

— Docteur, vous saviez qu'il y a des maîtres qui se passent des films X ?

— Je l'ignorais, mais les choses étant ce qu'elles sont, comme dirait de Gaulle, je n'en suis pas autrement étonné. Le pacha le sait ?

— C'est ce qu'on se demande.

— Et le patron, il le sait ?

— Je dirais qu'il ne veut pas le savoir. Mais il est plutôt contre. Il cite le mot de l'amiral Dönitz.

— L'amiral Dönitz ? L'amiral commandant les sous-marins allemands pendant la guerre ?

— Oui. Voilà ce qu'a dit Dönitz : « Il vaut mieux ne pas montrer une table bien garnie à des gens qui n'ont pas à manger. » Qu'en pensez-vous ?

— Oh vous savez ! dis-je, les maximes, il y en a pour tous les goûts : on peut toujours en trouver une qui contredit l'autre. Par exemple, celle-ci qui fait pièce à celle de Dönitz : « Ça fait toujours plaisir à un renard de voir passer une poule, même quand il ne peut pas l'attraper. »

— Et vous, me dit-il, vous êtes pour ou contre les films X ?

— Je suis contre, dis-je, à tout le moins je suis contre les deux ou trois que j'ai vus, parce qu'ils sont mécaniques, monotones, sans émotion, sans humour et sans humanité. En outre, ils donnent de la femme une image très avilissante.

— Alors, dit-il, vous les interdiriez, si vous étiez le commandant ?

— Non, dis-je, je ne crois pas.

— Pourquoi ? dit-il, étonné.

— Parce qu'on peut se demander ce qui ferait le plus de mal : voir un film porno ou se le voir interdire.

— Eh bien justement, dit Le Guillou, il y a des maîtres qui veulent venir ici ce soir passer un film X à Lombard et le voir avec lui.

— Et ça ferait plaisir à Lombard ?

— Non, pas tellement. Le film en lui-même pas tellement. Mais il apprécie la bonne intention. Qu'en pensez-vous ?

— La bonne intention, c'est une façon de parler. Ces maîtres, ils ont votre âge, j'imagine ?

— Oui.

— Alors, ce ne sont plus des enfants. Et c'est oui, mais à deux conditions. *Primo,* une fois ça va, mais pas deux. *Secundo,* ça va pour les maîtres, mais pas pour les petits matelots.

— Je transmettrai ces conditions, dit Le Guillou, et merci pour votre tolérance.

Un silence, et Le Guillou reprend :

— Docteur, est-ce que vous allez rendre compte au second ?

— Si on respecte mes conditions, je n'en vois pas la nécessité.

— Vous regarderez le film ?

— Non.

— Moi non plus, dit Le Guillou vertueusement.

— Et Morvan ?

— Morvan, Dieu merci, il couche dans la chambrée de Lombard et à cette heure-là il dort comme un loir. Sans ça, vous pensez bien !...

Le lendemain au petit déjeuner, je me trouve avec Mosset, « le préposé au silence » comme il se nomme lui-même. Les effluves de son chocolat chaud dont il boit au moins trois grandes tasses chaque matin que Dieu fait flottent jusqu'à ma modeste tasse de thé, et j'admire une fois de plus la voracité avec laquelle « l'insatiable gouillot » (Angel dixit) avale croissants et brioches. Je suis plus poli : je l'appelle le sylphe. Et je me demande comment fait Mosset pour garder sa taille de lévrier et son visage maigre et coupant en absorbant dès le branle-bas tant de calories.

Le pacha est là, mais comme il se rempare derrière un livre astucieusement calé contre sa théière — signe indubitable qu'on ne saurait enfreindre sans sacrilège son silence matinal — Mosset et moi, nous conversons à mi-voix à un bout de table, et justement sur le silence, non du commandant, mais du sous-marin.

— Cette nuit, dis-je, j'ai entendu très distinctement le frottement de l'eau le long de la coque. Et je me suis dit que c'était là un bruit impossible à supprimer.

— C'est en tout cas un bruit qui nous pose un problème — un double problème, celui du bruit et celui de la vitesse : il s'agirait d'éliminer la turbulence.

— La turbulence? Qu'est-ce que tu entends par la turbulence?

— Tout corps en mouvement dans l'eau crée une turbulence, c'est-à-dire des petits tourbillons. Ces tourbillons font du bruit, comme tu l'as remarqué. Et en outre, ils freinent la vitesse. Voilà le problème.

— Alors?

Mosset prend le temps de mâcher la moitié de croissant qu'il vient de fourrer entre ses mâchoires et de boire quelques gorgées de chocolat pour la faire passer. Après quoi, il soupire, s'essuie les lèvres avec sa serviette, et dit :

— Alors, les dauphins ont résolu le problème. Pas nous.

— Les dauphins?

— Ils ont une vitesse subaquatique absolument stupéfiante : trente nœuds.

— Mais à l'écoute on entend les dauphins. On les entend même beaucoup!

— Parce qu'ils jouent par bande, tournent et virent, font des sauts et émettent des sifflements. Mais lancés en ligne droite, ils ne créent pour ainsi dire pas de turbulence.

— On sait pourquoi?

— On croit savoir pourquoi. Il y a quelques années, le physicien américain Max Kramer, spécialiste des missiles, s'est intéressé à eux et voici quelle était sa conclusion : les dauphins, en réalité, possèdent deux peaux. Une première peau, la plus profonde, qui enveloppe la couche de lard. Et une deuxième peau, la peau superficielle, qui recouvre des petits canaux remplis d'une matière spongieuse saturée d'eau. Cette peau, très élastique, est sensible à la moindre pression, et se déprime et se ride au contact avec l'eau, quand le dauphin se déplace.

— Autrement dit, elle est auto-adaptable à l'écoulement

des filets d'eau. Les frottements et les bruits sont réduits à rien.

— Presque à rien. Et la vitesse considérablement augmentée. Un SNLE qui aurait la peau d'un dauphin serait le roi des Océans.

— Alors, dis-je, qu'est-ce qu'on attend pour imiter la nature ?

Mosset avale d'un trait ce qui reste dans sa tasse de chocolat, s'essuie les lèvres et se lève.

— Nous ne sommes pas Dieu le père, dit-il en haussant les épaules.

— Heureusement peut-être, dit le pacha en émergeant de son silence.

CHAPITRE VII

Ce dimanche, au repas présidé, on parle de statistiques. C'est ainsi qu'on apprend que la moyenne d'âge de l'équipage — officiers, officiers mariniers, quartiers-maîtres et matelots compris — est de vingt-sept ans.

— La moyenne serait encore plus juvénile sans moi, dit le pacha.

— Et sans moi, dit le second.

— Et sans moi, dit le chef Forget.

— Et sans moi, dit le commandant Alquier.

Le commandant Mosset ne dit rien : il n'a que trente-cinq ans. Il doit estimer que pour un corvettard, c'est jeunot.

— Mais il y a d'autres statistiques intéressantes, dit le chef Forget en se passant la main sur son crâne chauve. La consommation d'eau moyenne de notre bâtiment est de dix tonnes par jour, avec des pointes de treize tonnes.

— Et pourquoi ces pointes ? dit le second. Le savez-vous, chef ?

— Oui, elles surviennent la veille du jour où le commandant doit inspecter une tranche...

Rires.

— En revanche, dit le chef, content de son succès, il y a des minimums.

— Des minima, dit Verdoux.

— Pardon ? dit le chef.

— Un minimum, des minima.

— Chef, dit Verdelet, ne faites pas attention à ce puriste impur. Poursuivez, c'est passionnant. Dites-nous à combien descendent ces minima et quel jour ils se produisent.

— Le dimanche, la consommation d'eau s'effondre, dit le chef. Huit tonnes seulement.

Rires.

— C'est navrant, dit Verdoux. Les fidèles ne se lavent pas.

— Pas du tout, dit le chef. La raison est plus simple. Le dimanche, il n'y a pas de buanderie.

— C'est étonnant, dit le pacha. Picard, vous saviez cela ?

— Non, commandant, dit le second.

— C'est stupéfiant, reprend le pacha. Le buandier est le seul à bord à jouir du repos dominical...

Rires.

— Picard, reprend le pacha, croyez-vous que le buandier se soit conféré tout seul ce privilège ?

— Eh non, commandant ! Il n'aurait pas osé. C'est un petit matelot.

— Alors, c'est une tradition des buandiers, dit le pacha. Et si c'est une tradition, ajoute-t-il, son œil bleu brillant au milieu d'une forêt de barbe noire, bien sûr, il ne faut pas y toucher.

— *Hear ! Hear !* dit Verdoux.

— Chef, dit Callonec, savez-vous combien de tonnes de vivres l'intendance livre au SNLE avant le départ en patrouilles ?

— Non, dit le chef.

— Moi, je le sais, dit le second. Trente-deux tonnes.

— Pardon, commandant, dit Angel. Trente-deux ou trente-trois tonnes. Trente-trois, quand on sait que le commandant Mosset est à bord.

Rires.

— Quand même, dis-je, trente-deux tonnes pour cent trente hommes pendant soixante-dix jours, ce n'est pas énorme. Et qu'arrive-t-il si le réacteur tombe en panne ?

— Le réacteur n'est jamais tombé en panne, dit Miremont en relevant la tête d'un air offusqué.

Verdelet fait le geste de se draper dans une toge.

— Au nom du réacteur, l'énergue se réveille...
— Encore un alexandrin, dit le pacha.
— Mais cette fois, il est de moi, commandant.
— Qui me répondra ? dis-je.
— Moi, dit Verdelet, mais auparavant, messieurs, permettez que je me fasse un peu de pub personnelle. A treize heures trente demain, à la caffe, je récite des poèmes de Victor Hugo avec mon talent coutumier.
— On maltraite l'équipage sur ce bâtiment, dit Verdoux.
Le pacha sourit.
— J'irai jeter un œil, aspirant Verdelet.
— Une oreille plutôt, commandant, dit Verdoux. Une oreille souffrante.
— Toubib, voici ta réponse, reprend Verdelet : en plus de la nourriture pour soixante-dix jours — durée maxima de la patrouille —, le bateau emporte quatorze jours de vivres, dits *vivres de prévoyance* — tout en conserves.
— Exact, dit le second. En outre...
— Ah commandant ! dit Verdelet, vous me coupez l'herbe sous le pied !
— Bien, bien, poursuivez...
— En plus des *vivres de prévoyance* et la situation devenant vraiment désespérée, sont prévues pour huit jours encore des *vivres de grande prévoyance*, sous forme de boîtes individuelles comprenant : du pain de guerre très dur, une boîte de thon avec son ouvre-boîte, une petite fiole d'alcool. Un cachet destiné à rendre l'eau potable. Une barre de chocolat...
— Deux pour Mosset, dit Angel.
— Et enfin quatre ou cinq feuilles de papier hygiénique.
Rires plutôt gentils pour Verdelet, les anciens sous-mariniers connaissant sans doute depuis longtemps ces détails saugrenus.
— Le jour où l'on mange ces rations, dit Callonec, les poissons nous mangent après.
— Toutefois, déclare Mosset d'une voix grave, c'est une consolation de se dire que ce jour-là, grâce à la Strasse, nous mourrons le cul propre.
Rires prolongés.

— Wilhelm, dit le pacha, le calme revenant, qu'est-ce que vous attendez pour servir le dessert ?

— Que les rires soient finis, commandant, dit Wilhelm ; le dessert est liquide.

— Messieurs, vous le constaterez vous-même, dit le second, dans le carré, même le motel a de l'humour.

— Merci, commandant, dit Wilhelm, impassible.

En réalité, le dessert n'est qu'à demi liquide : c'est une charlotte à la noix de coco nappée de crème. Le silence se fait, tandis que nous en faisons prompte et délectable justice.

— J'ai souvent pensé, dit le pacha, que si nous avions les moyens et la compétence pour faire un sondage quotidien, il y aurait sinon une statistique, du moins une courbe intéressante à établir : Etant donné que nous savons que le moral de l'équipage est au plus haut les huit premiers jours d'une patrouille, et de nouveau, bien sûr, les huit derniers jours avant le retour à Brest, à quel instant de la patrouille se situe le point le plus bas ?

— A mon avis, dit le commandant Alquier, il se situe tout de suite après la cabane.

Lectrice, comme je crains que vous ne distinguiez pas suffisamment Alquier de Becker, je tiens à vous préciser les ressemblances et les différences. Ils sont tous les deux originaires de nos provinces de l'Est, bruns de poil et barbus permanents (et non de patrouille). En outre, l'un et l'autre très grands : Becker 1,90 m et Alquier 1,94 m. Tous les deux graves, silencieux, apparemment froids. Mais Alquier est ancien bordache, corvettard, chef du groupement navigation-opération. Becker, qui est plus jeune, est beaucoup plus modestement enseigne de vaisseau de première classe et ORSA. Alquier lit beaucoup. Becker anime les prières le dimanche matin à l'infi et — ce qui devrait vous toucher, lectrice — il occupe ses loisirs à broder un service à thé pour sa femme. Mais je ne vois pas pourquoi je vous rappelle ce détail. Il ne vous a certainement pas échappé.

En outre, il a des problèmes de conscience. Deux jours après le repas présidé, il vient frapper à la porte de ma chambre.

— Toubib, tu connais tout le monde à bord. Est-ce que je peux te demander quelque chose ?

— Mais bien sûr.

— C'est que c'est assez délicat.

Je le regarde. Il a une belle tête, Becker, de beaux yeux noirs derrière ses lunettes, il s'exprime d'une voix grave et posée, et sa barbe lui va bien.

— Mais parle ! dis-je. Si je connais la réponse à ta question, je ne demande pas mieux, tu penses...

— Eh bien, dit-il, voilà. Quelqu'un m'a dit hier « tu fais la réunion de prières, mais ça ne t'empêche pas d'être bourru dans le service ». Il a dit « bourru ». Toubib, c'est vrai que j'ai la réputation d'être « bourru » dans le bord ?

Je prends mon temps pour répondre tant je trouve la réponse malaisée. C'est vrai que sa réunion de prières dérange, non parce qu'on y prie, mais parce qu'on la diffuse. Mais est-ce bien « fair-play » de le reprocher à Becker par la bande, en s'attaquant à son comportement ?

— Je n'ai jamais entendu dire que tu étais bourru, dis-je enfin. Mais froid, oui. On te trouve un peu froid.

— Je ne suis pas froid, dit Becker d'un air assez malheureux, mais j'ai l'air froid, voilà. Je ne sais pas, c'est peut-être une façon pour moi de m'affirmer. Quand je me suis engagé dans la Marine, j'avais dans la tête une certaine image de l'officier. Pour moi, un officier, c'était quelqu'un de droit, de strict et de réglo, qui ne laissait paraître aucun de ses sentiments.

Un silence, et je me décide à dire :

— Ce n'est pas comme cela que je vois un officier dans un SNLE.

— Comment le vois-tu ?

— Comme un ingénieur très compétent qui a pour collaborateurs des techniciens très qualifiés. Le rapport de travail est plus important que le rapport hiérarchique.

Becker incline de côté sa belle tête grave.

— Oui, dit-il, c'est ce que je me dis maintenant. Après tout, on peut aussi bien donner des ordres avec le sourire.

Cette autocritique me gêne un peu et je change de sujet.

— Tu as des enfants, Becker ?

— Oui, oui, dit-il d'un air heureux, deux filles. L'une, deux ans et l'autre, deux mois.

— Tu me les montres ?

Mais bien sûr ! Il a leur photo sur lui ! Et il me la tend. Ce qui lui donne l'occasion de la regarder avec mes yeux.

— Elles sont adorables et ta femme est superbe. Et ton moral, dis-je avec un sourire, à quel point de la courbe se situe-t-il ?

— Un peu bas après la cabane, mais maintenant, il remonte. Plus que trois semaines, j'ai le sentiment qu'on tient le bon bout.

Et là, il me semble qu'il donne, après coup, raison au commandant Alquier qui, au cours du repas présidé, fixait le point le plus bas du moral après la cabane.

Toutefois, il trouva devant lui un contradicteur.

— Non, à mon avis, dit le second, le point le plus bas du moral se situe au cours de la sixième semaine. C'est ce que j'appelle le syndrome de la sixième semaine. Tout se conjugue : l'usure des forces physiques, le confinement, l'absence prolongée de lumière et de mouvement, la monotonie des « quarts », et le fait aussi qu'on est encore trop éloigné du retour pour puiser dans cette pensée une énergie nouvelle.

— Cinquième ou sixième semaine, dit le pacha, on peut en débattre, mais il y a un moment où il faut redoubler de vigilance pour parer au laisser-aller, aux défaillances d'attention, aux petits heurts caractériels, aux incidents mineurs qui peuvent dégénérer en gros pépins, si on n'y prend pas garde.

Je repense à cette conversation après la visite de Becker, étendu sur ma banette après le repas de midi. Non que je fasse la sieste, mais bien que je sois un animal social, j'aime dans la journée m'abstraire quelque peu du milieu ambiant et me livrer soit à mes pensées, soit à mes fantasmes.

Je me souviens que lorsque j'avais quinze ans, le curé de mon village me demandait invariablement, à la fin de ma confession, si j'avais péché aussi « en pensée ». Si jeune que je fusse, je trouvais cette inquisition abusive. A mon avis, mon curé aurait pu se contenter des péchés gros et juteux que je venais de lui avouer sans aller, au surplus, fouiller dans mes rêves. Est-ce que j'allais, moi, fouiller dans les siens ? Sans compter qu'il aurait dû savoir que bien souvent on n'imagine qu'on viole un tabou que pour se dispenser de passer à l'acte.

De toute évidence, le grand avantage du rêve éveillé sur le rêve endormi, c'est qu'il est docile à la volonté du rêveur. Ce midi, pensant à la Polynésie, où il y a un an j'ai passé un mois délicieux, je me vois à Bora-Bora nageant dans les eaux mauves et peu profondes du lagon jusqu'à la plage d'une petite île où je rencontre une sirène échouée. Il lui est difficile de se déhaler elle-même puisqu'elle se termine en queue de poisson. Je l'aide à se remettre à l'eau, nous devenons bons amis, nous nous étreignons. A ce point de nos rapports, les choses pourraient se terminer très mal. La sirène pourrait par exemple — version Ulysse — m'entraîner dans les profondeurs du lagon et me noyer. Dans une autre version, sa morphologie terminale, sans compter la présence d'écailles traumatisantes, pourrait interdire toute conjonction. Et je retomberais alors dans le frustrant cauchemar où la demoiselle Touzek s'est métamorphosée en squelette. Grâce au ciel, je suis éveillé et suffisamment maître du jeu pour que ma sirène, au moment opportun, redevienne humaine et ses jambes, divisibles.

J'admets bien volontiers que ce genre de fantasme, par sa récurrence même, trahit une obsession, si légitime qu'elle soit. Toutefois, il paraît apporter avec lui un certain degré de réconfort puisque, dès qu'il disparaît, je me vois me promener à Tahiti, non sur la plage, ni en barque sur les eaux du lagon, mais à l'intérieur des terres et en toute liberté de pensée.

Quel plaisir, par exemple, de remarquer que certains cocotiers au bord de la route portent sur une pancarte le mot *tapu !* Il me faut un certain temps pour comprendre que c'est là l'orthographe indigène et authentique d'un mot qui a fait fortune dans notre civilisation occidentale. L'*u* en tahitien se prononçant *ou,* et le *p* étant fort proche du *b*, nous en avons fait *tabou.* N'est-ce pas extraordinaire que nous ayons tiré ce mot qui signale (et parfois stigmatise) les interdits moraux, justement d'une île où ils s'exercent si peu ?...

Car ici, me semble-t-il, le *tapu* annonce surtout un droit de propriété : « Ne touchez pas à ce cocotier, non pas parce que c'est mal d'y toucher, mais parce que c'est à moi. » On voit partout ce mot « *tapu* » dans l'île dans ce sens, et si vous ne le trouvez pas attaché au cou des Tahitiennes, c'est parce que le concept de fidélité est très peu reconnu dans l'île.

En Occident, en revanche, le *tapu* est un interdit catégorique, parfois même une défense d'aborder certains problèmes ou de poser certaines questions. Le pensée me vient que ces pancartes, que j'ai vues à Tahiti sur les cocotiers, on pourrait les multiplier à bord d'un SNLE.

— A quel degré la température du réacteur devient-elle dangereuse ?

— *Tapu !*

— A quelle profondeur le SNLE peut-il descendre ?

— *Tapu !*

— Quelle est la vitesse maxima qu'il peut atteindre ?

— *Tapu !*

— Combien de temps faut-il pour lancer ses seize missiles ?

— *Tapu !*

— A quelle distance de la surface les lance-t-il ?

— *Tapu !*

— Que fait-il après avoir lancé la salve ?

— *Tapu !*

— Quel est l'itinéraire de la présente patrouille ?

— *Tapu !*

A vrai dire, quant à l'itinéraire de la présente patrouille, le *tapu* est nécessairement plus nuancé. Seul, en principe, le commandant du SNLE le connaît, sans connaître toutefois le jour où Jonas sortira de son nid bétonné de l'Ile Longue. Et ce n'est qu'à la mer que le pacha apprendra, par un message reçu par ondes ultra-longues, le jour de son retour. Cette procédure, qui impose l'imprévisibilité des dates de sortie et de rentrée, a pour fin évidente de ménager le secret.

Toutefois, à l'intérieur du sous-marin, l'itinéraire ne tarde pas à être connu, au moins partiellement, par les officiers du pont, puisqu'ils prennent le quart et qu'ils doivent veiller à ce que le barreur maintienne le cap ; et *grosso modo* aussi par l'équipage, selon que l'eau qui entoure le bateau est plus froide ou plus chaude; température qui se répercute à l'intérieur et permet aux hommes de deviner à leur tour si on navigue de ce côté-ci ou de ce côté-là des mers. Indication bien vague, au demeurant.

Coïncidence : j'en suis là de ces réflexions, quand Jacquier, l'aide de Wilhelm, frappe à ma porte et me remet de la part de la prop le dernier numéro de *Vapeurs actuelles*. Je le feuillette et je tombe sur des dessins humoristiques représentant notre SNLE caricaturé à la ressemblance d'un homme (ou d'une femme) et posé en différents endroits du monde, soit à la froidure, soit à l'ombre de cocotiers. La légende dit : « Où est-on dans tout ça ? » Et pour l'expliquer, au coin gauche de la page, je trouve la photocopie d'un article de journal.

Je le lis avec stupéfaction :

« Notre Riposte aux SS20. La construction d'une base navale en Nouvelle-Calédonie permettant d'accueillir les sous-marins nucléaires français est l'amorce d'un changement dans la tactique nucléaire française. Aujourd'hui, trois sous-marins sont en permanence à la mer. Le premier se trouve au large des côtes de la Norvège. Il pourrait menacer Moscou et sa région. Le deuxième est tapi au fond de la mer Egée : il aurait pour mission de détruire la Crimée. Le troisième évolue quelque part dans l'océan Indien. Ses fusées devraient, après avoir survolé le Pakistan, annihiler Kiev et couper l'Asie Centrale du reste de l'Union Soviétique. C'est celui qui a le plus de chance de mener à bien son action, estime le haut commandement. « Avec un sous-marin dans le Pacifique, a confié très secrètement le ministre de la Défense, c'est l'intégralité du territoire soviétique que nous pouvons atteindre. C'est notre réponse à leurs SS20. »

Je regarde ma montre et je me lève. Il est temps que j'aille jeter un œil à l'infirmerie. Mais auparavant, je fais le tour des logements et, passant de la rue de la Joie à l'avenue de l'Ecole de guerre, je vois ouverte la porte du pacha, et le pacha assis à son bureau.

— Je vous dérange, commandant ?

— Pas du tout.

— Commandant, vous avez vu la photocopie de cet article de presse dans *Vapeurs actuelles ?*

— Oui, j'ai vu. C'est délirant ! On se demande où les journaux vont chercher ces stupidités ! Vous voyez le ministre confier à un journaliste l'itinéraire de nos patrouilles ? Et qui plus est, le lui confier « très secrètement » ! Il y a de quoi pleurer ! Non seulement, l'itinéraire d'un SNLE est secret, mais il le demeurera jusqu'à ce que le sous-marin soit déclaré hors service.

J'ouvre de grands yeux.

— Vous voulez dire que le premier itinéraire du *Redoutable* il y a quatorze ans est encore classé secret ?

— Absolument.

— Et pourquoi ?

— Supposez qu'un adversaire éventuel en janvier 1972 ait détecté fugitivement la signature acoustique du *Redoutable* et l'ait archivée. Si on révélait aujourd'hui l'itinéraire du *Redoutable,* lors de sa première patrouille, ledit adversaire pourrait à coup sûr l'identifier puisqu'il possède, en même temps que sa signature, les coordonnées de sa première rencontre avec lui...

*
**

Je m'aperçois que je parle beaucoup de Le Guillou, et très peu de Morvan, tout bon infirmier qu'il soit. Cela tient à son extraordinaire taciturnité. Toutefois, il ne faut pas s'y tromper : s'il atteint un très faible niveau de communication verbale avec ses semblables, Morvan, en revanche, réussit à établir avec eux un très bon contact.

Son regard est amical, son sourire rayonnant, il écoute avec patience et il rit volontiers. Raison pour laquelle son silence n'est pas ressenti par ses camarades de chambrée comme une manifestation d'insociabilité, mais comme un trait de caractère original, à la fois comique et attendrissant.

Il est très gentil avec les consultants, et plus que gentil avec les malades qu'il a tendance à materner, non pas comme Le Guillou, d'une façon supérieure et dominatrice, mais avec une douceur quasi féminine, très étonnante chez ce grand gaillard barbu et velu.

Il fait son service en toute conscience, mais en dehors du service, il ne fait rien. Il ne lit pas, il ne joue pas aux cartes, il ne regarde pas les films, il ne fait jamais partie des petits groupes à la caffe où l'on se raconte de bonnes histoires. Il dort. On est sûr, quand il n'est ni à l'infirmerie ni à la caffe en train de manger, de le trouver sur sa banette, jamais, au grand jamais avec un livre, ou un illustré, ou une BD ; ni même le bas-parleur à côté de l'oreille pour écouter la musique du bord, mais blotti dans le plus innocent sommeil, ronflant à poings fermés. Car il ronfle. « C'est sa façon à lui de s'exprimer », dit Le Guillou.

Le Guillou et lui s'entendent très bien. Les fondements de cette entente sont simples. En toute chose, Morvan cède paresseusement le pas à Le Guillou. Mais d'un autre côté, Le Guillou s'abstient de s'en prendre aux curés, à l'école catholique et au département des Côtes-du-Nord dont Morvan est originaire. Cette retenue peut passer pour méritoire, Le Guillou étant si impérieux en ses opinions.

On va sans doute me demander si Morvan est intelligent. Ma réponse va surprendre. Il l'est. Il a même beaucoup de finesse. Et j'ai souvent surpris dans son grand œil noir une petite lueur amusée et indulgente, quand il voit Le Guillou étaler un peu trop sa science.

Si cette lueur ne se traduit pas par une remarque piquante, c'est sans doute parce que Morvan est à la fois trop bienveillant et trop nonchalant pour passer de la pensée au langage articulé. Quoi qu'il en soit, je ne voudrais pas qu'on imagine que je tiens Morvan pour quantité négligeable et que je ne lui parle jamais. Bien au contraire. Il ne se passe pas de jour sans que j'aie quelque entretien avec lui. Il est toutefois difficile de rapporter ici nos propos en raison du caractère monosyllabique de ses réponses.

Cet après-midi — sans doute Le Guillou est-il en train de vendre à la cope — je le trouve à l'infi.

— Alors, Morvan, dis-je, depuis que Lombard est retourné dans sa chambrée, vous avez dû être content de récupérer votre banette ?

— Mm, docteur.

— Vous avez de bonnes nouvelles de chez vous ?

Je ne me hasarderais pas à lui poser une question pareille si je ne savais pas par Le Guillou qu'il reçoit régulièrement ses familigrammes.

— Mm, docteur.

— Et votre moral, il tient ?

— Mm, docteur.

La banette, la famille, le moral, trois « Mm ». Ça s'arrête là. Je ne vais quand même pas lui demander comment se fait son travail. Je le sais aussi bien que lui. Mieux peut-être.

Heureusement Le Guillou survient, retour de la cope, les mains chargées de papiers, et les joues gonflées de tous les bruits de coursive sur tel ou tel, sans compter ce que tel ou tel a acheté, ou ce que tel ou tel a dit, notamment sur le boula : A savoir que le boula ne fait de la pâtisserie que tous les deux jours, alors que le boula, de l'équipage bleu, lui, il fait de la pâtisserie tous les jours ! J'ai déjà entendu cette récrimination.

— Vous ne croirez pas, docteur, il y a des gars qui sont allés se plaindre au second à ce sujet, dit Le Guillou.

— Comment a-t-il pris cela ?

— Mal ! Il leur a dit : « Vous êtes des enfants gâtés ! Des gâteaux un jour sur deux, c'est déjà bien ! Vous connaissez beaucoup de Français qui ont ce privilège ? » Bref, c'est parti très sec. Vous connaissez le style du second, docteur.

Oui, je connais le style du second. Ou plutôt, je le reconnais. Et pourtant, dès que, le soir, j'invoque cet incident devant le second, les bras lui en tombent. On n'est jamais venu le trouver à ce sujet et il n'a jamais dit ça...

Je suis sûr, connaissant la véracité de Le Guillou, que ce n'est pas lui l'inventeur de ce bruit de coursive : il n'a fait que me le répéter. De toute façon, ce sont « les enfants gâtés » qu'il blâme. Pas le boula.

— Vous-même, Le Guillou, comment ça va maintenant avec lui ?

— Très bien, docteur, dit Le Guillou avec un petit sourire. La nuit, des baguettes fraîches quand je veux. Il a compris la leçon.

Ou la mienne, peut-être. A ce moment, entre le motel de la caffe, Le Rouzic, m'amenant quasiment par le collet son aide, Langonnet, « petit matelot » en service prolongé, et comme lui breton.

— Excusez, docteur, dit Le Rouzic, mais si c'était que de lui, il serait jamais venu tout seul. Il est patraque et il croit qu'il y a qu'à attendre et que ça va s'arranger tout seul.

— Vous avez bien fait, Le Rouzic, je vais m'occuper de lui.

— Alors, bleuzaille, dit Le Guillou, dès que Le Rouzic a tourné les talons, il te faut encore un papa pour t'amener chez le toubib ?

— J'ai rien du tout, dit Langonnet, la tête basse et l'air buté. J'ai qu'un petit mal de ventre. Et encore, pas tout le temps, ni tous les jours.

Il est blond paille avec des yeux noisette, un menton piqué d'une fossette, et un nez retroussé, parsemé de taches de rousseur. A mon avis, il a à peine vingt ans. Il n'y a pas longtemps qu'il a quitté sa mère et il doit être né dans une ferme. Ses gestes, tandis qu'à ma prière il se déshabille, sont lents et gauches, comme s'il lui fallait réfléchir un bout de temps pour savoir comment il va faire pour retirer son T-shirt.

Comme en même temps il est timide et pas très rassuré, je bavarde avec lui pour le détendre.

— Alors, Langonnet, vous aidez Le Rouzic à la caffe ?

— Oui, docteur. Je sers avec lui les officiers mariniers. Mais je suis aussi préposé à la buanderie.

— Ah ! C'est vous le buandier ? Vous devez être très occupé — sauf le dimanche.

— Mais le dimanche, je sers à la caffe. Et la semaine, mes machines à laver elles tournent vingt-quatre heures sur vingt-quatre et mon séchoir aussi. Le séchoir, il faut faire attention, rapport à ce qu'il tourne plus du tout, quand on met trop de choses dedans.

— On vous apporte le linge ?

— Non, non. Je fais la collecte par chambre.

— Et vous ne vous trompez jamais quand vous le rendez ?

— Oh non, docteur, ce n'est pas possible. Les vêtements sont marqués et les sacs aussi.

Il prononce « vêments » en escamotant le « t ».

— Et jamais d'erreur ?

— Jamais. Rapport à la façon que je procède. Les gars, ils disposent leur *vêments* sales sur leurs banettes. Exemple : je passe dans une chambre, je collecte, je fourre tout dans le même sac. Et après, je lave sac par sac, et chambre par chambre. Quand les *vêments* sont propres, je les remets dans le sacadoque.

— Pardon ?

— Le sacadoque ! Le sac qui correspond à la chambre !

— Le sac ad hoc, docteur, dit Le Guillou.

— Ah bon ! dis-je. Et après ?

— Je ramène le sac à la chambrée et les gars se débrouillent pour se les redistribuer. C'est pas difficile. Tout est marqué.

— Et qu'est-ce que vous préférez, Langonnet : la buanderie ou servir à la caffe ?

— Oh ! servir à la caffe, docteur. Y a pas de comparaison ! La buanderie, je me sens un peu seul. C'est tristounet, mais à la caffe, je vois du monde. Motel, c'est assez plaisant, surtout chez les officiers. Ça m'est arrivé trois fois de servir les officiers.

— Tiens, dis-je, c'est plus plaisant chez les officiers que chez les officiers mariniers ? Et pourquoi donc ?

— Ben, les maîtres, dit-il en rougissant, ils se gênent pas pour me faire des réflexions, du genre : « Langonnet ! Ça traîne ! Ça traîne ! Magne-toi le train, bleuzaille ! etc. » Les officiers, même si c'est un peu long, ils disent rien.

— C'est pour ton bien que les maîtres t'asticotent, petit, dit Le Guillou. Si tu vas à l'Ecole de Rochefort, pour faire le motel, tu en entendras d'autres ! Il faut bien que le métier rentre !

Langonnet ne pipe pas. Il est lui-même le premier convaincu de la vertu pédagogique des coups de gueule.

— Allons, lui dis-je, expliquez-moi un peu ce qui ne va pas.

— Ben, dit-il, je suis patraque.

— Patraque comment ?

— J'ai pas d'appétit.

— Vous avez des nausées ?

— Des nausées ? répète-t-il en fixant sur moi des yeux naïfs.

— Des envies de vomir, dit Le Guillou.

— Ah ça oui !

— Et les selles ?

— Plus du tout.

— Montre ta langue !

Il obéit. Elle est chargée. En revanche, il a plutôt bonne mine. Un peu blanc bien sûr, mais comme nous tous à bord.

— Ça vous fait mal au côté quand vous vous baissez ?

— Non. Ah si ! si, une fois, l'autre jour en faisant la bicyclette d'entraînement.

— Eh bien, n'en faites plus jusqu'à nouvel ordre.

Je fais mettre Langonnet en *decubitus dorsal*, comme on dit dans les manuels ; ce qui veut dire que je le fais coucher sur le dos. Quel jargon nous parlons ! Une langue saburrale, c'est une langue chargée. Une anorexie, c'est un manque d'appétit. Et une céphalée, c'est un mal de tête. Molière n'est pas loin.

Je branche la bouilloire électrique et j'entoure ses flancs de mes mains pour les réchauffer. Langonnet, que sa nudité gêne, place ses deux grandes paluches sur son sexe.

— Laisse donc ton zizi tranquille, dit Le Guillou, il ne va pas s'envoler.

Langonnet rougit et laisse retomber ses bras le long de ses flancs. Je commence la palpation par le côté gauche du ventre, et de proche en proche, je gagne le côté droit.

— Vous me direz quand ça vous fait mal ?

— Oui, docteur.

L'abdomen est souple, et c'est à peine, à peine, si je sens une petite défense en déprimant la fosse iliaque droite.

— Et là, dis-je, vous sentez quelque chose ?

— Non, dit-il.

Mais il n'a pas l'air d'en être sûr. Je recommence patiemment la palpation en repartant du côté gauche, mais cette fois, quand je déprime la fosse iliaque droite, je guette son visage. Pas une grimace.

— Et là ? dis-je.

— Un peu.

Mais il n'en est pas sûr non plus. Je le fais coucher sur le côté gauche, position qui dégage bien la fosse iliaque. Je la déprime à nouveau, et je retrouve la petite défense que j'ai observée plus haut. Mais peu nette. Et quand je veux insister, toutefois en douceur, elle me fuit.

— Vous avez déjà eu mal à cet endroit ?

— Je ne sais pas. Ah si ! Je me souviens maintenant, si, justement !

— C'était une douleur moins forte ou plus forte que maintenant ?

— Plutôt plus forte.

— Il y a longtemps ?

— Je ne saurais pas dire, docteur.

— Avant la marée ? Un mois avant ? Deux mois avant ?

— Plutôt deux mois.

— Et vous avez vu un médecin ?

— Ah non, docteur, pas pour ça !

Le contraire m'étonnerait. On consulte un médecin quand on est « malade ». Traduisez quand on a une fièvre de cheval. Mais quand on est « patraque », non.

— Vous vous sentez fiévreux ?

— Non, docteur.

— Le Guillou, le thermomètre.

Pendant que Le Guillou opère, je prends le pouls, il est normal, régulier et bien frappé. Le Guillou me tend le thermomètre. 37°5. Le faciès est anxieux, mais ce n'est pas parce que Langonnet souffre, c'est parce qu'il s'inquiète. Et il s'inquiète bien davantage, quand je dis à Le Guillou de lui faire une prise de sang. Comme je crains qu'il ne s'évanouisse en voyant son sang monter dans la seringue, je me place derrière lui et, de la main, je lui maintiens doucement la tête du côté gauche, tandis que Le Guillou place le garrot sur le bras droit.

— Vous ne sentirez rien qu'une petite piqûre, Langonnet, et après, plus rien.

Mais en fait d'une piqûre, il en ressent trois, Le Guillou ne trouvant pas tout de suite la veine, celle-ci étant peu apparente. Toutefois, Langonnet ne réagit pas, probablement parce que ma main sur sa joue le sécurise.

Pendant que Le Guillou emporte le tube, je fais asseoir Langonnet et ausculte soigneusement ses poumons sans rien trouver d'anormal. Pour le rassurer, je lui pose quelques questions anodines.

— Vous fumez ?

— Non, docteur.

— Vous buvez ?

— Pas plus qu'un autre.

Oui, mais « l'autre », qu'est-ce qu'il boit ? Quelle est la dose de poison quotidien qu'un Breton de son âge considère comme normale ?

Langonnet me regarde et, rassemblant son courage, il dit, l'air anxieux :

— C'est grave, docteur ?

— Pour l'instant, non. Mais ça pourrait le devenir. Est-ce que vous avez eu des calculs dans la vessie ?

— Des calculs ? dit Langonnet en ouvrant tout grands ses yeux noisette.

— Tu n'as jamais pissé des petites pierres ? dit Le Guillou.

— Je ne sais pas, dit Langonnet, effaré.

— Tu le saurais, si ça t'était arrivé, dit Le Guillou avec un petit rire.

Ce petit rire, chose curieuse, rassure Langonnet et il sourit. Il a un sourire d'enfant qui creuse davantage la fossette qu'il a au milieu du menton.

— Langonnet, dis-je, vous viendrez matin et soir à l'infirmerie pour prendre votre température.

— Et si tu oublies, moi, j'oublierai pas, dit Le Guillou d'un ton quelque peu menaçant.

— J'oublierai pas, dit Langonnet, qui se sent déjà coupable.

— Y a intérêt, dit Le Guillou.

— Allez, rhabillez-vous, dis-je avec un sourire, et en lui donnant une petite tape sur l'épaule.

Il est si jeune. Depuis qu'il est « patraque », il doit regretter le nid familial. Pourtant c'est à coup sûr avec nous qu'il sera le mieux soigné. A la campagne, on ne va pas déranger le médecin pour un petit mal au ventre et un peu de température. D'ailleurs, la température, on l'ignore. On a peur du thermomètre, si tant est qu'on en a un. « Prendre sa fièvre », c'est déjà accepter d'être malade. Qui sait même si ça ne fait pas venir la maladie ?

Dès que Langonnet nous a quittés, je sens, à voir Le Guillou tournicoter dans l'infirmerie, qu'il brûle de me poser des questions auxquelles je brûle, moi, de ne pas répondre.

Il commence insidieusement :

— Qu'est-ce que je fais avec le sang, docteur ?

— Une numération globulaire.

— Ce sont les globules blancs qui vous intéressent, docteur ?

— Naturellement.

Un silence, puis il dit :

— La fièvre est très discrète, docteur.

A la différence de sa remarque, qui, elle, ne l'est pas du tout. Et comme toujours dans ces cas-là, son ton est très respectueux et il multiplie les « docteur ».

— Si la fièvre augmente, dis-je avec un soupçon d'agacement, nous ferons une deuxième prise de sang et vous ferez une deuxième numération globulaire. La comparaison avec la première peut être utile.

Un silence, puis il dit :

— A quoi pensez-vous, docteur ?

Je dis sèchement :

— A des tas de maladies.

Mais je m'en veux aussitôt d'être aussi peu patient avec un collaborateur aussi efficace, et je reprends :

— Les signes locaux sont pauvres, la température subfébrile, les signes généraux peu spécifiques. On peut penser à beaucoup de choses. Par exemple, à une affection pleuro-pulmonaire, à une hépatite débutante, à une lithiase, à une gastro-entérite…

— Ou à une appendicite chronique, dit Le Guillou.

Je ne lui sais aucun gré d'avoir prononcé ces mots, et je dis vivement :

— L'appendicite chronique, ça n'existe pas, Le Guillou. Qui nous prouve que le petit malaise dont Langonnet s'est plaint il y a un mois était une crise d'appendicite qui s'est refroidie d'elle-même ? Ça pouvait être n'importe quoi : un embarras gastrique, par exemple.

*
**

A l'heure du thé, je ne trouve pas au carré le pacha — à qui j'aurais pourtant aimé faire part des appréhensions que me donne le cas Langonnet —, mais nos deux mimis installés confortablement dans les fauteuils, et très occupés à discuter les thèses du général Copel. Comme je n'ai pas lu son livre, j'écoute de toutes mes oreilles.

— Tu ne me diras pas que l'homme n'est pas sympathique, dit Verdelet. Sacrifier une carrière brillante, donner sa démission à quarante-huit ans alors qu'il est déjà sous-chef d'état-major de l'Armée de l'air — à seule fin de publier librement un livre qui contredit les thèses officielles —, c'est un acte de grand courage et d'autant plus estimable qu'il n'est pas fréquent.

— Je te concède, dit Verdoux, que rares sont les généraux et les amiraux qui renoncent à leurs étoiles pour défendre leurs idées.

— J'en pourrais citer au moins un, dis-je. Le général de la Bollardière qui protesta en son temps contre l'usage de la torture en Algérie.

— Exact, dit Verdelet. Hommage soit rendu à cet honnête homme ! Revenons à Copel.

— Il est sympathique, en effet, dit Verdoux, mais son scénario est délirant.

— Quel scénario ? dis-je.

— Demande à Verdelet de te l'exposer. Il a de la sympathie pour le délire poétique.

— Copel suppose, dit Verdelet, que l'URSS déclenche une guerre majeure en Europe et déferle sur l'Allemagne.

— Pourquoi ? dis-je.

— Comment « pourquoi » ? dit Verdelet.

— Oui, dis-je, pour quelle raison ? L'URSS dispose déjà d'un immense empire. Pourquoi mettrait-elle son existence en jeu pour l'agrandir encore ?

— Copel, dit Verdelet, suppose que le monde communiste

est ébranlé. Il prophétise qu'un jour sa jeunesse va le faire vaciller. Alors, le pouvoir soviétique sera dangereux, je cite « comme toute bête puissante est dangereuse quand elle est frappée dans la profondeur de ses chairs ».

— Comparaison n'est pas raison, dit Verdoux. A part les dissidents qui ne représentent que peu de monde en réalité, la grande majorité de la population soviétique accepte le régime, ne serait-ce que pour la seule raison qu'elle n'en a jamais connu d'autre. Et je ferais remarquer au surplus qu'en 1941 déjà, l'Allemagne croyait à l'effondrement dudit régime après quelques semaines de guerre...

— Pour ma part, dis-je, je ne suis pas non plus très convaincu par le « vacillement », proche ou lointain, du pouvoir soviétique, et moins encore par l'argument selon lequel, quand un pouvoir vacille, il déclenche une guerre majeure... Mais admettons les prémisses de Copel. Après tout, c'est le devoir d'un général de prévoir comment une guerre va se dérouler.

— Eh bien là, tu vas être servi, dit Verdoux. Continue, Verdelet.

— Dans la nuit du 22 au 23 mai, les chars soviétiques appuyés par l'aviation envahissent massivement le territoire de l'Allemagne de l'Ouest.

— Et bien entendu, dit Verdoux, les forces de l'Otan sont surprises : aucun satellite ne les a prévenues des regroupements des unités blindées aux frontières ?

— Le scénario ne le dit pas. Je poursuis : le 24 mai, les forces du pacte de Varsovie emploient massivement les gaz : les forces de l'Otan sont enfoncées et décimées. Le commandement de l'Otan demande au président des Etats-Unis la permission d'utiliser contre l'envahisseur les armes nucléaires tactiques. Le président US refuse.

— C'est là où le délire commence, dit Verdoux. Copel n'est pas historien. S'il l'était, il saurait que les USA ont toujours réagi avec la plus extrême vigueur contre des attaques par surprise. Exemple : à la fin du XIXe siècle, l'Amérique a déclaré la guerre à l'Espagne, parce qu'un de ses cuirassés, le *Maine*, avait explosé dans le port de La Havane dans des conditions d'ailleurs mystérieuses. Le torpillage du *Lusitania* où périrent 125 Américains a été une des causes de sa participation en 17 à la Première Guerre mondiale, et *Pearl Harbor* détermina son entrée en guerre en 41.

— Mais, dis-je, quelle est la raison qui amènerait le président US à refuser l'emploi des armes nucléaires tactiques contre l'envahisseur ?

— D'après le scénario, l'opinion publique américaine. Elle prendrait position contre l'usage de ces armes en Europe.

— C'est invraisemblable, dit Verdoux. L'opinion américaine resterait insensible à la mort de centaines de milliers de boys asphyxiés par les gaz ? Cette atonie serait sans précédent dans l'histoire des Etats-Unis.

— Et alors, dis-je, que devient l'Allemagne ?

— Elle est conquise.

— Et la France ?

— La France aussi, dit Verdoux sarcastiquement, le président français refusant, lui aussi, de recourir aux armes nucléaires tactiques.

— Et aux missiles ?

— A plus forte raison aux missiles.

— On se demande à quoi nous servons ! Et la Grande-Bretagne ?

— Le scénario n'en parle pas. Bref, en huit jours, l'URSS se rend maîtresse de l'Europe continentale.

— Je dirais toutefois, dit Verdelet, pour rendre justice à Copel, que lui-même signale que cette fiction n'a aucune valeur « prédictive ».

— Mais cette restriction n'est qu'une clause de style, dit vivement Verdoux, puisque le scénario prétend « prendre en compte les données militaires actuelles ». En fait, sa faiblesse et son invraisemblance tiennent à ce qu'il n'intègre pas les données politiques et historiques de la situation.

— Il me semble aussi, dis-je après un silence, que le scénario trahit une nostalgie, peut-être inconsciente, à l'égard de la Seconde Guerre mondiale : une guerre où le char et l'avion étaient rois…

— Oui, je le crois aussi, dit Verdoux. Le scénario est passéiste.

— Mais Copel est aussi un ami des hommes, dit Verdelet. Il a horreur de la guerre atomique.

— Qui ne l'a pas ? dit Verdoux. Malheureusement, c'est une chimère de croire qu'une guerre majeure pourrait éclater en Europe sans dégénérer tôt ou tard en guerre atomique. Copel ne sait pas qu'il y a dans l'entourage de Reagan des faucons comme Bush, Carlucci ou Jones, qui soutiennent qu'on peut « gagner une guerre nucléaire ».

— Et il est probable, dis-je, qu'il y a les mêmes au Kremlin.

A ce moment le pacha apparaît et prend place dans le seul fauteuil vide du carré.

— Jeunes gens, dit-il, de quoi parlez-vous ?

— Du livre du général Copel.

— Ah !

Il n'y a rien d'autre que ce « Ah ».

— Votre thé, commandant, dit Wilhelm en plaçant théière et tasse devant lui.

— Wilhelm, dit le pacha, comment savez-vous toujours quand je vais arriver ?

— L'instinct, commandant, dit Wilhelm.

Un silence de nouveau, et qui dure. Le pacha tapote la théière, la saisit et verse la valeur de deux ou trois cuillerées dans sa tasse. Mais apparemment, il n'est pas satisfait par la coloration du liquide, car il repose la théière avec un petit geste d'impatience. Il ne regarde aucun de nous trois.

— Commandant, reprend Verdoux, êtes-vous d'accord avec les thèses du général Copel ?

— Laquelle ? dit le pacha. Il y en a plusieurs.

— Le scénario d'une attaque soviétique contre l'Europe de l'Ouest.

— Maintenant, je crois que ça y est, dit le pacha.

Il reprend la théière et verse très lentement. Et comme malgré sa lenteur et le filtre (car lui non plus n'emploie pas de sachet) une feuille de thé s'est glissée dans sa tasse, il la repêche avec sa petite cuiller et la dépose sur sa soucoupe. Il casse alors un morceau de sucre en deux et laisse glisser une des moitiés dans son breuvage et avec sa cuiller, l'y agite doucement, mais sans l'écraser.

— L'ennui, dit-il, avec ce genre de scénario prospectif, c'est qu'il veut prouver quelque chose. Or, il est fort peu probant : il repose sur trop de données incertaines et imprévisibles. Au mieux, c'est une cascade de « si ».

Ayant dit, il porte la tasse à sa barbe et la hume, avant d'en appliquer le bord contre sa lèvre inférieure. Mais je sais bien, et les deux mimis savent bien aussi, qu'il ne boira pas, si le thé est trop chaud. Il craindrait de se gâter les papilles en les brûlant. Et en effet, il repose la tasse. Nous le regardons en silence. Même Verdoux n'oserait pas interrompre ce lent et sacré processus. D'ailleurs, nos mimis sont tous deux de quart et ils prennent congé prestement.

Wilhelm m'apporte ma seconde théière et la pose sur la petite table basse en verre. Nous buvons en silence.

— Toubib, dit le pacha au bout d'un moment, vous avez l'air soucieux.

— Je le suis, commandant. J'ai un petit gars dont je me demande s'il n'est pas en train de me mijoter une crise d'appendicite.

— Qui c'est ?

— Langonnet.

— Ah, le buandier, dit le pacha.

Et il sourit.

— Comment ? Vous le connaissez, commandant ?

— Mais oui, et je sais aussi pourquoi il ne travaille pas le dimanche...

Son œil bleu me jette par-dessus sa tasse un regard malicieux.

— Et naturellement, reprend-il, la perspective d'avoir à l'opérer ne vous enchante pas.

— A vrai dire, non. Oh ! bien sûr, j'ai déjà pratiqué des appendicectomies. Une dizaine en tout. Dans un service de chirurgie, au cours d'un stage, à l'hôpital de Cherbourg.

— Et ça s'est bien passé ?

— Trop bien.

— Comment cela « trop bien » ?

— Rien que des cas sans complication. Et sans complication, une appendicectomie, c'est plutôt facile.

— Supposons que le cas Langonnet se précise et que vous soyez sûr de votre diagnostic à 100 %.

— Commandant, pour une appendicite, ce n'est qu'à ventre ouvert qu'on peut être sûr à 100 %.

— Diable !

— Mais si je suis sûr seulement à 80 %, j'y vais. Sans ça, je risque la péritonite.

— Et la péritonite, dit le pacha, c'est l'évacuation par hélicoptère. Autrement dit, le contraire de la discrétion.

— C'est déjà arrivé, je crois ?

— Deux fois. La première fois, pour une appendicite : c'était le médecin du bord. Et la seconde fois pour une péritonite : c'était un officier.

— Je ne risquerai pas la péritonite. J'opérerai si ça se précise.

Un silence, et le pacha dit :

— Vous avez le trac, toubib ?

— Un peu. C'est une chose d'opérer dans un CHU avec des gens très compétents à portée de la main et toutes les ressources d'un grand hôpital — et autre chose d'opérer dans un SNLE sans un patron pour voler à votre secours en cas de pépin. Bref, je me sentirai un peu seul. Mais ne vous inquiétez pas, commandant. Le trac, c'est avant. Pendant, ça va.

— Je ne m'inquiète pas. Et en tout cas, vous aurez la stabilité. Je ferai venir le bateau à une immersion confortable.

— Merci, commandant. En fait, ce qui me soucie, c'est moins l'opération que les moyens de l'opération. J'ai un anesthésiste : Le Guillou. J'ai un infirmier pour me passer les instruments : Morvan. Mais je n'ai personne pour tenir les écarteurs.

— Parlez-en au second, dit le pacha en se levant.

Et sur un sourire amical, que je lui rends, il me quitte. Mais je ne crois pas qu'il ait compris à quel point les écarteurs me posaient un problème. Entre le chirurgien et l'aide qui, grâce aux écarteurs maintient ouverte la plaie opératoire, il faut une parfaite coordination. L'aide doit tirer — et cesser de tirer — quand il faut. Cette entente ne s'improvise pas. Je gagne ma chambre et, fermant ma porte, je me jette sur ma banette. C'est charmant, ce mot « banette ». C'est joli. C'est féminin. Et c'est bien dommage que dessus on s'y sente si seul. Combien lointaines me paraissent maintenant mes rêveries de la « sieste » !

Je me rappelle tout d'un coup une conversation que j'ai eue il y a deux jours avec le maître principal Kerguenec — le président, comme l'appellent les officiers, le prési, comme disent les hommes. Il est préposé à la maintenance des tubes dans la chambre des missiles, et comme je lui demande s'il s'aperçoit tout de suite si quelque chose ne va pas, il sourit et prend tout son temps avant de me répondre.

C'est un homme qui approche la quarantaine (c'est-à-dire pour l'équipage un « vieux »). Il a des yeux très attentifs derrière des lunettes de fer et il donne une extraordinaire impression de sérieux et de solidité.

— Les contrôles sont faits pour ça, dit-il.

— Mais supposons que vous ayez un gros pépin. Je ne sais pas, moi, disons...

— Une fuite d'air au niveau d'une vanne ?

— Oui, par exemple. Je suppose que c'est grave.

— Je pense bien ! dit le prési avec flegme. Sans air on ne peut plus lancer les missiles ! Et à quoi sert alors le SNLE ?

— Et vous avez les moyens de réparer ?

Il me regarde et dit avec force :

— Il *faut* réparer ! Et on y est toujours arrivé jusqu'ici...

Il ajoute avec un rire :

— Pas possible de téléphoner au petit copain pour lui demander comment on fait.

Et moi sur ma banette, cette pensée me frappe. Moi non plus, je n'ai pas la ressource de téléphoner. Moi aussi, si le pire arrive, il faut que je répare Langonnet, comme je peux, avec les moyens du bord.

CHAPITRE VIII

Trois jours après, Le Guillou m'attend un matin sur le seuil de l'infi, et dès qu'il me voit, s'avance vers moi et me dit à voix basse :

— C'est Langonnet, docteur. Il a 38°5 et les signes ont l'air de se préciser : Arrêt total du transit, matières et gaz.

— C'est Le Rouzic qui l'a amené ?

— Oh non ! Cette fois, il est venu de lui-même. Tout à fait paniqué, le gars.

Je grimace. Mais c'est avec le plus rassurant sourire que j'entre dans la chambre d'isolement où Langonnet est allongé, le visage long lui aussi, et l'œil inquiet.

— Alors, Langonnet, dis-je, on vient encore se faire chouchouter ?

Je lui prends le poignet et sans cesser de sourire, je compte : 95. Le pouls est, Dieu merci, en rapport avec la température. S'il y avait eu dissociation, j'aurais craint le pire.

Langonnet en position couchée sur le dos puis sur le côté gauche, je palpe l'abdomen. Cette fois les signes sont nets : dès que je fais pression sur la fosse iliaque droite, je sens sous les doigts une contraction de défense et le visage de Langonnet se contracte. Je palpe la fosse iliaque gauche et Langonnet réagit à la décompression.

— Un gant, Le Guillou.

Je dis à Langonnet de se décontracter, ce qui n'est

visiblement pas facile dans l'état d'anxiété où il se trouve et je lui fais un toucher rectal. Je trouve une douleur inconstante en haut et à droite.

Je remets le drap sur Langonnet et lui souris à nouveau.

— On va encore vous faire quelques petites misères. Mais rassurez-vous, ce n'est pas douloureux. Vous avez mangé ?

— Non.

— Vous avez faim ?

— Pas du tout, docteur, dit-il avec un faible sourire. Ça serait plutôt le contraire.

Il fait un geste éloquent.

— Si vous avez envie, appelez Le Guillou.

Je repasse dans l'infirmerie, et fais signe à Le Guillou de fermer la porte derrière nous.

— Radio de l'abdomen. Radio des poumons. Analyse d'urine. Et numération globulaire.

— Vous pensez à opérer, docteur ?

— Oui.

A peine ai-je prononcé ce « oui » que ma gorge se sèche. Je ne sais si ma petite panique intérieure s'est communiquée à Le Guillou, mais il a l'air lui aussi troublé.

— Excusez-moi de vous poser la question, docteur. Ne pourrait-on pas essayer d'abord les antibiotiques ?

— Non. C'est la bêtise à ne pas commettre. Il y a d'abord un mieux, mais à l'abri de ce mieux, l'infection se propage à petit bruit. Et quand la fièvre et les troubles reviennent, on n'y coupe pas d'une belle péritonite.

A peine ai-je prononcé ce mot qu'il m'effraye, lui aussi. La péritonite est une urgence. Je ne suis nullement équipé pour lui faire face. Au pire, une évolution fatale. Au mieux, une évacuation par hélicoptère et, conséquence désastreuse pour la patrouille, la fin de la discrétion.

Je suis tout d'un coup surpris de me trouver seul à l'infi avec Le Guillou.

— Où est Morvan ?

— Il dort, docteur, dit Le Guillou avec un petit sourire.

Je jette un coup d'œil à ma montre.

— Réveillez-le, dis-je avec brusquerie.

Le Guillou paraît surpris de mon ton, mais reste coi. Il faut lui rendre cette justice : il sait toujours discerner le moment psychologique précis où il ne faut rien dire.

Quant à moi, j'aurais été mieux avisé de me taire et de ne pas passer ma nervosité sur Morvan. En ce moment, il n'y a rigoureusement rien à faire à l'infirmerie, pas même un nettoyage. Elle reluit de propreté flamande. Et que Morvan dorme cinq minutes de plus, ça ne présente aucun inconvénient. La discipline, oui. Mais la discipline formelle, quelle absurdité ! Quand un ordre est stupide, c'est lui qui introduit le désordre.

— De toute façon, dis-je, il va falloir qu'il vous aide, et qu'il couche ce soir sur la banette de Langonnet.

— Oh vous savez, docteur ! Pour Morvan, toutes les banettes se valent.

Bien que mon petit coup de gueule l'ait atteint au moins autant que Morvan (n'est-il pas l'infirmier-major et le responsable de l'infi ?) il ne m'en veut pas. Il est assez fin pour se mettre à ma place. Et il ne me rend pas difficile le retour à un ton plus doux. Je lui fais un petit sourire qu'il me rend aussitôt et je tourne les talons. Le Guillou a des défauts que je tâche de contenir et des qualités que j'apprécie. Mais les secondes dépassent de beaucoup les premiers. Et le soupçon me vient, quand je le quitte pour partir à la recherche du second que si Le Guillou m'agace quelquefois, c'est que je ne suis pas moi-même parfait...

Le commandant Picard, qui est fait de vif-argent, est comme le fantôme du père d'Hamlet : Il apparaît dans tous les endroits où on l'attend le moins, cheminant sous terre à la vitesse d'une secousse tellurique. Je traverse le SNLE en ses tranches successives et partout où je le demande, on me dit « qu'il vient de passer ». Mais j'arrive à la tranche machines, et quasiment le nez sur les arbres d'hélice sans qu'il surgisse du sol. Je refais le chemin en sens inverse, je parcours les cent trente mètres du SNLE jusqu'à la chambre des torpilles et bien que tous me répètent à nouveau « qu'il vient de passer », je ne retrouve pas sa trace. De guerre lasse, je suspens ma quête et gagne le carré, où tout soudain il se matérialise, assis sur un fauteuil, son petit œil noir et brillant me fixant par-dessus les bords de sa tasse de café.

— Vous me cherchiez, toubib ?

Et il se met à rire de son rire éclatant, syncopé, et me semble-t-il, quelque peu diabolique.

— Comment, dis-je, vous le saviez ?

— Comment l'aurais-je ignoré ? Vous me réclamiez à tous les échos ! Vous me cherchiez même si bien que vous êtes passé à deux pas de moi sans me voir ! Il est vrai que je ne suis pas grand...

Nouveau rire.

— Et vous m'avez laissé passer, dis-je, sans me faire signe ! Commandant, quelle méchanceté !

— Oh vous savez ! dit-il, dans un sous-marin, on n'égare jamais personne : c'est très étanche...

Bien que cette plaisanterie, dans un SNLE, soit classique, elle me fait incroyablement plaisir. Je sais, je sais ! Saint-Aignan, qui n'en rate pas une, me l'a encore répété hier : je ne suis pas un officier *de* marine, je suis un officier *de la* Marine. Bref, un toubib. N'empêche que je me sens très intégré à ma famille sous-marinière : Je ne veux pas risquer la péritonite. Je pense avant tout au malade. Mais si je peux éviter la péritonite, je serai content *aussi* pour le SNLE : la sacro-sainte discrétion n'aura pas été menacée par ma faute.

— Commandant, je voudrais vous parler de Langonnet.

— Que vous allez opérer demain...

— Commandant, dis-je, béant, comment savez-vous que je vais l'opérer demain ? Je viens de prendre cette décision il y a à peine dix minutes.

— Voyons, toubib, vous savez bien que les nouvelles, vraies ou fausses, voyagent à la vitesse d'un éclair dans un sous-marin.

— Et comment les hommes prennent-ils la perspective de cette opération ?

— Gravement. Promenez-vous un peu dans le bord. Vous verrez, c'est très touchant, cette solidarité. Et aussi cette confiance qu'ils ont en vous.

J'avale ma salive, et je ne dis rien. Le second darde sur moi son petit œil noir.

— Et vous, toubib, vous vous inquiétez de savoir qui va vous tenir les écarteurs ?

— Exact.

— Ne vous cassez pas la tête plus longtemps, toubib : c'est moi.

— C'est vous !

Il rit de nouveau. Et je ne vais pas décrire son rire derechef. Je suppose que vous avez déjà bien dans l'oreille ce hennissement ironique brusquement coupé court.

Il reprend :

— Vous n'ignorez pas que dans un sous-marin d'attaque, le second, c'est le toubib, aidé de l'infirmier, et aussi d'un bouquin que nous appelons le « médecin de papier » et qui vous dit ce qu'il faut faire, quand tel malade présente tel ou tel symptôme. J'ai exercé cette fonction. Et j'ai reçu une petite formation d'aide chirurgical. Je sais me laver les mains. Je sais m'habiller sans les salir. Je sais supporter un masque. Pardon, une bavette...

— Et vous savez tenir les écarteurs ?

— Oui. A condition que vous me disiez quand il faut tirer, soulever, cesser de tirer...

Bref, il faudra tout lui dire. Mais je me sens toutefois infiniment soulagé d'avoir en lui un aide, même si cet aide a peu d'expérience. L'œil baissé sur mes pensées, c'est à peine si j'entends le second me dire qu'il s'excuse et qu'il est appelé ailleurs. Un instant plus tard, je lève les yeux et je suis comme surpris que son fauteuil soit vide. Mais si, à l'aide d'une formule appropriée, j'invoquais sa présence, je ne serais pas autrement étonné de le voir surgir du sol comme le Méphisto de *Faust*.

Je retourne dans ma chambre, m'y enferme, et relis les récits d'opération que j'ai déjà lus la veille. C'est incroyable, les positions que peut prendre l'appendice. Tous les cas sont là, noir sur blanc. Tout est prévu. Toutes les complications, décrites. Le patron qui a écrit cela, il avait une expérience phénoménale. Je l'envie. Je me rends compte que la mienne, avec dix opérations seulement à mon actif, est bien maigrelette.

Jacquier vient m'appeler pour le deuxième service du déjeuner. Ni le pacha ni le second ne sont là. Sont présents Alquier, Becker, Miremont, le chef Forget, Saint-Aignan :

des gens peu bavards. Le mimi Verdelet essaie d'animer le repas, mais, ne rencontrant pas d'écho, se tait. Pour une fois, je suis moi aussi taciturne et Verdelet ne tente rien dans ma direction. Je serais bien incapable de dire ce que j'ai mangé.

Je gagne l'infi et Le Guillou me présente les résultats des analyses. Rien aux poumons. Pas de diabète dans les urines. La leucocytose reste modérée : 11 000 unités, quoique en augmentation sur la première numération.

Je passe dans la chambre à côté suivi de Le Guillou. Nouvelle palpation. Il n'y a pas de miracle; tous les signes de crise aiguë sont là. Et je m'avise d'une particularité qui ne va pas rendre l'opération très aisée. Il est grassouillet, Langonnet, grassouillet comme un bébé. En particulier sur le ventre. Et qui pis est, sous le panicule adipeux, la paroi musculaire est forte. Ça ne va pas être facile d'arriver jusqu'au péritoine.

— Docteur, dit Le Guillou, est-ce que je peux aller ouvrir la cope ?

— Oui, bien sûr. A votre retour, nous poursuivrons le bilan. J'opérerai demain à seize heures. A votre avis, combien faut-il de temps pour transformer l'infi en bloc opératoire, sortir les blouses, les instruments, s'habiller stérilement...

— Nous avons fait une simulation avec votre prédécesseur, docteur : ça prend une heure et demie.

— Mettons deux heures.

— Vous prévoyez une anesthésie de quelle durée, docteur ?

— Laissez-moi réfléchir. Une appendicectomie dans un hôpital, ça prend une heure sauf complications. Oui, mais ici, ça n'est pas un hôpital. L'infi, elle paraît grande à l'échelle d'un sous-marin, mais à l'échelle d'un bloc opératoire dans un hôpital, c'est tout petit. Et nous serons quatre autour du malade : vous, moi, Morvan et le second. Ça fait beaucoup de monde. Vous savez sans doute que c'est le second qui tiendra les écarteurs. Il faudra tout lui dire. Comptez deux heures pour l'anesthésie.

— C'est noté. Docteur, quand dois-je annoncer à Langonnet ?

— Ce soir, à dix heures, quand le Témesta aura fait son effet. Il est très anxieux ?

— Oui et non. Il est plutôt content qu'on s'occupe de lui. Il prend toutes ces analyses pour une thérapeutique.

Morvan assiste sans piper à cet entretien, nous dominant l'un et l'autre d'une bonne tête, ses deux grandes mains pendant au bout de ses longs bras. Il est si noir et si velu qu'on voit par le col large ouvert de sa blouse les poils de sa poitrine rejoindre ceux de sa barbe. Il nous a sûrement écoutés, et pourtant il a l'air à mille lieues de là, perdu dans ses pensées. Il doit rêver, maintenant que nous nous taisons, à sa lande bretonne, lui-même si grand et si massif qu'il me fait songer à un menhir noirci par les embruns. J'ai fait cette comparaison un jour devant Le Guillou, et elle ne l'a pas satisfait. « Vous savez, docteur, je ne sais pas s'ils ont des menhirs, dans les Côtes-du-Nord. Les menhirs, en principe, c'est nous. C'est le Morbihan. »

Le Guillou parti pour la cope, je voudrais dire un mot à Morvan, ne serait-ce que pour lui faire entendre que je n'ignore pas qu'il existe.

— C'est vous, Morvan, qui avez fait la numération globulaire ?

Question idiote : je le sais, et il sait bien que je le sais.

— Mm, docteur.

— Evidemment, c'est plutôt long, surtout quand on fait tout, comme ici, avec la pipette et l'hématimètre.

— Mm, docteur.

— Qui sait ? Peut-être un jour on nous fournira un compteur automatique de globules ?

— Mm, docteur.

— Ça ira alors beaucoup plus vite.

— Mm, docteur.

De guerre lasse, je me tais, moi aussi. Rien de plus contagieux que le silence. Debout devant le bloc opératoire et appuyant mes paperasses sur son plan, je les remplis en conscience. Je suppose qu'à me voir on penserait que je suis calme. Et en effet, ma voix est posée, mes mains ne tremblent pas, je ne donne aucun signe d'agitation. Mais calme, je le suis, comme un étudiant à la veille d'un examen. Et c'est bien ça, au fond. Sauf que c'est plus grave encore, puisqu'il s'agit d'une vie humaine. « En chirurgie, me disait un chef de clinique à Cherbourg, tu as le droit de tout faire, sauf de casser un malade. »

Ma petite corvée terminée, je me souviens que je vais manquer de crème à raser et je gagne la cope. Il y a la queue, mais au lieu de l'animation joyeuse qui règne d'ordinaire dans ce coin du SNLE — les lazzi et les bruits de coursive allant bon train — j'y trouve une ambiance particulière, faite d'un silence lourd à peine coupé de conversations feutrées. Le silence, à ma vue, s'alourdit encore, et je suis accueilli avec des égards inaccoutumés.

— Docteur, si vous êtes pressé, vous pouvez passer avant moi...

— Non, non, ne vous dérangez pas, merci. Rien ne presse.

Les Roquelaure, les Bichon et autres joyeux drilles et piliers de la cope sont là, mais ils sont englués, eux aussi, dans la tension générale, laquelle redouble, quand Le Rouzic vient se mettre à côté de moi.

Le Rouzic est le motel de la caffe et, en cette capacité, coiffe et dirige d'une main ferme, mais affectueuse, les petits matelots qui assurent le service des tables. C'est lui, lectrice, si vous vous en souvenez, qui m'a amené Langonnet *manu militari* il y a trois jours. C'est un Breton, lui aussi, mais très trapu, avec une poitrine d'orang-outan, un visage taillé à coups de serpe, un teint si rouge que même la pâleur sous-marinière n'arrive pas à l'éclaircir, et dans cette forte trogne, des yeux d'un bleu myosotis, incroyablement tendres.

— Monsieur le médecin, dit-il (c'est un « vieux », il me donne mon titre hiérarchique), excusez-moi, est-ce que je peux vous poser quelques petites questions ?

— Au sujet de Langonnet ? Allez-y.

J'ai l'impression que la queue devant la cope se hérisse d'oreilles attentives et brille de regards furtifs jetés par-dessus l'épaule dans ma direction. Le seul qui parle haut ici, c'est Le Guillou qui, derrière son guichet, est obligé de dire :

« Au suivant », tant le suivant préférerait écouter l'entretien qui s'engage que de passer commande.

— Langonnet, monsieur le médecin, c'est l'appendicite ?

— Oui.

— On dit que vous allez l'opérer.

— Oui, demain après-midi.

— Excusez-moi : il y en a qui disent que c'est bénin comme opération. Et y en a qui disent que non.

— Une opération à ventre ouvert n'est jamais une plaisanterie. Mais pour l'appendicectomie, généralement, ça se passe bien. Sauf complications.

Le Rouzic me regarde de ses yeux myosotis. Il a l'air presque scandalisé.

— Et il peut y avoir des complications pour Langonnet ? Un jeunot comme lui ? si bien portant ?

— Les complications, ce n'est pas une question d'âge.

— Eh ben, alors ! dit Le Rouzic, en secouant ses larges épaules, j'aurais pas cru ! Comme dit mon père, on est peu de chose.

C'est curieux, ce pessimisme. L'homme est « peu de chose » par rapport à quoi ? A ses rêves d'immortalité ?

Je reprends :

— Ne vous inquiétez pas. Il n'y a pas de raison que ça se passe mal pour Langonnet. Vous pouvez aller le voir à l'infi, si vous voulez. Vous seul. Ou à deux, à la rigueur. Pas plus de dix minutes. Et ne lui parlez pas d'opération. Il ne sait pas encore.

— J'irai, j'irai, dit Le Rouzic. Vous savez, Langonnet, c'est un bon gars...

Je fais « oui » de la tête, je lui donne une petite tape sur l'épaule, et il s'en va, si troublé qu'il ne se souvient plus de ce qu'il était venu acheter à la cope.

Ce que dit Le Rouzic de Langonnet pourrait s'appliquer à lui-même : Sa serviabilité est proverbiale. Il souffre d'insomnies, et se relève assez souvent la nuit, et au lieu de se balader dans le bord en quête de compagnie, ou de casser une graine à la caffe, il a imaginé de proposer au boula de l'aider dans le façonnement des pains. « Il a bien appris », dit le boula, dissimulant son contentement sous ce commentaire un peu froid.

Mon tour vient, j'achète ma crème à raser, et comme j'ai besoin de me donner du mouvement, je parcours le SNLE d'un bout à l'autre. Je retrouve partout l'ambiance tendue de la cope ; les regards amicaux ne manquent pas, mais les petits saluts eux-mêmes sont retenus, les paroles, rares, alors que les hommes en sont si prodigues d'ordinaire, et toujours sur le ton de la blague, voire de la taquinerie cordiale. Je peux m'attarder aujourd'hui dans la tranche missiles — la plus belle, comme on sait, la plus lumineuse, la plus coquette — et rencontrer, assis au pied d'un missile annihilant de dix-huit tonnes, le même joueur de guitare, sans qu'il me dise, avec un sourire, « Alors, docteur, toujours le vélo, jamais la musique ? » Roquelaure lui-même, qui me voit pédaler, ne va pas galéjer avec son accent marseillais corrigé breton. « Bonne mère, docteur, vous perdez un gramme par minute ! C'est tout juste si je vous vois pas fondre, hein quoi ! » Et le trans Vigneron que je rencontre à mon retour en traversant le PCNO, ne va pas m'intercepter pour me confier — ce qu'il fait chaque semaine — « Monsieur le médecin, vous aviez raison. C'était rien. Rien du tout. Elle s'est défâchée. Je viens d'avoir mon famili. »

Je retourne à l'infi et, en chemin, je rencontre le second, à qui je fais part de cette étrange ambiance, lui disant combien j'en suis touché.

— Remarquez bien, dit-il, dardant sur moi son œil vif, qu'à Brest, l'annonce qu'un petit matelot va se faire opérer de l'appendicite à l'hôpital militaire n'aurait pas créé un tel suspense — probablement parce qu'à terre la cellule familiale polarise l'affectivité de chacun. A bord, bien entendu, on n'oublie pas les siens, mais les liens avec les copains se renforcent. L'homme est un étrange animal : Il aime aimer.

— Surtout, dis-je, ceux qui sont embarqués dans le même bateau que lui.

Le second rit de son petit rire abrupt.

— Ah toubib, vous aimeriez que cet amour soit plus universel ? Moi aussi, figurez-vous ! Mais combien faudra-t-il de temps pour en arriver là ? Encore un ou deux millions d'années ?

***

Le matin de l'opération, Le Guillou est de très mauvais poil et me fait part de ses appréhensions.

— Vous avez remarqué, docteur, le panicule adipeux qu'il se paie, ce petit gars ! Qu'est-ce que ça sera à la cinquantaine ! Et en attendant, toute cette bidoche, c'est très chiant pour l'anesthésiste ! La particularité des gens gras est de ne pas dormir pendant l'intervention et de dormir une fois que c'est fini... Ils métabolisent tout dans les graisses, et à la fin, ils relarguent tout dans la circulation. Vous riez, docteur ?

— C'est le mot « relarguer » qui m'amuse. On voit bien à qui on a affaire : à un infirmier de la Marine.

— Je m'en glorifie, dit Le Guillou.

La porte de la chambre d'isolement est close et nous sommes seuls dans l'infi, Morvan ronflant du sommeil de l'innocence dans la chambrée de Langonnet. « Depuis qu'il y est, dit Le Guillou, la cope a vendu en une seule journée cinq boîtes de boules Quiès. Un record absolu. » Je reprends :

— Mais, vous savez, Le Guillou, pour un chirurgien aussi, c'est très embêtant, la graisse. Si vous ajoutez à son panicule adipeux l'épaisseur de la paroi musculaire, je serai à bout de doigts quand j'aurai incisé le péritoine. Alors, demandez à Morvan de demander au Bon Dieu que je trouve facilement l'appendice, et qu'il soit facilement extériorisable.

— Qu'il lui demande surtout, dit Le Guillou, pourquoi il a collé à l'homme un truc pareil, quand il l'a créé. Ça me fait rager de penser aux millions d'hommes qui sont morts par la faute de cette malfaçon...

Je me tais. Je suis superstitieux : je ne vais pas chercher noise au Créateur au moment d'opérer.

L'heure qui précède l'opération est insupportable. J'ai les jambes qui tremblent sous moi, le cœur qui bat et la sueur me coule dans le dos entre les omoplates. Mais, à la minute même où je suis habillé, la bavette devant la bouche, et les gants aux mains, ma panique s'évapore sans laisser la moindre trace. Mémoire et réflexion reviennent. Je suis calme et concentré. J'ai l'œil à tout.

A la tête de Langonnet, Le Guillou. A ma droite, Morvan qui me passe les instruments. De l'autre côté, le second, habillé stérilement, prêt à tenir les écarteurs.

Je pratique l'incision iliaque droite de Mac Burney sur sept centimètres, et non sur cinq, pensant qu'il vaut mieux qu'elle soit assez large puisque, vu la conformation du patient, je risque d'être à bout de doigts, le péritoine atteint. J'incise ensuite le muscle grand oblique et le petit oblique. Je repère le péritoine, je le soulève et je me prépare à l'inciser entre deux pinces fines. Je dis, je me prépare, car je veille à ne pas prendre un viscère en même temps que le péritoine.

Voilà. Le ventre est ouvert. La minute de vérité est arrivée. Ma mémoire me ressasse d'une façon quasi automatique les règles pour trouver l'appendice... Et je le trouve. Dieu merci, il n'est pas collé au cæcum. Je saisis son extrémité par une pince en cœur. Je le tends pour le dégager de sa base d'insertion sur le cæcum. J'écrase cette base. Je la ligature. Et en deçà de la ligature, je sectionne l'appendice. Voilà, c'est fini.

Non, ce n'est pas fini, et ce n'est pas le moment de se laisser aller. Il faut remettre de l'ordre dans tout ça.

— Morvan, combien de petites compresses ?

— Huit.

Panique. Je n'en ai retiré que sept. Où est la huitième ?

— Ecartez un peu, commandant.

Coup d'œil anxieux. Elle est là ! Ses fines mailles se sont imbibées de sang et n'étaient plus discernables du tissu de cæcum sur lequel elle reposait.

Ce camouflage caméléonesque ne la sauvera pas. Je la recupère. Et je recouds, Morvan tenant un compte rigoureux des aiguilles embouties, des pinces et des ciseaux : Rien ne sera oublié dans le ventre de l'intéressé. Je ne dirai pas que ma couture terminale — sept centimètres de long — pourrait rivaliser, quand elle sera intégrée, avec les cicatrices esthétiques des grands maîtres. Mais Langonnet n'est pas une danseuse du *Crazy Horse,* ni une belle fille en string sur une plage : ce solide fils de la terre n'aura que peu d'occasions d'exhiber son ventre.

Incident de la dernière minute qui me met la sueur au

front. Je vois Morvan s'approcher avec un flacon d'éther dans la main et je lui crie :

— Reposez ce flacon ! Débranchez-moi !

Il s'arrête, béant.

— Débranche le bistouri électrique ! crie Le Guillou.

Il obéit et je respire. Langonnet ne prendra pas feu sous nos yeux horrifiés.

Les deux infirmiers le transportent sur sa banette et le mettent sous perfusion. J'enlève mon masque et mes gants, et je regarde ma montre.

— Combien ? dit le second, qui s'est dépouillé en un tournemain de ses vêtements stériles.

— Deux heures dix. Le temps ne m'a pas duré.

— A moi si ! dit le second avec son bref petit rire. Ce n'est pas une sinécure, les écarteurs. A la fin, mes bras s'ankylosaient... Malgré l'intérêt que je prenais à l'opération.

— En tout cas, merci, commandant.

— Ça a bien marché, je crois ?

— Très bien. Nous avons eu de la chance.

Ce « nous » le fait sourire, et il s'en va. Non, il ne s'en va pas, il disparaît. Il a une façon, à laquelle je n'arrive à me faire, de quitter une pièce, qui me donne toujours l'impression qu'une trappe s'est ouverte sous ses pieds.

Je suis couvert de sueur de la tête aux pieds et malgré la brièveté relative de l'intervention, je me sens passablement épuisé. Je vais prendre une douche et changer de linge. Après quoi, je retourne à l'infi. Contrairement aux assertions malveillantes de Le Guillou sur les gras, Langonnet, qui a bien dormi pendant l'opération, se réveille sans histoire. Ses yeux sont grands ouverts, et ses paupières cillent dans l'effort qu'il fait pour sortir sa vision du flou et la mettre au point sur nos visages penchés sur lui. Ça y est. Il nous reconnaît. Il nous sourit et la fossette de son menton se creuse. C'est un sourire d'enfant, filial et touchant.

— Mousse, dit Le Guillou, tu pourras leur dire dans ton village : Ce n'est pas tout le monde qui peut se vanter d'avoir perdu son appendice au beau milieu de l'Océan par cent mètres d'immersion.

— Il t'entend pas, dit Morvan.

Une phrase de trois mots, c'est un record pour Morvan. Et pour une fois qu'il se laisse aller à la plus débridée éloquence, il se trompe. Langonnet a compris. La preuve, c'est qu'à Le Rouzic qui vient le voir vingt-quatre heures plus tard, il répétera la lyrique remarque de Le Guillou, mais comme venant de soi et sans se rappeler son origine. Le Rouzic, à son tour, la répétera à la caffe, d'où elle fera « à la vitesse de l'éclair » le tour de l'équipage, provoquant une vague d'amusement et d'attendrissement dont l'image du petit buandier va sortir agrandie.

— Voyez-vous, toubib, me dit le pacha huit jours plus tard, tandis que nous prenons le thé au carré, un sous-marin, c'est d'abord une cage de verre : tout se voit et tout se sait. Ensuite, c'est une caisse de résonance : tout s'y amplifie, le bon comme le mauvais : une grogne sur la nourriture, une dispute entre le boula et la cuisse, une appendicectomie : tout prend de fantastiques proportions. L'anxiété du sous-marin au sujet de Langonnet avant votre intervention a été prodigieuse. Nous avons eu droit à une orgie de bons sentiments. Tous ces durs à cuire se sentaient, pour Langonnet, l'âme d'un père. Et le soulagement, après, a été indicible, transformant le petit matelot en mascotte, en chouchou, en enfant chéri. Et quant à vous, toubib, vous prenez rang, désormais, au côté de l'archange saint Michel : le bistouri vous tenant lieu de lance, vous avez terrassé le dragon Infection...

— J'espère, dis-je en riant, que ma statue ne va pas tomber de sa niche d'ici la fin de la patrouille. Heureusement que celle-ci est proche.

— J'espère aussi que la petite mascotte du SNLE ne va pas me faire une grosse tête. La buanderie est un service important. Quand Langonnet sort-il de l'infi ?

— Demain matin.

— Il peut reprendre son service normalement ?

— De toute façon, ce n'est pas le gars à forcer.

— Bien ! J'en toucherai un mot au second pour une reprise douce et ferme.

— Et moi, commandant, dis-je en riant, qui me reprendra en main ?

Il rit aussi.

— Mais vous-même ! Vous faites cela très bien ! Et vous exercez une influence modératrice sur les mimis…

Là-dessus, sur un petit coup d'œil semblable à un éclat de phare, il me quitte et me laisse songeur. C'est vrai que j'ai parfois essayé de freiner Verdoux et Verdelet dans leurs petites farces pendables, mais à mon avis, sans grand effet. Le pacha est-il en train de me suggérer par la bande de renforcer mon action, ne voulant pas lui-même intervenir pour calmer le jeu ? Il doit penser qu'il y a des cas où le poids des galons est trop lourd, et que les miens, justement, sont assez légers pour ne pas offenser les gens que je dois « modérer ».

Le lendemain de son entretien, Le Guillou me dit :

— Vous savez, docteur, qu'il y a de la grogne à la caffe ?

— Encore !

— Comment « encore » ?

— Vous vous rappelez : pour le cassoulet, les gars ont trouvé qu'une boîte pour quatre, c'était trop peu. Ils ont traité Brosse à dents d'affameur…

— Mais cette fois, c'est plus grave. Hier, le boula a fait cent quarante gâteaux. Or, nous ne sommes que cent trente-deux dans le bord. Et on ne sait pas qui a mangé les huit qui manquent…

Je ris.

— Quelle histoire ! Le mystère des huit petits gâteaux ! On devrait évoquer le fantôme d'Agatha Christie !

— Mais les gars ne plaisantent pas, docteur. Ils sont tout à fait sérieux. Ils font une enquête.

— Pour savoir qui s'est empiffré les huit petits gâteaux ? Mais c'est probablement la cuisse ou Brosse à dents !

— Pas du tout, la cuisse est insoupçonnable. Ni le boula, ni Tetatui, ni Jegou n'aiment les pâtisseries. Et Brosse à dents, en prévision du retour, suit un régime sévère. Il va même, depuis une quinzaine, jusqu'à refiler son dessert à un copain.

A treize heures trente, ce même jour, je me rends à la cope, Le Guillou m'ayant dit qu'il fallait que je me hâte d'acheter les tapes de bouche que je destine à mon jeune frère et à mon neveu, car avec la proximité du retour et les achats massifs de souvenirs aux armes du SNLE, il risque d'être à court.

— Mais vous ne pourriez pas m'en mettre deux de côté ?

— J'aime autant pas. Les gars ont l'œil à tout. Et s'ils vous voient avec deux tapes de bouche dans les coursives huit jours après que je leur ai dit que je n'en avais plus, ça va faire encore des histoires...

Bref, me voilà faisant la queue, sans aucune impatience, d'ailleurs. Il y a foule et il m'apparaît vite, même sans prêter l'oreille, que l'affaire des huit gâteaux, née de la veille, soulève encore les passions. Et qui croyez-vous qui dénonce avec le plus de véhémence leur disparition ? Qui, sinon Roquelaure ?

— Mais c'est un monde, ça ! dit-il, la pointe d'accent marseillais, sous l'effet de l'indignation, perçant sous la diction bretonne, c'est la jungle, alors, ce bâtiment ! C'est l'égoïste qui fait la loi ! qui dit : Moi, le rabe, je le veux pour moi ! Les copains je m'en brosse ! Et en plus de cela, hypocrite ! Qui chipe en douce sans que personne le voie ! Moi, j'appelle cela du vol ! Remarquez, la pâtisserie, personnellement, je m'en tape ! Le sucre, ça m'écœure. Mais c'est pour dire ! Il y a une justice, oui ou merde ? De quel droit y en a qui mettent le grappin sur les rabes ? D'autor ! Et sans rien demander à personne. Des gouillots pareils, ça ne devrait pas exister !

Approbations bruyantes et unanimes. Même le petit blond dont j'oublie toujours le nom — celui qui s'attache d'ordinaire aux pas de Roquelaure pour le contrer ou le contredire — est d'accord. On renchérit ! On dénonce ! On stigmatise ! On se vautre dans l'indignation ! On n'en est pas encore à nommer les suspects, mais à quelques regards entendus, à des « y en a qui », ou « tu me comprends », je saisis que les « privilégiés » du bord sont dans le collimateur.

Dans la minute qui suit, l'agitation atteint un comble. Ce n'est pas encore la révolution, mais c'est déjà, comme disait de Gaulle, la hargne, la rogne et la grogne. Et tout ça pour huit petits gâteaux ! L'enjeu est dérisoire, mais le mécontentement, bien réel. Et chez qui tout ce tumulte ? Mais chez les plus braves gars du monde ! Sentimentaux en diable, très attachés à leur famille, bons marins, techniciens hors ligne ! Bref, comme on dit dans les manuels, une élite. Si c'est là un effet d'amplification de notre caisse de résonance, il est comique — et aussi quelque peu inquiétant.

C'est mon tour de passer devant le guichet de Le Guillou. Je commande mes deux tapes de bouche, je paie, je me retourne et je dis à Roquelaure, mais assez haut pour être entendu par tous ·

— Roquelaure, j'ai un aveu à vous faire. Ces gâteaux, c'est moi. Oui, c'est moi, qui les ai mangés. Oui, tous les huit. Croyez-en mon expérience médicale, il n'y a pas que les femmes enceintes qui ont des envies. Les hommes aussi.

J'ai débité cela sur le ton de la plus grande gravité. Et dans le silence qui accueille mes paroles, je m'en vais, sérieux comme un juge, serrant mes deux tapes de bouche contre ma poitrine. Que va-t-il se passer ? La statue de l'archange saint Michel va-t-elle être arrachée de sa niche par l'ire populaire et jetée sur le sol pour s'y briser en même temps que mon honneur perdu ?...

Pas du tout. Quand Le Guillou revient, les mains chargées, de la cope, un rire silencieux relève ses larges pommettes, et il dit :

— Très bien, votre sortie, docteur !

— Alors ?

— Ils ne vous croient pas. Et d'autant moins que Wilhelm, qui était dans la queue, leur a assuré que depuis quinze jours, vous aussi, vous vous priviez de dessert.

— Qu'en ont-ils conclu ?

— L'opinion s'est divisée. Il y en a qui ont compris l'humour et la petite leçon Mais d'autres pensent que vous couvrez quelqu'un.

— Qui ?

— Là aussi, l'opinion se divise. Certains pensent que c'est votre opéré...

— Langonnet !

— Mais ils sont peu nombreux. L'énormité d'un tel crime chez un petit matelot...

— Et les autres ?

— Les autres soupçonnent les officiers.

— Nous y voilà ! dis-je.

Le carré, le soir, informé par mes soins, rit à tripes épanouies, et les mimis, au nom de leur « intime conviction », accusent et condamnent le commandant Mosset. Mais le second, qui n'a ri que du coin de la bouche, prend la chose assez au sérieux pour aller faire à la caffe un petit discours mi-plaisant mi-sévère sur le thème des « enfants gâtés » qu'on lui avait prêté précédemment sans qu'il l'eût jamais traité : « Preuve, ajoute-t-il, que les bruits de coursive sont parfois prophétiques. A ma connaissance, sur quinze officiers, six, pour retrouver leur ligne, ne prennent plus de dessert, et ces parts sont renvoyées aussitôt à la caffe par Wilhelm. Ce qui porte à quatorze le nombre des parts disparues. Disparition d'autant plus regrettable que 14 parts divisées par 132 auraient constitué pour chacun un supplément appréciable... » (Rires)

Après cette intervention, le mystère des huit petits gâteaux, qui était monté comme l'écume, retombe comme elle, et disparaît sans laisser de trace.

— Petite fièvre de folie douce, commente le second, due à l'usure des nerfs.

⁂

Depuis l'appendicectomie de Langonnet — sorte d'épreuve du feu dont nous parlons maintenant en anciens combattants — Le Guillou et moi nous sentons plus proches l'un de l'autre, et le soir, Morvan ronflant sur sa banette dans la chambre d'à côté, nous parlons à bâtons rompus, parfois même de sujets sérieux tandis que j'essaie de mettre mes paperasses en ordre.

— Docteur, vous croyez à la survie ?

— Non.

Tout en disant ce « non », je me retourne et le regarde.

— Vous y croyez, vous ?

Le Guillou avale sa salive, ce qui a pour effet de remonter ses larges pommettes mongoles jusqu'à ses yeux verts.

— Il y a des moments, dit-il avec effort, où il me paraît presque impossible de mourir tout à fait.

— Alors, dis-je, c'est que sans vouloir l'admettre, vous êtes croyant, et dans ce cas, je me tais.

— Comment ça ? Vous vous taisez ! dit Le Guillou presque agressivement. Si je crois à la survie, je ne suis plus digne de discuter avec vous ?

— Allons, allons ! dis-je en riant, ne vous fâchez pas ! Je n'ai pas dit cela dans le sens où vous le prenez. Si vous croyez si peu que ce soit à la survie, pourquoi essaierais-je de vous en détourner ? Même par des raisons que je crois bonnes ?

— Mais par souci de la vérité, dit Le Guillou.

— La vérité n'est pas bonne à dire, si elle fait du mal à quelqu'un.

— Et cela me ferait du mal de ne plus croire à la survie ?

— Assurément. Pourquoi y croyez-vous, sinon parce que l'idée de la mort vous paraît insoutenable ?

— Et à vous elle ne paraît pas insoutenable ?

— Oh si !

Un silence, et Le Guillou reprend avec sa ténacité coutumière :

— Tout cela ne me dit pas pourquoi vous ne croyez pas à l'immortalité de l'âme.

— Parce que c'est une idée incompréhensible. Quand un homme meurt, son cerveau est détruit irréversiblement, et avec lui, l'intelligence et la mémoire du mort, c'est-à-dire ce qu'il y avait en lui de plus personnel.

— Ne peut-on supposer un miracle qui leur redonne vie ?

— En dehors du support organique grâce auquel elles sont nées ?

— Oui, évidemment, dit Le Guillou. Sans compter qu'il faudrait des milliards de miracles pour transformer en âmes ces milliards de morts. Un croyant vous dirait que ce n'est pas impossible.

— A la foi rien n'est impossible. C'est même sa définition.

Comme après cela il se tait, je dis au bout d'un moment :

— Ne faites pas état de cette conversation. Je ne voudrais pas qu'on croie que je fais à bord du prosélytisme.

— Les curés en font bien, eux ! dit Le Guillou avec un brusque retour de son anticléricalisme.

— C'est qu'ils croient, eux, détenir la vérité.

— Et vous ne croyez pas détenir la vérité ?

— Quelques petites parcelles, çà et là, éclairées faiblement par de petites lueurs de raison.

Il a l'air assez déçu : il ne doit pas trouver ma philosophie très consolante.

Il faut que je remonte douze ans en arrière, et à ma première année de médecine, pour retrouver le souvenir d'une conversation entre copains sur un tel sujet. Il n'y a que les jeunes pour discuter sur l'Au-delà. A trente ans, les jeux sont faits. On s'est fabriqué une croyance ou une « décroyance ». On ne la remet plus en question. Si je devais aborder une question pareille avec l'un des officiers — à l'exception, bien sûr, des mimis —, il trouverait la chose du dernier mauvais goût et, croyant ou pas, il se déroberait.

Pourtant, quel meilleur endroit qu'un SNLE pour parler de la mort et de l'immortalité ? Notre vie est quasi conventuelle. On ne peut pas rêver clôture plus parfaite, ni règle plus rigoureuse. La tâche quotidienne finie, on n'a plus qu'à méditer, chacun dans sa cellule, et à faire son salut. Oui, mais quel salut ?

Ce n'est évidemment pas avec le pacha que je vais aborder ce genre de problème : il est catholique pratiquant et il participe aux réunions de prières de Becker le dimanche matin.

Mais quand je le rencontre au carré pour le thé, je tire avantage de ma condition d'éléphant pour lui poser des questions candides et embarrassantes.

— Commandant, comment pouvons-nous savoir avec certitude que nous n'avons pas été détectés au cours de cette patrouille ?

— Nous ne le savons pas avec certitude. Nous le pensons.

— Supposez qu'un sous-marin réputé ennemi soit plus silencieux que nous et dispose de meilleurs moyens de détection : il pourrait nous approcher assez pour relever notre signature acoustique et s'en aller sans révéler sa présence.

— Ce serait bien étonnant, dit le pacha, son œil bleu me considérant par-dessus sa tasse.

— Il paraît que le nouveau sous-marin nucléaire soviétique étonne tout le monde par ses gigantesques dimensions. La France possède, dit-on, des photos de ce monstre. Est-ce que nous connaissons ses caractéristiques ?

— Toubib, dit le pacha avec bonne humeur, ce n'est pas parce que vous possédez la photo d'une femme que vous connaissez tous les détails de son anatomie.

— Oh ! commandant, dis-je en riant, quelle comparaison ! Surtout dans votre bouche !

Il rit aussi. Catho peut-être, mais pas bégueule. Nous buvons en silence et je reprends :

— Commandant, vous connaissez le conte de Kipling sur l'enfant d'éléphant et son « insatiable curiosité » ? J'ai encore des questions à vous poser.

— Il faut bien que l'enfant d'éléphant grandisse...

— C'est ce que j'essaie de faire. On dit que les Anglais ont une hélice de sous-marin plus silencieuse que la nôtre.

— C'est vrai.

— On dit aussi que lorsqu'un sous-marin américain est venu nous visiter à Toulon, un Breguet Atlantique a effectué avec lui un exercice de pistage à sa sortie de la rade, et en moins d'une heure l'a perdu.

— Cela prouve, dit le pacha, que nous avons de bons alliés, qui ont de bons ingénieurs. Mais nous ne sommes pas manchots non plus...

— Comment l'entendez-vous, commandant ?

— Le SNLE français de la nouvelle génération qu'on est en train d'étudier sera encore plus performant et plus silencieux que l'*Inflexible.*

Je croque un gâteau sec, d'ailleurs avec remords. Dans quelle étrange civilisation vivons-nous ! Manger n'est plus un plaisir, mais un péché.

— Commandant, si je ne craignais pas d'abuser, je vous poserais bien encore quelques petites questions.

— J'y répondrai, si je peux, dit le pacha.

— En cas de guerre, vous recevez l'ordre de tirer par l'antenne filaire que nous traînons derrière nous dans l'eau. Mais supposez que cette antenne soit détériorée.

— Nous en avons une autre, amarrée sur le pont, mais que nous pouvons lâcher et maintenir à dix mètres sous l'eau, c'est-à-dire sans enfreindre la sacro-sainte discrétion.

— Supposez qu'en France, en cas de guerre, le président de la République soit enlevé ou assassiné. Et que notre centre de transmissions de Rosnay soit détruit.

— Le président serait aussitôt remplacé. Rosnay aussi. Toutes les précautions ont été prises, pour que ni le donneur d'ordres ni la transmission ne puissent être neutralisés.

— Bien, dis-je. Nous recevons donc l'ordre du président et nous tirons. Que faisons-nous après ?

— Nous avons nos instructions, dit le pacha avec un petit sourire, mais elles sont secrètes.

— Je vais formuler ma question autrement, dis-je aussitôt : qu'arrive-t-il au sous-marin, une fois que la salve est tirée ?

— Ça n'a plus alors aucune importance...

Je le regarde à mon tour, stupéfait. Je n'en crois pas mes oreilles. Je répète :

— Ça n'a plus aucune importance ?

— Mais non, voyons, dit le pacha avec impatience, réfléchissez. Si nous tirons, c'est que la dissuasion a échoué, et alors c'est l'horreur ! Et plus rien n'a d'importance. Ni le sous-marin, ni nous...

— Vous voulez dire que le sous-marin est fichu ? Qu'il subit le sort de l'abeille. Qu'il meurt dès qu'il pique ?

— En toute probabilité, oui.

— Comment cela ?

— On peut imaginer chez l'ennemi un système de trajectographie très performant qui lui permet de déterminer aussitôt le point de lancement de nos missiles et de nous détruire.

— On peut supposer aussi, dis-je au bout d'un moment, que l'ennemi aura autre chose à faire que de détruire un sous-marin qui, ayant perdu son dard, n'est plus dangereux. Dans ce cas, il faudra bien retourner en France.

— Pour trouver quoi ? dit le pacha. Une France dévastée ?... Croyez-moi, toubib, à partir du moment où, la dissuasion ayant échoué, nous tirons notre salve, nous sommes dans l'aberration la plus totale ! L'apocalypse commence et rien, plus rien, n'a d'importance.

Un silence tombe et je m'aperçois que, malgré la stupéfaction que j'ai montrée, et à coup sûr éprouvée, j'ai toujours su confusément, mais sans vouloir me l'avouer avec clarté, ce que le pacha vient de me dire. Tant il est vrai que quand une pensée est pénible, nous ne pouvons que la fuir. Heureusement d'ailleurs, car si nous vivions jour et nuit dans l'attente de notre inéluctable disparition, la vie ne serait pas possible. Toutefois, dans la terreur que fait naître en nous l'appréhension d'une guerre atomique, ce qu'il y a de particulièrement atroce, ce n'est pas seulement notre propre mort, c'est celle de nos proches, de nos enfants, de nos petits-enfants, de notre pays, de la planète. L'*homo sapiens* détruisant sa propre espèce et la terre qui le nourrit : peut-on imaginer idée plus insoutenable ?

— C'est vrai, dit le pacha comme s'il avait deviné mes pensées.

Il reprend :

— C'est vrai que nous sommes pris dans un système à la limite de l'absurdité. Mais d'un autre côté, nous n'avons jamais été si près, à force d'horreur, de faire reculer l'horreur.

CHAPITRE IX

Cette semaine, comme dit Roquelaure qui a été champion local de course cycliste, « nous abordons la dernière ligne droite » : image peu appropriée à un SNLE qui ne se soucie guère — sur tous les plans — d'une conduite rectiligne. L'impatience, en tout cas, nous gagne, moi tout le premier. Comme si je voulais me donner l'impression de hâter notre retour, je commence à rédiger le rapport sanitaire que je dois remettre à mes supérieurs de retour à Brest. Mais par la force des choses, il demeurera inachevé jusqu'à ce que le sous-marin se mette à quai : bien des choses peuvent encore arriver au cours de ces derniers jours.

Ayant ce bilan médical en tête, le soir, sur ma banette, j'essaie de dresser en mon for, dans la foulée, un bilan personnel. Autant il me paraît positif, sur le plan humain et professionnel, autant il me déçoit affectivement, cet adverbe ne désignant que ma taciturne correspondante.

Ce n'est pas ce qui s'est passé dans le sous-marin qui a mal marché, c'est ce qui s'est passé dehors. Je le répète : Il me semble que si j'avais été à la place de Sophie et ayant pris la décision de rompre, j'aurais tâché d'avertir mon partenaire de ma décision, plutôt que de lui laisser espérer pendant neuf semaines des nouvelles qui ne vinrent jamais. Il m'a fallu quelque force d'âme pour surmonter les cruelles petites affres où m'ont jeté les silences de Sophie. Je dis « les silences », car il y en a eu un chaque samedi, et chaque samedi, assez durement ressenti, malgré mes efforts, chaque fois, pour tordre le cou à l'espoir, attendre l'absence de son familigramme, et contre elle m'armer.

Quand on a indûment « investi » ses affections dans un être, je voudrais bien que les psychologues m'expliquent comment il faut faire pour les « désinvestir » et quelle méthode il convient de suivre pour passer le plus rapidement possible du chagrin à la résignation, et de la résignation à la sérénité. Quant à celle-ci, je ne l'ai pas encore atteinte. Si notre machine humaine était rationnelle, elle devrait comporter un purgeur d'amertume qui fonctionnerait, en cas de besoin, automatiquement.

En dépit de ces à-coups, mon moral a bien tenu. Je n'ai pas connu le fameux « syndrome de la cinquième semaine ». Quant à moi, mes déprimes ont été ponctuelles, n'excédant pas, en fait, une matinée ou un après-midi. Elles commençaient par un sentiment pénible d'irréalité : la bizarrerie de la situation me sautait tout d'un coup aux yeux, me donnant un sentiment d'étonnement et d'indignation. Je me disais : « Mais qu'est-ce que je fais là, bon Dieu, enfermé dans cette boîte en fer sous l'eau ! Je ne sais même pas dans quel Océan ! Il faut à tout prix que je sorte de là ! Et que je revoie le ciel ! »

Après quoi, pendant une minute ou deux, j'étais tenaillé par l'obsession démente « d'ouvrir une fenêtre », tout en sachant bien que cette fenêtre n'existait pas. Ce qui se passait ensuite était très particulier : l'irréalité de la révolte — ouvrir une fenêtre, sortir, revoir le ciel — annulait peu à peu l'irréalité de la situation et me réconciliait avec elle : « Je reprenais le collier », comme on dit si bien, quand les vacances sont finies. J'avais un sillon à tracer comme les chevaux de labour. Ou pour user d'une image plus juste, le rouage appelé toubib se remettait de lui-même en place dans la machine.

Ce qu'il y a de merveilleux chez le sous-marinier, je l'ai noté plus de cent fois au cours de cette patrouille, c'est le sentiment qu'il a d'être archi-important à bord. Ce n'est pas une illusion. Non seulement c'est vrai pour les ingénieurs et les techniciens chevronnés qui assurent les services essentiels, mais c'est vrai aussi pour le plus petit des petits

« mousses ». Lectrice, permettez-moi, je vous prie, un exemple très terre à terre : si le petit matelot chargé des w.-c les laisse se boucher, dans une école ce serait une négligence, dans un sous-marin, c'est une catastrophe. Et sans aller si loin, si ledit matelot est un tant soit peu trop rapide quand il « sasse » au fond des mers la « caisse à caca », les matières s'en vont, mais l'odeur demeure, provoquant dans l'équipage une grogne véhémente.

Ce sentiment gratifiant d'exercer « une fonction importante à bord » — sans laquelle la sécurité ou le bien-être de tous seraient menacés — *tous* l'éprouvent et à tous il apporte une aide puissante pour étaler la privation la plus évidente : l'absence de jour.

Le mimi Verdelet s'en rendit bien compte le jour où il donna à la caffe, dans le cadre de ses conférences littéraires, un récital de poésie consacré à Baudelaire. Il y inclut le poème en prose intitulé *l'Etranger*, dont le pacha, qui le prisait fort, lui avait communiqué le texte. Verdelet, qui avait étudié l'art dramatique avant de préparer Sciences-Po, ne lisait pas : il récitait. Et le fait qu'il sût par cœur ces centaines de vers était, de prime abord, une raison de son succès, les hommes étant émerveillés par l'étendue de sa mémoire : « Le mimi, il en a dans le crâne ! » disait Bichon, résumant l'admiration générale.

Qui plus est, Verdelet récitait fort bien. Et quand il en arriva à *l'Etranger*, et surtout à la phrase finale, qu'il détailla avec beaucoup d'art · « J'aime les nuages, les nuages qui passent là-bas, là-bas, les merveilleux nuages », il eut la surprise de voir son auditoire — une quarantaine d'hommes — figé par l'émotion. Puis ils sortirent enfin de leur stupeur, l'applaudirent à tout rompre, et le prièrent de bisser le poème. Ce qu'il fit. Après quoi, deux d'entre eux s'approchèrent et lui demandèrent d'écrire sur un bout de papier la phrase qui parlait tant à leur cœur. Le lendemain, une bonne moitié de l'équipage la répétait.

Tandis que je me remémore cet épisode, j'entends dans la « rue de la Joie » bruits, cris et rires. Avec prudence — car il s'agit peut-être d'une ruse pour m'attirer hors de ma chambre — j'entrebâille ma porte et risque un œil. Les deux mimis, Angel, Callonec et Saint-Aignan se livrent à un combat d'embuscades avec des revolvers à eau, lesquels ont été introduits à bord par Verdelet, ainsi que diverses farces et attrapes du même type. Ma prudence est récompensée. Si j'étais sorti sans précaution de mon territoire, il va sans dire que les camps adverses auraient conjugué leurs forces et concentré leur tir sur ma personne.

Lectrice, j'hésite au moment de vous conter un des tours les plus pendables des mimis, craignant de vous conforter dans cette idée assurément assez exacte que les hommes, quand ils sont entre eux, ont tendance à redevenir quelque peu enfantins. Toutefois, il doit être dit, à la décharge des mimis, que la vie quotidienne d'un sous-marin n'est pas sans évoquer l'internat des grandes écoles et appelle, pour ainsi parler, les farces qui s'y perpétuent.

Parmi les attrapes introduites dans le bord par Verdelet, il y avait un système de deux poires en caoutchouc reliées par un long tuyau. Si l'on dissimule sous une assiette (cachée en outre par la nappe) une de ces poires à l'état flasque — l'autre poire, pour peu qu'on la pompe, gonfle la première par l'intermédiaire du tuyau et lui communique des soubresauts qui agitent l'assiette : mouvements en soi comiques, puisqu'ils échappent à la volonté du convive devant qui l'assiette est placée.

Mais ce serait méconnaître l'imagination de nos mimis que de croire qu'ils vont se contenter d'une farce aussi fruste. Ils l'incluent dans un scénario calculé pour en décupler l'effet. Mis dans le secret, la seule modification que j'arrive à introduire dans leur dessein est d'en changer la cible. Au lieu de choisir Becker comme victime, je les persuade de se rabattre plutôt sur Miremont qui, n'étant pas catholique, sera en toute vraisemblance moins offusqué que notre pieux barbu.

Le « repas présidé » du dimanche arrive, et avec la complicité au moins passive de Wilhelm, la poire à l'état flaccide est placée sous l'assiette de Miremont et l'autre poire, dissimulée par le retombé de la nappe, à portée de main de Verdoux, qui s'assoit aussitôt, l'air plus sage que nature.

Dès que tous ont pris place, et dans le moment creux entre le hors-d'œuvre et le plat de viande, les deux mimis entament, dans le silence général, une petite comédie d'apparence anodine qu'ils ont jouée devant nous plus de cent fois depuis le premier jour de la patrouille.

— Verdoux, dit Verdelet, qu'est-ce que tu comptes faire ce soir ?

— J'ai l'intention d'aller faire un tour sur les Champs-Elysées. Peut-être voir un film. Tu viens avec moi ?

— Je regrette, j'ai rendez-vous au Fouquet's.

— Viens donc ! Laisse tomber !

— Impossible ! C'est une des coco girls.

— Laquelle ? Tu peux me présenter ?

— Impossible. Je n'accepte pas de frère près du trône.

— Alors, décris-la.

— Eh bien, dit Verdelet d'un air gourmand, elle est grande, élancée, avec des cheveux acajou et des yeux verts. Ses seins sont les grenades du Jardin d'Allah. Ses cuisses sont amples, musclées, précises. Et quant à son petit derrière, rien que de le voir se balancer doucement devant vous, la salive vous coule de la bouche.

A ce moment, la main de Verdoux disparaît sous la nappe, l'assiette de Miremont entame des soubresauts violents, et quand tous les yeux sont fixés sur elle, Callonec s'écrie d'un air indigné :

— Mais enfin, Miremont ! Je t'en prie ! Contrôle-toi !

Miremont rougit, les rires éclatent, et je suis assez soulagé de voir le pacha rire aussi. Je craignais qu'il ne trouve la farce un peu forte.

— Je n'ai jamais vu des idiots pareils ! gronde Miremont, furieux.

Et passant la main sous la nappe, il ramène la poire en caoutchouc qu'il jette dans l'assiette de Verdoux. Le pauvre, hélas, a tort de se fâcher, car Verdoux, ramassant la poire et l'examinant, dit d'un ton désolé :

— Quoi, une prothèse ? Malheureux, tu as besoin d'une prothèse à ton âge ? Ces soubresauts n'étaient qu'un artifice ?...

— Fi donc ! dit Verdelet.

Les rires redoublent et Miremont, s'enferrant davantage, refuse, en tant que chef de gamelle, de débloquer la bouteille de champagne que lui réclament les mimis pour prix de son « indécence », ou qui pis est, de son « imposture ».

Ce n'est évidemment pas par hasard si les *mimis* ont érotisé une « attrape » classique et en soi des plus neutres. J'y repense encore au soir de ce repas présidé, alors que je suis couché sur ma banette, l'électricité éteinte, et les yeux grands ouverts. Non que le sommeil me fuie. C'est moi qui ne le cherche pas.

La femme est absente d'un sous-marin. Elle y est très présente aussi : Dans les films pour grand public qu'on projette à la caffe ; dans les autres aussi ; dans les cassettes que l'on écoute, étendu sur sa banette, après son quart, le bas-parleur à côté de l'oreille ; dans les BD, usées jusqu'à la corde d'être passées de main en main ; dans les romans dont on se signale de copain à copain les bonnes pages ; dans les pin-ups qui décorent les portes des chambrées ou qui, plus discrètement, ornent les pupitres et les tableaux de bord ; dans les déguisements féminins de la cabane ; dans les conversations de chambrée, et les récits toujours un peu vantards des célibataires ; et aussi, dès que cessent le quart et la surveillance stressante des machines, dans l'esprit des pudiques et des silencieux.

J'ai fait une remarque à ce sujet : plus un homme est amoureux de sa femme, moins il en parle, même à son ami le plus proche. Toutefois, au sujet de ses enfants, il s'épanche volontiers. Et si vous demandez à voir leur photographie, celle qu'il vous tendra d'une main détachée les montrera non pas seuls, mais en compagnie de son épouse, à laquelle, à mon sentiment, il sera de bon ton que vous adressiez un compliment discret tout en faisant porter sur la progéniture le gros de vos éloges. Au carré, j'ai eu l'occasion, plus d'une fois, de jouer ce rôle et, à la fin de la patrouille, je m'étais formé une idée assez précise des officiers qui étaient très amoureux de leur femme. Franchement, je les envie. J'entends bien que cela doit être plutôt dur au départ de Brest de s'arracher à un foyer si tendre. Mais le retour doit payer ces affres au centuple.

Un SNLE présente une telle densité d'appareils hautement sophistiqués qu'on se demande comment les maîtres qui les manipulent ont pu associer une image féminine à cette technologie raffinée. Ils y sont parvenus pourtant.

Au PCNO, il y a un coin sur bâbord réservé aux trois centrales de navigation par inertie. Ce sont des engins excessivement coûteux qu'on ne voit que dans les SNLE et sur deux de nos porte-avions.

Ils permettent au navigateur de faire le point avec une précision étonnante, ce qui est d'autant plus utile sur un SNLE qu'il ne saurait être question de monter sur le pont pour faire ledit point, ni même — par souci de la sacro-sainte discrétion — de laisser émerger le périscope de visée astrale

Côté PC on ne voit que trois pupitres côte à côte, mais indépendants, (les engins correspondants, qui sont fort volumineux, restant hors de vue) et s'il y a trois de ces centrales, c'est qu'à partir du moment où le SNLE quitte l'Ile Longue, elles ont tendance, avec le temps, à dériver. On choisit donc l'une d'elles qu'on tient pour la pilote et les deux autres servent à la contrôler.

Le responsable est un petit brun à l'œil vif. Je lui demande de m'expliquer le fonctionnement. Ce qu'il fait d'un air quelque peu découragé d'avance. Et il a raison. Car je n'entends goutte à ce qu'il me dit. Toutefois, tandis que je lui prête une oreille de plus en plus distraite, mon œil, errant sur les pupitres, découvre que chacune des trois centrales est personnalisée par un doux visage féminin.

— Et laquelle des trois, dis-je à la fin, avez-vous choisie comme pilote ?

— Celle du milieu.

— Ah ? dis-je. Et pourquoi cette préférence ?

— C'est la plus gentille, dit-il avec un sourire presque tendre.

***

Ce matin, comme j'arrive à l'infi, Le Guillou me dit :

— Ah, bonjour, docteur, nous avons eu un client C'est

Longeron, l'électricien. Il veut se faire faire un « check-up » par vous.

— Un « check-up » ?

— C'est le terme qu'il a employé.

— Et en quel honneur, ce « check-up » ?

— Il n'a pas voulu le dire. Il a l'air anxieux.

— L'air anxieux ? Curieux d'avoir des états d'âme à si peu de jours du retour. Quand a-t-il dit qu'il reviendrait ?

— A l'instant.

Je me mets à mes paperasses, mais pour très peu de temps. L'intéressé survient presque aussitôt. Il est petit, maigre et paraît, en effet, très tendu.

— Bonjour, Longeron. Il paraît que vous voulez un check-up ?

— Oui, docteur.

— Mais un check-up, Longeron, vous l'avez eu à terre. C'est une routine. Tout le monde y passe. Et on ne vous a rien trouvé, puisque vous êtes ici. Avez-vous mal quelque part ?

— Non, docteur.

— Alors, qu'est-ce qui vous inquiète ?

— Eh bien, dit-il.

Mais il ne poursuit pas. Il regarde Le Guillou. Et celui-ci, sans avoir l'air d'avoir reçu ce regard, sans même m'interroger de l'œil, le plus naturellement du monde et d'un air affairé, passe dans la chambre d'isolement où il n'a d'évidence rien à faire. Quant à Morvan, je ne le vois nulle part : il doit dormir.

— Eh bien, voilà, docteur, dit Longeron après un silence.

Mais il ne parvient pas à se décider, et reste bouche close, les paupières cillantes, les joues pâles et l'air si mal à l'aise que je crains qu'il ne me fasse une syncope.

— Asseyez-vous, dis-je. Je vais vous donner un verre d'eau.

Il boit avidement, son visage se recolore, il avale sa salive. Cependant, quand enfin il arrive à parler, sa voix est détimbrée.

— Eh bien, dit-il, voilà : je suis en train de devenir impuissant.

Je souris.

— Qu'est-ce qui vous fait penser ça ?

— Je n'ai plus d'érection la nuit depuis une semaine.

— Et vous en aviez il y a une semaine ?

— Oui.

— Combien ?

— Trois ou quatre.

— Et que faisiez-vous à ce sujet ?

Bien que j'aie posé la question de la façon la plus neutre, et presque distraitement, elle le trouble beaucoup, et il répète :

— Ce que je faisais à ce sujet ?

— Oui. Que faisiez-vous ?

— Eh bien, dit-il avec effort, je la prolongeais.

Le Guillou a raison : il s'exprime bien. C'est une trouvaille, cette « prolongation ».

— Vous prolongiez votre érection manuellement ?

— Oui.

— Jusqu'à l'orgasme ?

— Oui.

Le premier « oui » est faible, et le second est quasi expiré.

— Et alors ? dis-je. Où est le problème ?

Longeron me regarde. Il paraît presque scandalisé par mon flegme.

— Comment « où est le problème » ? dit-il. Le problème, c'est que je culpabilise.

Ma question est prompte :

— Pourquoi ?

— Comment « pourquoi » ? dit-il en avalant sa salive.

— Ecoutez, Longeron, ne répétez pas tout le temps mes questions. Répondez-y.

— Oui, docteur. Excusez-moi.

— Laissez tomber les « excusez-moi ». Expliquez-moi plutôt pourquoi vous culpabilisez.

— Mais, docteur, la masturbation est une conduite sexuelle perverse.

— Vous êtes catholique, Longeron ?

— Non, docteur.

— Alors, dites-moi où vous avez trouvé cette belle phrase.

— Dans le Larousse médical.

— Je regrette qu'elle s'y trouve. Dans la bouche d'un médecin elle n'a aucun sens. Mieux : elle est idiote. Le Larousse médical a dû faire beaucoup de mal à beaucoup de gens avec cette phrase idiote. Vous, par exemple, elle vous a culpabilisé. Vous êtes marié, Longeron ?

— Oui.

— Et quand vous retrouverez votre femme, vous avez peur de ne pas pouvoir la prendre ?

— Oui, c'est ça, c'est ça... Quand j'y pense, je me réveille la nuit avec des sueurs froides. Je suis complètement paniqué.

— Et vous avez des remords ?

— Oui.

— Vis-à-vis de votre femme aussi ?

— Oui.

— Pourquoi ?

— Mais parce que la masturbation, ça me diminue beaucoup moralement à mes propres yeux vis-à-vis de ma femme.

— Elle vous diminue moralement parce qu'on vous a mis dans la tête que c'est une « conduite sexuelle perverse ».

— Et c'est faux ?

— Absolument. Vous savez ce que c'est que la perversion, Longeron ? C'est le goût du mal. Et dans le cas des enfants, des solitaires, des prisonniers et, en général, des hommes privés de femmes, croyez-vous que c'est par goût du mal qu'ils se masturbent ? Ils se masturbent pour satisfaire un besoin. C'est tout.

— Je serais bien content si je pouvais penser cela, docteur.

— Eh bien, pensez-le. Qui vous en empêche ? Le Larousse médical ? Il vous paraît plus médecin que moi ? Quel âge avez-vous ?

— Trente et un ans.

— Et vous croyez qu'on devient impuissant, comme ça, à trente et un ans, d'une semaine à l'autre ?

— Eh bien justement, docteur, comment devient-on impuissant ?

— Il y a des causes physiques : le diabète, les maladies

vasculaires, l'alcoolisme et les drogues. Vous vous reconnaissez dans ce tableau ?

— A vue de nez, non.

— Il y a aussi des causes morales qui peuvent vous rendre temporairement impuissant. Par exemple, une grande déception amoureuse.

— Alors là, ce n'est pas le cas ! dit Longeron vivement. Je peux le dire, j'ai jamais manqué un familigramme. Pas une seule fois ! Pas un seul !

— Eh bien bravo, Longeron. Et dormez sur vos deux oreilles. Vous n'êtes pas impuissant. Vous verrez, à votre retour, ça se passera très bien.

— Mais, supposez que j'aie le diabète, docteur ?

Je ris :

— Alors vous, vous êtes un bileux ! Et un imaginatif ! Ecoutez, Longeron : si vous l'aviez, le diabète, on l'aurait dépisté à terre.

— Il a pu se développer chez moi depuis ma dernière visite. Ça remonte à six mois.

— Soit. Si ça peut calmer votre anxiété, je vais demander à Le Guillou de vous faire une analyse d'urine et une analyse de sang.

— Merci, docteur.

Il est content. Le sorcier va lui prendre un peu de sang et un peu d'urine. Avant même que les analyses soient négatives, il est rassuré. Ensuite, je lui donnerai un fortifiant banal : autre magie. Et surtout avec force, avec autorité, je lui répéterai qu'il n'a rien, absolument rien.

— Docteur, dit-il.

— Oui, Longeron.

— Excusez-moi, mais j'aimerais mieux que tout cela reste entre nous.

— Votre cas est couvert par le secret médical. Il ne sortira pas de l'infi.

— Et Le Guillou ?

— Il est tenu, lui aussi, au secret.

Dans l'après-midi, étant seul avec Le Guillou, je lui touche un mot du cas Longeron, ne voulant pas faire des mystères avec lui. Il m'écoute sans se permettre un sourire et quand j'en viens à la définition du Larousse, décrivant la masturbation comme « une conduite sexuelle perverse », il tique lui aussi. Et il me fait une suggestion très valable.

— Vous savez, docteur, ça serait peut-être une bonne idée que vous fassiez un topo là-dessus à la caffe. Le cas Longeron n'est peut-être pas isolé.

Je fais la moue.

— Traiter de l'impuissance comme ça, tout de go ? Ça ne serait pas un peu délicat ? Surtout à si peu de jours du retour ?

— Oui, évidemment. Mais vous pourriez peut-être annoncer un topo sur les maladies sexuellement transmissibles et, dans ce cadre plus général, traiter aussi de la sexualité et redresser aussi les idées reçues sur l'impuissance.

Ce que j'ai fait, le lendemain même, avec l'autorisation du pacha, et avec le plus grand succès, la partie de l'équipage qui m'a écouté répétant mes propos — j'espère sans trop les déformer — à ceux qui étaient « de quart ».

J'aurais été tenté de croire que ce cas-là allait être le dernier, hormis le train-train des petits rhumes et des blessures sans conséquence, quand le soir même, vers les neuf heures et demie, on me téléphone d'avoir à venir d'urgence à l'infi. J'accours et je trouve le boula tenant de sa main gauche sa main droite ensanglantée. J'examine la plaie. Ce n'est pas un bobo. Il s'est entaillé la base du pouce et s'est partiellement sectionné le tendon extenseur entre le pouce et l'index.

— Et comment vous êtes-vous fait ça, boula ?

— En retapant ma banette. Ces sacrés petits ressorts plats sont coupants comme des rasoirs.

— Quels ressorts plats ?

— Ceux du sommier. J'ai rentré la couverture sous le matelas un peu brusquement et voilà !

— Je vous l'avais signalé, docteur, dit Le Guillou.

— Oui, je me souviens. Jacquier aussi. Au début de la patrouille, il m'avait même prié de ne pas refaire moi-même mon lit. Eh bien, vous vous êtes bien arrangé !

— Vous allez me recoudre, docteur ? dit le boula d'une voix faible.

— Deux fois : le dessous et le dessus. Mais ne craignez rien : on va vous faire une piqûre pour l'anesthésie locale.

— Ça sera long ?

— Une petite demi-heure. Le plus long, c'est de suturer le tendon. C'est délicat, vu que ce tendon-là n'est pas très gros, peut-être deux millimètres de section. Et il faut faire des points là-dedans avec de toutes petites aiguilles. Mais d'abord, il faut vous mettre en extension.

Tout le temps que durera l'intervention — et en fait de petite demi-heure elle va dépasser quarante-cinq minutes — je vais parler au boula et lui décrire au fur et à mesure ce que je fais : son esprit sera occupé et il ne pensera pas à tourner de l'œil.

Je reprends :

— Tout est petit, là-dedans, vous comprenez : le tendon, le fil, l'aiguille.

— Si elle est si petite, docteur, comment faites-vous pour l'enfiler ?

A la bonne heure, il parle et d'une voix tout à fait normale.

— Je n'enfile pas, le fil est embouti dans la base de l'aiguille. L'aiguillée est toute préparée.

— Alors, dit-il, vous devez la jeter quand il n'y a plus de fil.

— Bien sûr.

— Ben, c'est pas très économique, dit-il avec bon sens.

— Peut-être, mais il y a de gros avantages : l'aiguillée est toute prête, on la sort stérile du paquet... Et surtout, la tête de l'aiguille ne comporte pas de chas. Elle est plus fine et fait des trous moins gros dans les tissus...

J'égrène ces petites phrases une à une sur le ton de la conversation détendue, voire enjouée, tout en travaillant.

— Voilà, dis-je au bout d'un moment, j'ai fini la suture du tendon. Le plus délicat est fait. Il ne reste plus qu'à recoudre le dessus.

Pour la première fois, le boula s'inquiète.

— Et je vais pouvoir récupérer ma main ? Comme elle était avant ? Vous comprenez, ma main dans mon métier...

— Ne vous en faites pas. Vous en recouvrirez l'usage. Mais il y faudra du temps. Trois semaines au moins. Et le plus embêtant pour vous va être de la garder en extension pendant trois semaines.

Dès qu'il est pansé, je pars à la recherche du second. Ce qui signifie : parcourir le SNLE dans toute sa longueur, demander aux gars : « Vous savez où est le second ? » et recevoir cette réponse invariable · « Il vient de passer ».

Je le découvre enfin au PCP de la tranche machines, et en deux phrases — étant si vif lui-même, il attend des autres la concision — je lui conte l'accident du boula.

— Et bien sûr, me dit-il, ce n'est pas avec une main pansée qu'il peut façonner ses pains ! Vous vous rendez compte, toubib ? Des Français sans pain ! C'est la révolution ! Heureusement que nous sommes proches du retour ! Venez, toubib, on va voir à la cuisse si la chose est sans remède.

Mais à la cuisine, on ne trouve ni Tetatui ni Jegou : leur dur labeur quotidien fini, ils sont allés se coucher. Le grand film de la caffe vient de se terminer. Brosse à dents n'est nulle part visible. Seul Le Rouzic est là, surveillant ses petits matelots qui rangent les sièges.

— Vous vous rappelez peut-être, commandant, dis-je, que Le Rouzic s'y connaît pas mal. Il était volontaire pour aider le boula à façonner.

— Mais c'est vrai ! dit le commandant. Je l'ai même vu en passant !

Comment ne l'aurait-il pas vu ? Il va partout et il voit tout. Et le voilà aussitôt qui croche dans Le Rouzic, lequel n'est pas chaud, tout serviable qu'il soit.

— Vous savez, commandant, moi les pains, ça va encore, je pourrais peut-être étaler. Mais pour la pâtisserie, les brioches, les croissants, c'est zéro. Et qui fera le jour mon travail de motel ? Je ne peux pas travailler jour et nuit.

— Le boula vous remplacera comme motel.

— Avec une main ?

— Il dirigera les petits matelots.

Le Rouzic fait la moue.

— Oui, dit-il, oui. Si l'on veut. Il n'est pas très patient, le boula.

En d'autres termes, Le Rouzic protège ses petits matelots — qu'il engueule sec pourtant, à l'occasion. Il doit penser qu'il y a engueulade et engueulade. Et que la sienne, seule, est pédagogique.

— J'en toucherai un mot au patron, dit le second. Il modérera le boula. Et vous, vous ne ferez que le pain. Bien entendu, on se passera de brioches. Comme la reine Marie-Antoinette.

— Pardon, commandant, dit Le Rouzic, ce n'est pas Marie-Antoinette qui se passait de brioches. C'est le peuple. Et de pain aussi.

— Très juste, Le Rouzic, dit le second avec son rire abrupt, et il lui donne une petite tape sur l'épaule.

Affaire conclue dans la bonne humeur et les souvenirs historiques chers à nos cœurs. Nous avons évité de justesse un mini-Waterloo. Jusqu'à la fin de la patrouille, nous mangerons du pain.

⁂

Deux, trois jours avant notre retour à Brest, je me retrouve pour le thé avec le pacha au carré.

— A votre sentiment, commandant, cette patrouille, c'est une bonne patrouille ?

— Jusqu'ici, oui, dit-il sans l'ombre d'un sourire. Mais je vous donnerai ma réponse définitive quand nous serons à quai à l'Ile Longue.

Et superstitieux comme le sont souvent les marins, il étend le bras et pose la main à la dérobée sur le bois de la bibliothèque. Ayant ainsi conjuré l'incident ou l'accident de la dernière minute, évoqué — et qui sait même, provoqué — par ma question imprudente, il me sourit dans sa barbe, ses yeux bleus me considérant avec amitié et un soupçon de malice.

— D'autres questions, toubib ?

— Elles me gonflent les joues, commandant, mais si vous le désirez, je peux les avaler.

— Et risquer l'étouffement ? Non, non, posez-les, toubib.

— Qu'est-ce qu'une bonne patrouille ?

— Une bonne patrouille est une patrouille où il ne se passe rien, et à propos de laquelle je peux écrire en conclusion de mon rapport : « A ma connaissance, je n'ai pas été détecté. »

— Pourtant, il s'est passé des choses à bord pendant ces neuf semaines.

— C'est vrai : il y a eu quelques pannes, mais elles ont été réparées.

Il sourit.

— Vous-même, vous avez réparé Brouard, Roquelaure, Langonnet et bien d'autres...

— Merci, commandant.

Un silence. Il boit son thé à petits coups dévotieux.

— Comme vous savez, reprend-il, il faut toujours tirer la leçon des incidents parvenus au cours de la patrouille. Et c'est bien d'ailleurs ce que vous avez fait.

Je le regarde béant.

— Comment, commandant, ce que j'ai fait ? Mais je n'ai rien fait du tout !

— Toubib, vous vous sous-estimez. Vous avez sûrement des suggestions à formuler. Je serais tout à fait surpris qu'un esprit actif et pragmatique comme le vôtre ne me rédige pas à ce sujet une petite note écrite.

— Ah, commandant, dis-je en riant, vous me prenez en traître ! De toute façon, ce seraient des suggestions fort modestes.

— Ce ne sont pas forcément les moins valables. Allez-y toubib, je vous écoute.

— Eh bien, *primo :* il faudrait corriger les lames de ressort dans les sommiers des banettes. *Secundo :* nous avons un aide-cuisinier. Un aide-boulanger serait utile à bord. A mon avis, le boula, outre qu'il travaille la nuit, travaille trop et il travaille trop tout seul. Conséquence : s'il est victime d'un accident de santé, le SNLE est privé de pain. *Tertio*, mais excusez-moi, commandant, je n'ai pas l'intention de formuler mon *tertio :* il me ferait haïr par tous les sous-mariniers.

— Dites-le-moi oralement.

— Ah non, commandant, vous-même vous ne seriez pas content de m'entendre dire une chose pareille.

— Toubib, si vous vous entêtez dans votre silence, votre notation comportera la phrase suivante : « ne fait pas confiance à son commandant ».

Il rit en disant cela, et je ris aussi. D'ailleurs, si je ne voulais pas parler de mon *tertio*, je n'avais pas à le mentionner : je me suis moi-même pris au piège.

— Bien, dis-je, je vous fais confiance, commandant. Il s'agit des familigrammes.

— Ah !

— C'est une institution que j'ai scrupule à critiquer en raison d'abord de mon cas personnel — je n'en ai reçu qu'un — et aussi parce qu'elle honore grandement la Marine, étant, dans son principe, très humaine. Mais à mon sentiment, elle fait autant de mal que de bien. Plus, peut-être.

— Vous allez être étonné, toubib, dit le commandant avec gravité. Le second partage votre avis. Et si je ne le partage pas, je comprends vos raisons.

Il laisse sa phrase en suspens et, après un petit silence, je la complète :

— Vous estimez qu'il n'est plus possible de revenir là-dessus en haut lieu et de défaire ce qui a été fait.

— Oui, c'est à peu près cela.

Il enchaîne aussitôt :

— Toubib, votre impression personnelle, en un mot, sur la patrouille ?

— Fascinante. Mais si vous me permettez un mot de plus, j'ajouterais « épuisante ».

— Vous n'avez pas l'air épuisé.

— C'est que je suis excité comme une puce. Je ne tiens plus en place. Je n'arrive pas à croire que dans quelques heures nous allons nous retrouver à l'air libre. C'est curieux cette expression « l'air libre », vous ne trouvez pas ? On la dirait, à vue de nez, si banale.

— Et pourtant ! dit le pacha.

Le silence retombe. Il ne nous gêne pas. Le courant passe très bien entre nous. J'ai beaucoup plus que de la sympathie pour le pacha. En tant qu'officier, c'est un grand professionnel, animé par un vif amour de son métier, et un sentiment non moins vif de sa mission. Mais l'homme aussi est attachant : fin, cultivé, et cultivant cette attitude d'humour devant la vie qui est à la fois courage et pudeur. Maniant très bien les hommes et toutefois les aimant. A la fois amical et autoritaire. Familier et distant.

Pour la dernière veille les mimis ont arraché une bouteille de champagne à Miremont et m'ont invité à venir prendre le dernier verre avec eux au carré. Je n'aime guère le champagne, mais comment refuser la convivialité d'une dernière petite fête ? En plus des deux mimis, il y a là tous les joyeux loulous : Angel, Callonec, Saint-Aignan, mais pour peu de temps, car ils prennent congé assez vite. Ils sont de quart. Verdoux aussi. La bouteille de champagne est encore à moitié pleine. Les partants ont à peine trempé les lèvres dans leurs verres : la sobriété, quand on est de quart, est la loi non écrite du bord.

Verdelet se reverse à boire. Il peut se le permettre : il va dormir. Mais je refuse un supplément. Je sais bien qu'il est réputé non viril de ne pas aimer le champagne. Mais j'aime mieux passer pour non-viril et ne pas avoir d'aigreurs d'estomac.

Verdelet est doublement heureux : d'abord parce qu'il va revoir « l'air libre », et parce qu'à l'air libre, il va retrouver sa fiancée, dont il a reçu fidèlement un familigramme par semaine. Je l'envie.

— J'ai fait mon bilan, dit-il, le verre en main. Côté métier, j'ai appris juste ce qu'il fallait pour le faire en conscience. Je me rends compte que j'aurais pu apprendre beaucoup plus de choses. Mais je ne suis pas matheux. Je suis littéraire.

— Mais, dis-je, ce côté littéraire t'aura été, par ailleurs, très précieux pour animer la caffe par tes causeries et le carré par ton entrain.

— Je te renvoie l'ascenseur, dit-il. Tu étais de ceux qui animaient. Verdoux aussi. Et le second, et le pacha. Mais cinq officiers qui parlent sur seize, ce n'est pas beaucoup. C'est là le problème. Et tu sais comme moi que par moments il fallait ramorder comme un pou pour créer une conversation : j'ai suggéré au pacha d'organiser pendant le repas des débats sur des sujets non polémiques...

Au bout d'un moment, je quitte Verdelet et je passe faire un tour à l'infi, où je trouve Le Guillou très occupé à faire les comptes de la cope que, normalement, j'aurais dû faire avec lui, puisque c'est moi qui coiffe cette précieuse institution. Je lui apporte aussitôt mon aide et après une bonne heure, nous en venons à bout.

Je jette un coup d'œil circulaire sur cette infi que je vais quitter. Le Guillou range. Dans la chambre voisine, Morvan dort. Tout est normal. Tout est banalement quotidien.

Le Guillou a fini son rangement perfectionniste. Il s'adosse à la table d'opération. Ses yeux verts au-dessus de ses larges pommettes prennent une expression rêveuse, et je me demande si, repris par ses anxiétés métaphysiques, il ne va pas me poser à nouveau des questions sur l'immortalité de l'âme. Mais non. Il s'agit de tout autre chose.

— Docteur, qu'est-ce que vous pensez, vous, de la dissuasion ?

— Je suis pour, hélas.

— Pourquoi, hélas ?

— Parce que la meilleure solution serait de désarmer. Mais la France ne peut pas vivre désarmée dans un monde surarmé. Pour que le désarmement se fasse, il faudrait que les USA et l'URSS commencent. Par malheur, ils n'y songent pas. Ils se regardent en chiens de faïence et pour chacun d'eux, l'autre est l'Empire du Mal.

— Vous en concluez que la dissuasion est une nécessité ?

— Une nécessité et un pari.

— Quel pari ?

— Que ça marche, que ça continue à bien marcher.

— Et si ça échoue ?

— Nous ne serons même plus sur terre pour le constater.

— Eh bien ! docteur ! Vous n'êtes pas gai !

— Détrompez-vous. Je suis aussi gai qu'on peut l'être. Après tout, la terre est belle, même si nous y passons peu de temps. Savez-vous à quoi je pense souvent ? Quand nous remonterons à l'air libre, les moissons seront faites et je me sentirai heureux quand je verrai les gros cylindres de paille alignés géométriquement sur le chaume des champs.

— Je sais, dit Le Guillou avec émotion. Ma mère les appelle « les saucissons du Bon Dieu ». Mais moi, je pense surtout à un petit ruisseau où je pêchais l'écrevisse quand j'étais gosse.

Sur un bonsoir je quitte l'infi et, avant de regagner ma

chambre, je passe par le carré. Je voudrais le revoir, puisqu'en pensée je l'ai déjà quitté. A ma grande surprise, j'y trouve Wilhelm.

— Comment, Wilhelm, encore debout ?

— Ah docteur, je peux plus dormir quand je sens l'écurie...

— J'ai bien peur que moi non plus... Mais je vais quand même essayer. Wilhelm, je peux vous demander quelque chose : voulez-vous me réveiller quand on remontera ?

— C'est promis.

Dans ma chambre, étendu tout habillé sur ma banette, la lumière éteinte, les yeux grands ouverts, je pense au retour et à qui, sinon aux femmes ? La première fille que je rencontrerai dans la rue, c'est juré, je l'embrasse ! C'est juré, mais je ne le ferai pas. On passe son temps à ne pas faire les choses qu'on s'est promis de faire. En revanche, on fait celles qu'on s'est interdites. Par exemple, penser à Sophie. J'aurais dû me méfier. On glisse si facilement de l'espèce à l'individu. Et comment se défendre de penser à quelqu'un puisque cette interdiction même évoque son image. Je passe alors un très âcre petit quart d'heure. Tous ces hommes sur le SNLE, ils ne retournent pas seulement à l'air libre. Ils retournent vers un oxygène tout aussi nécessaire : une femme aimée. Pas moi ! Je suis furieux contre Sophie et je suis furieux contre moi de penser à elle. Mon purgeur d'amertume ne fonctionne pas très bien.

Je parviens enfin à me verrouiller contre mes souvenirs. J'arrive même à croire que je sors victorieux de l'épreuve. Et j'ai dû aussi m'endormir, deux bonnes heures. C'est ce que, du moins, ma montre me dit, quand Wilhelm me secoue pour me réveiller.

— Ça y est, docteur ! On est revenus en surface ! Le second vous attend sur le kiosque ! Il ne faut pas rater ça !

— Comment je m'habille ?

— Il paraît qu'il fait très doux. Mer calme. Ça roule très peu.

— Merci, Wilhelm.

Je m'en aperçois en mettant un pied sur le parquet. C'est vrai que ça roule peu. Je ne capellerai donc pas mon parka, comme j'ai fait au départ, le kiosque ne méritant pas cette fois son surnom de « baignoire ». En revanche, me souvenant de cet adage marin qu'en mer « il fait toujours frais », j'enfile mon woolly par-dessus mon T-shirt, je gagne l'échelle, et j'en monte les degrés, me souvenant avec amusement combien cet exercice, sur le premier bâtiment où j'avais embarqué, m'avait paru malaisé.

Il y a quatre hommes sur le kiosque. Non cinq, avec le second, à qui je dis aussitôt :

— Où vais-je me fourrer pour ne pas gêner ?

— Mais là, dit-il, dans ce coin.

Il fait nuit, bien sûr : le retour des SNLE à leur base est souvent nocturne. C'est notre seul point commun avec les voleurs.

Mais cette nuit-là est claire avec une lune très pleine, très brillante, grosse comme un lampion, et qui me donne d'abord l'impression d'être suspendue dans le ciel, à une hauteur si prodigieuse que je suis pris de vertige, moi qui suis habitué depuis deux mois à courber la tête dans les coursives.

Mais je m'en aperçois, elle n'est pas vraiment accrochée là-haut, — si haut ! — elle est mobile, elle vogue entre les nuages, les éclairant par-derrière et apparaissant tout d'un coup entre leurs effilochements avec une lenteur majestueuse. La mer qu'elle illumine est calme, mais pas vraiment plate. Elle ondule en longue houle tandis que le sous-marin, son avant immergé, la refoule doucement et amicalement devant lui pour aller retrouver son nid bétonné. Nous sommes en train de passer le goulet de la rade et la vue de la terre si proche des deux côtés me surprend, avec ses escarpements et ses arbres : je l'avais presque oubliée.

L'instant d'après, l'air me fait presque mal à la gorge, tant il est âcre. Ah ! ce n'est plus l'air chimiquement pur et inodore du sous-marin ! Cet air que j'inhale sur le kiosque a des senteurs presque trop âpres, je les respire à petits coups, avec précaution. Certes, puisque nous sommes en mer, l'air est humide et salé. Mais la terre étant si proche, il sent aussi son haleine : l'humus, les feuilles, la fumée. J'éprouve l'impression si bien décrite par Mowgli quand il quitte la jungle et ses frères loups pour vivre dans la hutte des villageois. Les odeurs m'assaillent. Elles sont trop nombreuses et trop fortes. Je ne dirais pas qu'elles me sont pénibles. Mais il va falloir que je me réhabitue à l'odeur de l'homme.

Le ciel, en revanche, est un enchantement. Si haut, si vaste, avec « les nuages qui passent là-bas, là-bas, les merveilleux nuages ! ». Je n'arrive pas à m'en rassasier. J'aurais cent yeux, je n'en aurais encore pas assez pour m'emplir à ras bord de la joie inouïe que cette vue me procure.

Le second me pousse légèrement du coude, je tourne la tête, et le clair de lune éclairant en plein son visage, je suis surpris de l'expression de ses traits. Je serai plus étonné encore de la façon dont il va me parler — sans ironie, sans rire abrupt.

— C'est beau, hein !

— Très beau, dis-je presque à voix basse.

— Ça vaut le coup, vous ne trouvez pas, de vivre sous l'eau pendant soixante-cinq jours pour retrouver ça quand on remonte ?

— Oui, dis-je, c'est une découverte. Une redécouverte. C'est merveilleux.

— Alors, dit-il, écoutez-moi bien, toubib.

Sa voix est grave, pressante.

— Pendant une semaine, deux semaines peut-être, vous allez vous émerveiller de voir le ciel et les nuages. Puis ça passera.

— Si vite ?

— Oui. Vous oublierez.

— J'oublierai que le monde est si beau ?

— Oui, on oublie, on oublie toujours. A moins de faire un effort pour se rappeler la chance inouïe qu'on a.

— Mais, dis-je, la gorge serrée, ça ne sera plus le même émerveillement que ce soir ?

— Non, l'émerveillement s'use. Mais il faut se rappeler. Voilà. Il faut se rappeler le bonheur qu'on a d'avoir tout ça, quotidiennement, devant les yeux : la terre, le ciel, les nuages.

Il reprend à mi-voix :

— Et c'est si fragile, maintenant.

GLOSSAIRE

Bien que la plupart des mots de l'argot de la Marine que j'emploie dans ce roman soient expliqués dans le texte ou par le contexte, je les ai rassemblés ici pour l'agrément du lecteur. Comme dit le personnage qui dit « je », « l'argot de métier n'est pas seulement abréviatif et distinctif. Il est aussi affectueux ».

Référence est faite dans ce glossaire au livre classique du C.F. Roger Coindreau, « L'Argot Baille ».

Baille : L'Ecole Navale.

Baleine : Paquet de mer.

Bouchon gras : Mécanicien de la Marine.

Boula : ou boulange : le boulanger du bord.

Boyard : Beau, superbe.

Bruits de coursive : Nouvelles, vraies ou fausses, qui courent à bord du bateau.

Caffe : (écrit aussi : cafe ou caf) : abréviation pour cafétéria.

Carré : Salle où les officiers prennent leurs repas.

Cartahu : Excellent, transcendant.

Chouf : Quartier-maître-chef.

Crabe : Quartier-maître.

Débouquer : Se dit d'un navire qui sort d'une baie ou d'une anse par un goulet pour gagner la haute mer. *Embouquer :* se dit, au rebours, d'un navire qui s'engage dans une passe étroite.

Décapeler : Se dit d'un mât ou de vergues qu'on dépouille

de leur gréement. Par extension, se dit d'un vêtement qu'on enlève.

Décote : Baisse de considération ou de prestige.

Enculante : Conférence.

Enculeur : Le conférencier.

Etaler à bloc : Réussir parfaitement. Sens premier d'*étaler :* tenir le coup.

Famili : Abrégé pour familigramme.

Fistot : Elève de première année à la Baille.

Gouillot : Oiseau de mer. Par extension, désigne un glouton.

Marée : Nom que donnent les matelots à la patrouille d'un SNLE.

Mimi : Abréviation de midship.

Parka : Le ciré qu'on revêt pour se protéger des embruns. Appelé « peau de couilles » par les bordaches.

Poulaines : Les w.-c.

Ramorder : Travailler.

Touloulou : Femme.

Achevé d'imprimer en juin 1986 sur presse CAMERON dans les ateliers de la S.E.P.C. à Saint-Amand-Montrond (Cher) pour Plon, éditeur à Paris.

Dépôt légal : juin 1986. — N° d'Édition : 11531. — N° d'Impression : 1298/869.

Imprimé en France